O corpo em depressão

CIP-BRASIL. CATALOGAÇÃO NA PUBLICAÇÃO
SINDICATO NACIONAL DOS EDITORES DE LIVROS, RJ

Lowen, Alexander, 1910-2008
　　O corpo em depressão : as bases biológicas da fé e da realidade / Alexander Lowen; [ilustração Caroline Falcetti , Walter
Skalecki , Lowen Foundation] ; [tradução Ibanez de Carvalho Filho].
- [10. ed., rev.]. - São Paulo : Summus, 2021.
　　240 p. : il. ; 21 cm.

　　Tradução de: Depression and the body : the biological basis of
faith and reality
　　Inclui bibliografia
　　Notas
　　ISBN 978-65-5549-056-5

　　1. Depressão mental. 2. Psicoterapia bioenergética. I. Falcetti,
Caroline. II. Skalecki, Walter. III. Lowen Foundation IV. Carvalho
Filho, Ibanez de. VI. Título.

201-74313　　　　　　　　　　　　　　　　CDD: 616.8527
　　　　　　　　　　　　　　　　　　　　　CDU: 616.89-008.454

Leandra Felix da Cruz Candido - Bibliotecária - CRB-7/6135

www.summus.com.br

EDITORA AFILIADA

O corpo em depressão

depressão

As bases biológicas da fé e da realidade

Alexander Lowen

summus
editorial

Do original em língua inglesa
DEPRESSION AND THE BODY
The biological basis of faith and reality
Copyright © 1972, 2021 by Alexander Lowen
Direitos desta tradução adquiridos por Summus Editorial

Editora executiva: **Soraia Bini Cury**
Tradução: **Ibanez de Carvalho Filho**
Revisão da tradução: **Janaína Marcoantonio**
Ilustrações: **Caroline Falcetti** (p. 46-47, 50, 76, 123, 234-235)**,**
Lowen Foundation (p. 196, 218-219) **e**
Walter Skalecki (p. 51, 52)
Projeto gráfico, diagramação e montagem
de capa: **Crayon Editorial**
Imagem da capa: **Shutterstock**

Summus Editorial

Departamento editorial
Rua Itapicuru, 613 — 7º andar
05006-000 — São Paulo — SP
Fone: (11) 3872-3322
http://www.summus.com.br
e-mail: summus@summus.com.br

Atendimento ao consumidor
Summus Editorial
Fone: (11) 3865-9890

Vendas por atacado
Fone: (11) 3873-8638
e-mail: vendas@summus.com.br

Impresso no Brasil

Para o dr. John C. Pierrakos,
querido amigo e íntimo colaborador

Sumário

Prefácio

O principal objetivo do esforço psiquiátrico, tanto no presente como no passado, é fazer a pessoa que sofre de transtorno mental entrar em contato com a realidade. Se a ruptura com a realidade é grave — isto é, se o paciente não se orienta segundo a realidade de tempo, lugar ou identidade —, seu estado clínico é descrito como psicótico. Diz-se que ele sofre de ilusões que distorcem sua percepção da realidade. Quando o distúrbio emocional mostra-se menos grave, é chamado de neurose. O indivíduo neurótico não está desorientado, sua percepção da realidade não está distorcida, mas sua concepção da realidade é ilógica. Ele age com base em ilusões, e consequentemente seu modo de agir e pensar não está assentado na realidade. Porque sofre de ilusões, o neurótico também é considerado portador de um transtorno mental.

A realidade, contudo, nem sempre é fácil de definir. Muitas vezes, é difícil determinar quais crenças são ilusões e quais são verdadeiras. A crença em espíritos que, tempos atrás, era mantida pela maioria das pessoas, hoje seria considerada ilusória. Da mesma maneira, a visão de um espírito seria considerada ilusão. Entretanto, com a crescente aceitação dos fenômenos extrassensoriais, nossa convicção de que a realidade exclui essas experiências vem sendo abalada.

Uma visão muito estreita da realidade por vezes também se mostra ilusória. Não raro, pode-se demonstrar que aquele que se orgulha de ser "realista" tem ilusões escondidas.

Há uma realidade indiscutível na vida de todo ser humano, que é sua existência física ou corporal. Seu ser, sua individualidade, sua personalidade, são determinados pelo seu corpo. Quando o corpo morre, ela deixa de ser uma pessoa no mundo. Ninguém existe separadamente do corpo. Não há nenhuma forma de existência mental independente da existência física. Pensar de outra maneira é ilusão. Mas essa afirmação não nega que nossa existência física tenha um aspecto espiritual além de material.

Desse ponto de vista, o conceito de doença apenas mental é ilusão. Não existe distúrbio mental que não seja também físico. A pessoa deprimida está fisicamente deprimida, assim como mentalmente deprimida; os dois na verdade são um, cada um indicando um aspecto diferente da personalidade. O mesmo vale para qualquer um dos chamados transtornos mentais. A crença de que "está tudo na cabeça" é a grande ilusão dos nossos tempos, pois ignora a realidade fundamental de que a vida, em todas as suas várias manifestações, é um fenômeno físico.

O termo correto para descrever os transtornos de personalidade é "transtorno emocional". A palavra "emoção" tem uma conotação de movimento e, portanto, uma implicação tanto física como mental. O movimento acontece em nível físico, mas sua percepção ocorre na esfera mental. Um distúrbio emocional envolve ambos os níveis da personalidade. E, como é o espírito que nos move, o espírito também está envolvido em todo conflito emocional. O indivíduo deprimido sofre de uma depressão do espírito.

Se desejamos evitar a ilusão de que "está tudo na cabeça", devemos reconhecer que a verdadeira espiritualidade tem uma base física ou biológica. Da mesma maneira, precisamos distinguir fé de crença. A crença é o resultado da atividade mental, mas a fé está arraigada nos processos biológicos profundos do corpo. Não compreenderemos a verdadeira natureza da fé a menos que estudemos esses processos em indivíduos que têm fé e naqueles que não têm. A pessoa deprimida é, como veremos, alguém que perdeu a fé. Como e por que a perdeu será o principal assunto deste livro. No curso desta análise, chegaremos a uma compreensão das bases biológicas do senso de realidade e do sentimento de fé. Não devemos subestimar a importância dessa investigação, pois a perda da fé é o problema fundamental do ser humano moderno.

1. Por que ficamos deprimidos

DEPRESSÃO E IRREALIDADE

A depressão se tornou tão comum que um psiquiatra já a descreveu como uma reação "perfeitamente normal", desde que, evidentemente, "não interfira em nossas tarefas diárias"[1]. Mas mesmo que seja "normal" no sentido estatístico de se referir a como a maioria das pessoas se sente e se comporta, não pode ser considerada um estado saudável. De acordo com essa definição de normalidade, uma tendência esquizoide, com seus sentimentos concomitantes de alienação e distanciamento, também seria "normal" quando abrangesse a maioria de nós, desde que não fosse tão grave que os indivíduos precisassem ser hospitalizados. O mesmo poderia ser dito da miopia ou das dores lombares, cuja incidência é tão alta em nossos dias que estatisticamente seriam consideradas o estado normal do ser humano moderno.

Uma vez que nem todos ficam deprimidos, são esquizoides, sofrem de miopia ou são acometidos por dores lombares, deveríamos considerar que esses indivíduos são anormais? Ou serão eles os verdadeiramente normais, enquanto a maioria sofre de graus variados de patologia, tanto psicológica quanto física? Ninguém pode esperar que um ser humano seja alegre todo o tempo. Nem mesmo as crianças, que, por natureza, estão mais próximas dessa emoção, estão sempre alegres. Mas o fato de que só ocasionalmente transbordamos de alegria não explica a depressão. O padrão do funcionamento humano normalmente saudável é "sentir-se bem". Uma pessoa saudável se sente bem a maior parte do tempo com as coisas que faz, com seus relacionamentos, trabalho, lazer e movimentos. Às vezes, seu prazer vira alegria e pode inclusive chegar ao êxtase. Outras vezes, ela sente dor, tristeza, desgosto e desapontamento. Contudo, não fica deprimida.

Para compreender essa diferença, vamos comparar o ser humano com um violino. Quando as cordas estão adequadamente afinadas, elas vibram e emitem som. Pode-se então tocar uma música triste ou alegre, um canto fúnebre ou uma ode à alegria. Se as cordas estiverem desafinadas, o resultado será a cacofonia. Se estiverem frouxas e fora de tom, não se conseguirá obter som algum. O instrumento estará "morto", incapaz de qualquer reação. Esse é o estado do deprimido: ele é *incapaz de reagir*.

Ser incapaz de reagir distingue o estado depressivo de todos os outros estados emocionais. Aquele que está desanimado recuperará a fé e a esperança quando a situação mudar. Aquele que está abatido se erguerá novamente quando a causa de seu problema for eliminada. Aquele que está desestimulado se empolgará com a perspectiva de prazer. Mas nada consegue criar uma reação na pessoa deprimida; em geral, a possibilidade de diversão ou prazer serve apenas para afundá-la em sua depressão.

Em casos graves de depressão, a falta de reação ao mundo é evidente. Quem está gravemente deprimido pode se sentar em uma cadeira, sem fitar nada em particular, por horas a fio. Pode permanecer na cama durante boa parte do dia, incapaz de achar energia para seguir o fluxo da vida. Mas a maioria dos casos não é tão grave. Os pacientes deprimidos de que cuidei não estavam tão incapacitados. Em geral, eram capazes de manter a rotina. Tinham um trabalho que pareciam desempenhar a contento. Eram donas de casa e mães que executavam as atividades necessárias. Para um observador casual, pareciam normais. Mas todos se queixavam de estar deprimidos, e quem convivia com eles e os conhecia bem estava ciente de seu estado.

Margaret é um caso típico. Era jovem, aproximadamente 25 anos, e casada, como ela dizia, com um homem excelente. Tinha um emprego que ela considerava razoavelmente interessante e do qual não se queixava. Na verdade, não havia nada em sua vida que a desagradasse, e mesmo assim dizia sofrer de depressão crônica. À primeira vista, eu não diria que Margaret estivesse deprimida, porque quando ela veio ao meu consultório sorriu o tempo todo e falou de si mesma animadamente, com a voz num tom bem alto. Num primeiro encontro com ela, ninguém poderia supor a natureza de seu problema, a menos que fosse sagaz o bastante para perceber que suas maneiras eram uma máscara. Se você a examinasse cuidadosamente ou a pegasse desprevenida, notaria que de vez em quando ela ficava muito quieta, e que quando seu sorriso sumia, seu rosto ficava inexpressivo.

Margaret sabia que estava deprimida. Necessitava fazer um grande esforço simplesmente para se levantar de manhã e ir trabalhar. Do contrário, permaneceria na cama sem fazer nada. E, na verdade, durante um período anterior de sua vida, houve ocasiões em que ela realmente se sentiu imobilizada. Com o passar dos anos houve uma melhora geral em seu estado. Mas alguma coisa ainda estava faltando em sua personalidade. Havia um vazio interior e a falta do prazer real. Margaret estava escondendo alguma coisa de si mesma. Seu sorriso, sua loquacidade e suas maneiras eram uma fachada fingindo para o mundo que tudo ia bem com ela. Quando estava só, a fachada ruía e ela vivenciava seu estado depressivo.

Ao longo de sua terapia, ela tomou contato com um sentimento profundo de tristeza. Compreendeu que não se sentia no direito de expressar sua tristeza. No entanto, quando se rendia, chorava, e o choro sempre a fazia se sentir bem melhor. Às vezes também ficava zangada com a negação do seu direito de expressar sentimentos. Chutar e esmurrar o divã a animava e melhorava seu humor. O verdadeiro trabalho da terapia era ajudá-la a encontrar a causa de sua tristeza e eliminar a necessidade de manter sua fachada de alegria. Quando Margaret entrou em contato com seus sentimentos e aprendeu a expressá-los diretamente, sua depressão desapareceu.

Nos capítulos seguintes, discutirei o tratamento da depressão em detalhe. O caso de Margaret não foi apresentado para mostrar que a terapia da depressão é simples ou que os resultados são rápidos e seguros. Alguns pacientes ficam bem, outros não reagem. Cada caso é diferente, cada ser humano é único e cada personalidade foi formada por inumeráveis fatores. Mas quer o paciente responda favoravelmente ao tratamento ou não, podemos delinear certas características comuns a todas as reações depressivas. Permitam-me descrever alguns outros casos.

David, um homossexual com quase 50 anos, alcançou um sucesso considerável em sua profissão. Estava deprimido porque, segundo disse, havia perdido muito de sua potência sexual. Por meio do trabalho, ao qual se dedicava zelosamente, conhecera muitas pessoas, mas não tinha ninguém próximo ou íntimo com quem dividir a vida. Estava só, e parecia ter toda razão para se sentir deprimido. Mas havia traços observáveis na personalidade do paciente que sugeriam outras causas.

O rosto de David era uma máscara, mas, ao contrário de Margaret, ele não se esforçava para mobilizar expressão alguma. Era, na verdade, tão petrificado que tinha características quase cadavéricas. Sua mandíbula era dura e inflexível, seus olhos eram embotados e seu corpo tinha a rigidez de uma tábua. Ele se queixava de dores nas costas e sofria de angina. Sua respiração era extremamente superficial e sua voz, frágil e monótona. Olhando David, imaginei se ele não estaria mais morto do que vivo. Ele também se mostrava sem vida no que se refere à expressão de qualquer sentimento. Depois de trabalhar com ele por um bom tempo, ajudando-o a respirar mais profundamente e a soltar o corpo, eu finalmente consegui que ele caísse em prantos em reação ao meu interesse por ele. Mas isso só aconteceu uma vez. David era um estoico. Apesar de sua vontade de ficar bem, ele não estava preparado nem era capaz de renunciar à sua apatia e ao seu estoicismo inconsciente. A propósito dessa atitude, David relembrou um incidente em sua infância que ajudou a compreender seu comportamento. Sua mãe, a quem ele ainda estava bastante ligado, ficou histérica um dia. Ela chorava e gemia. David se fechou no quarto para fugir dela, mas ela foi até a porta e, alternadamente, exigia e implorava que ele saísse. Apesar das súplicas, David não respondia. Ele se fechou em si mesmo, e num certo sentido permaneceu fechado para sempre.

Estando trancado, David sempre estivera só e, de certa forma, continuamente deprimido. Ao crescer, tinha se fechado ainda mais. Sua depressão cada vez mais entranhada era o resultado direto da perda dos sentimentos com a correspondente redução do funcionamento vital. Essa redução lentamente corroeu sua potência sexual. Ele não ficara deprimido pela perda da potência. Ao contrário, sua potência sexual se esvaiu à medida que sua vida se exauria e suas forças vitais eram deprimidas. Ele ainda resistia e continuava, mas estava agindo mais como uma máquina do que como um ser humano. Ele até mesmo ia à academia regularmente para se assegurar de que seu corpo continuaria em boas condições de funcionamento.

Algum tempo atrás, tratei de George, um psicólogo que iniciou a terapia ostensivamente para aprender a aplicar a abordagem bioenergética aos problemas emocionais[2]. Ele tinha vários problemas, que foram discutidos abertamente, uma vez que eram revelados pela expressão física de seu corpo. Em primeiro lugar, ele com frequência assumia uma expressão de idiota, com um trejeito de palhaço, que disfarçava sua inteligência penetrante. Além disso, seu corpo tinha uma constituição musculosa, embora ele nunca tivesse sido atleta ou houvesse se interessado por alguma forma de modelagem física. Sua musculatura compacta e superdesenvolvida era consequência do seu trabalho de submissão e contenção de sentimentos.

Um dia, depois que a terapia fez progressos consideráveis, ele observou: "Sinto que superei minha depressão. Eu sempre fui um pouco deprimido". Esse comentário me surpreendeu. Ele jamais mencionara estar deprimido, e, estranhamente, eu nunca considerara essa possibilidade. George nunca se queixara de dificuldades para ir trabalhar e eu sabia que ele encontrava considerável interesse e satisfação em sua profissão. Parecia, em vários aspectos, um participante ativo da vida. Aos olhos do mundo, portanto, seria considerado normal.

Mas George estava deprimido em sua vitalidade emocional ou reatividade. Tinha o coração pesado, seu espírito não se elevava, se sentia acorrentado, prostrado. Sua depressão não era tão grave a ponto de incapacitá-lo, mas ainda era depressão — aliás, a forma mais comum do transtorno. Observando as pessoas dentro e fora do meu consultório, compreendi que ela é muito comum. Muitas delas perdem o entusiasmo que traz vigor à sua vida. Elas vão em frente, mas com uma determinação que costuma ser severa e com uma rigidez característica das máquinas. A severidade, a rigidez e o desânimo diante da vida interna se manifestam claramente em seu corpo e se refletem diretamente em seu cotidiano.

Vejamos ainda o caso de uma mulher gravemente deprimida que era acometida de impulsos suicidas. Essa paciente, que chamarei de Anne, já havia sido tratada com terapia psicanalítica por vários anos. Seus impulsos suicidas tinham uma origem recente e pareciam derivar de sua sensação de que era um fracasso como mulher. A isso se somava o fato de que ela estar se aproximando dos 40 sem ter se casado. Anne era uma mulher inteligente e bem-sucedida tanto na carreira como em suas atividades criativas. Com o colapso de sua confiança, o trabalho se tomou difícil e sua necessidade criadora diminuiu. Vários outros fatores contribuíram para seu colapso, mas todos estavam relacionados com a perda da feminilidade e da sensação de ser mulher.

Quando vi Anne pela primeira vez, ela *parecia* prostrada. Seu corpo era frouxo; seus músculos, flácidos; a pele do seu rosto estava caída; sua cor, desbotada. Ela não tinha energia para respirar fundo e seu comentário constante era "não adianta nada". Quando um paciente usa essas palavras, quase sempre quer dizer: "Não adianta nada tentar. Eu não vou conseguir". Mas eu tinha a impressão de que Anne estava dizendo: "Não adianta nada *viver*. Eu simplesmente não consigo". Tão opressiva era essa sensação de fracasso que ela estava pronta para morrer. Seu corpo revelava sua resignação. Mas como ela chegara a esse ponto e qual era seu conflito?

A história de Anne revelou que, quando ela tinha 4 anos, um incidente teve influência decisiva em sua vida. Por um ano e meio, ela manteve o hábito de olhar o pai urinar, frequentemente tocando e segurando seu pênis. Até que um dia ele se virou para ela e disse: "Me deixe, sua imunda". Pode-se facilmente imaginar a humilhação da garotinha diante da súbita rejeição. Ela se sentiu destruída e se afastou de qualquer contato físico com o pai e a mãe. Mas é também significativo que ela tenha se voltado contra o próprio corpo e sua sexualidade.

Na vida adulta, Anne esteve envolvida em diversas relações lésbicas. Também teve um caso prolongado com um homem casado. Nada se mostrava satisfatório, pois Anne não podia se permitir querer ou precisar de outra pessoa profundamente. Ela fora muito magoada e seu coração estava fechado. Passou então a se entregar à sua inteligência, à sua criatividade e aos próprios seios. Toda a sensualidade de Anne ficou localizada nos seios. Eram sua única fonte de prazer erótico, mas até isso no final ela negou a si mesma. Mais ou menos um ano antes de eu conhecê-la, ela havia se submetido a uma mamoplastia, visivelmente para tornar os seios mais rígidos e atraentes, mas, em vista de da depressão grave que se seguiu, pode-se questionar sua motivação consciente. O resultado foi a perda total de sensações na região.

Eu suporia que o motivo inconsciente por trás da cirurgia era o desejo de extirpar todas as sensações eróticas do corpo. Seu corpo, com seus desejos, fora a causa de seus problemas num primeiro momento e continuara a ser uma fonte de frustração e insatisfação. Sua mente, por outro lado, era pura, sua inteligência, viva, seu potencial criativo, enorme. Como era tentador abandonar o corpo para viver na atmosfera etérea e limpa da psique. Mas Anne não tinha uma personalidade esquizoide nem esquizofrênica, e esse grau de dissociação era impossível para ela. Ela podia amortecer o corpo, mas não podia escapar dele.

O interesse de Anne pelo pênis do pai era completamente inocente. Penso que isso deve ser dito para que se compreenda o efeito devastador dessa experiência. Seu interesse tinha duas origens: uma era a curiosidade natural que toda criança tem em relação ao órgão genital masculino, o símbolo da procriação da vida; a outra era uma transferência do mamilo e do seio. Essa transferência acontece quando o objeto primário não está disponível. A falta de uma relação satisfatória com a mãe não só forçou Anne a fazer essa forte transferência para o pai como era, em si mesma, a causa fundamental de sua tendência depressiva. (O papel da mãe no fenômeno depressivo será aprofundado mais tarde.) Anne, ao ser rejeitada pelo pai, teve negado o direito de encontrar gratificação erótica por meio do toque ou do contato com o corpo do pai. Isso, por sua vez, a levou a negar a possibilidade de prazer no *próprio corpo*. Uma atitude como essa é a base para uma tendência depressiva.

O ponto comum nesses quatro casos e em todas as reações depressivas é a irrealidade que invade a atitude e o comportamento da pessoa. O indivíduo deprimido vive ligado ao passado com uma correspondente negação do presente. Anne, por exemplo, mantinha a sensação de ser rejeitada, que ela vivenciou com o pai, pela contínua rejeição do próprio corpo. Dessa forma, o passado era perpetuado e o trauma era inevitavelmente revivido no presente. Margaret persistia na negação de sua tristeza, embora não houvesse nenhuma razão válida no presente que justificasse esse comportamento. E David encontrava a mesma satisfação mórbida em seu contínuo isolamento e na solidão que vivenciou na infância quando se fechou para evitar as exigências da mãe. Evidentemente, quem está deprimido não sabe que está vivendo no passado, pois também está vivendo no futuro, um futuro tão pouco realista em relação ao presente como o próprio passado.

Quem viveu uma perda ou um trauma na infância que corrói seu sentimento de segurança e autoaceitação projetará em sua imagem de futuro a necessidade de que esta anule a experiência do passado. Assim, aquele que experimentou a sensação de rejeição quando criança imaginará o futuro como promessa de aceitação e aprovação. Se lutou com um sentimento de desamparo e impotência na infância, sua mente naturalmente compensará o insulto a seu ego com uma imagem do futuro na qual ele é poderoso e controlador. A mente, em suas fantasias e devaneios, tenta anular uma realidade desfavorável e inaceitável criando imagens que exaltam o indivíduo e inflam seu ego. Se parte significativa da energia da pessoa fica focalizada nessas imagens e sonhos, ela perderá de vista a experiência infantil originária e sacrificará o presente para realizar as ilusões. Essas imagens são objetivos irreais e sua realização é um fim inatingível.

Cada um dos pacientes deprimidos sobre os quais falei havia se comprometido com um futuro irreal. Margaret imaginava o futuro como um tempo em que não haveria mais tristeza, nem dores e discórdia. E ela contribuiria para esse futuro negando os próprios sentimentos de mágoa e ressentimento. Na imagem do futuro de David, ele se via admirado e amado pelo seu estoicismo, ignorando por completo o fato de que tal atitude impede a comunicação e, na verdade, leva ao isolamento. George abrigava um segredo, uma imagem fantasiosa de poder que era corporificada pelos seus músculos superdesenvolvidos, mas que ignorava o fato de que esses mesmos músculos o acorrentavam e o subjugavam. E quando assinalei a Anne que ela estava quase sem respirar, ela me respondeu, "Pra que respirar?" Porém, se ela não respirasse não haveria, literalmente, *nenhum* futuro para sua inteligência ou sua criatividade. Seu sonho de um futuro em que o corpo era negado em favor da mente era impossível.

A irrealidade da atitude de quem tem depressão manifesta-se mais claramente pelo grau em que ele está sem contato com seu corpo. Há uma falta de autopercepção; a pessoa não vê a si mesma como de fato é, pois sua mente está focada numa imagem irreal. Não percebe as limitações impostas pela sua rigidez muscular; mas essas limitações são responsáveis pela sua incapacidade de se realizar como ser humano no presente. Não sente as perturbações no funcionamento de seu corpo, sua mobilidade reduzida e a respiração inibida, pois se identifica com seu ego, sua vontade e sua imaginação. A vida do seu corpo, que é a vida no presente, é considerada irrelevante, uma vez que seus olhos estão num objetivo futuro que é o único que parece fazer sentido.

EM BUSCA DE ILUSÕES

A depressão é comum hoje em dia porque tantos de nós perseguem objetivos irreais que não têm relação direta com nossas necessidades básicas como seres humanos. Toda mundo precisa de amor, e precisa sentir que seu amor é aceito e, em certa medida, retribuído. Amor e carinho nos relacionam com o mundo e nos dão a sensação de pertencermos à vida. Ser amado é importante apenas na medida em que facilita a expressão ativa do nosso amor. Ninguém fica deprimido quando é amado. Por intermédio do amor, nos expressamos e afirmamos nosso ser e identidade.

A autoexpressão é outra necessidade básica de todos os seres humanos e de todas as criaturas. A necessidade de autoexpressão é o fundamento de toda atividade criativa e a fonte de nossos maiores prazeres. Esse tema já foi desenvolvido num livro anterior[3]. Aqui é importante lembrar que, no indivíduo deprimido, a autoexpressão é gravemente limitada, se não bloqueada por inteiro. Em muitos de nós, ela é limitada a uma pequena área da vida, quase sempre o trabalho ou os negócios, e mesmo nessa área definida a autoexpressão é restrita se trabalhamos de forma compulsiva ou mecânica. O *self* é vivenciado por meio da autoexpressão, e o *self* esmaece quando as vias de autoexpressão estão fechadas.

O *self* é fundamentalmente um fenômeno corporal; portanto, a autoexpressão significa a expressão de sentimentos. O sentimento mais profundo é o amor, mas todos os outros são parte do *self* e podem ser expressos apropriadamente por uma personalidade saudável. Na verdade, a gama de sentimentos que podemos expressar determina a amplitude da nossa personalidade. É bem sabido que a pessoa deprimida está bloqueada e que a ativação de um sentimento como tristeza ou raiva, que podem ser expressos pelo choro ou pela agressividade, tem efeito positivo e imediato no seu estado depressivo. As vias pelas quais os sentimentos são expressos são a voz, os movimentos do corpo e os olhos. Quando os olhos estão opacos, a voz monótona e a mobilidade reduzida, essas vias estão fechadas e a pessoa está num estado depressivo.

Outra necessidade básica de todo ser humano é a liberdade. Sem liberdade, a autoexpressão é impossível. Mas não me refiro apenas à liberdade política, embora este seja um dos seus aspectos essenciais. Queremos ser livres em todas as situações da vida — em casa, na escola, como trabalhadores, nas relações sociais. Não é a liberdade absoluta que se almeja, mas a de expressar-se, de ter voz ativa no estabelecimento do que nos diz respeito. Toda sociedade humana impõe certas limitações à liberdade individual em nome da coesão social. Mas essas limitações só podem ser aceitas se não restringirem indevidamente o direito de autoexpressão.

Existem, entretanto, tanto prisões internas quanto externas. Essas barreiras internas muitas vezes têm um efeito mais limitante sobre nossa habilidade de nos expressarmos do que as leis ou as restrições impostas. E, uma vez que quase sempre são inconscientes ou racionalizadas, somos mais aprisionados por elas do que seríamos por forças externas.

Aquele que está deprimido é aprisionado por barreiras inconscientes de "devo" e "não devo" que o isolam, limitam-no e finalmente subjugam seu espírito. Vivendo nessa prisão, ele tece fantasias de liberdade, trama esquemas para sua liberação e sonha com um mundo onde a vida será diferente. Esses sonhos, como todas as ilusões, servem para sustentar seu espírito, mas também o impedem de confrontar realisticamente as forças internas que o acorrentam. Mais cedo ou mais tarde a ilusão se desfaz, o sonho se esvai, o esquema falha e sua realidade o encara. Quando isso acontece, o indivíduo torna-se deprimido e sente-se desesperado.

Na busca de nossas ilusões, estabelecemos objetivos irreais — isto é, objetivos que, se alcançados, automaticamente nos libertariam, restaurariam nosso direito à autoexpressão e nos fariam capazes de amar. O que é irreal não são os objetivos, mas as recompensas que supostamente se seguiriam à sua realização. Entre os objetivos que tantos de nós buscamos incansavelmente estão a riqueza, o sucesso e a fama. Em nossa cultura há uma mística sobre ser rico. Nós dividimos as pessoas entre as que "têm" e as que "não têm". Acreditamos que os ricos são privilegiados porque têm os meios de satisfazer seus desejos e, portanto, de se realizar. Infelizmente, para muitos de nós não funciona assim. O rico, tanto quanto o pobre, fica deprimido. Nenhum dinheiro no mundo pode fornecer uma satisfação interna que, por si só, faça a vida valer a pena. Em muitos casos, a energia dedicada a obter riqueza é desviada de atividades que são mais criativas e autoexpressivas, o que resulta num empobrecimento do espírito.

O sucesso e a fama são de tipo ligeiramente diferente. Sua busca está baseada na ilusão de que não só aumentarão nossa autoestima como ampliarão a estima dos outros por nós e, assim, ganharemos a aprovação e aceitação que parecemos necessitar. Sim, sucesso e fama de fato contribuem para nossa autoestima e aumentam nosso prestígio na comunidade. Mas esses ganhos aparentes pouco contribuem para nossa porção interior. Muitos indivíduos bem-sucedidos cometeram suicídio no auge de suas conquistas. Ninguém encontrou o verdadeiro amor através da fama, e poucos conseguiram suplantar seu sentimento íntimo de solidão por causa dela. Não importa que os aplausos sejam calorosos nem que a multidão aclame fascinada, isso não toca o coração. Embora esses objetivos sejam glorificados numa sociedade de massa, a verdadeira vida ainda é vivida num nível bastante pessoal.

Podemos definir um objetivo irreal, portanto, como aquele ao qual são atribuídas expectativas irreais. As metas reais por trás da busca de dinheiro, sucesso ou fama são a autoaceitação, a autoestima e a autoexpressão. Ser pobre, fracassado ou desconhecido é, para muitos, ser "ninguém" e, portanto, indigno de amor e incapaz de amar. Mas se alguém acredita que a riqueza, o sucesso ou a fama podem transformar um "ninguém" em "alguém", está sofrendo uma ilusão. O indivíduo bem-sucedido pode parecer "alguém" porque está cercada pelos sinais exteriores de importância: roupas, carros, casa, notoriedade. Ele pode apresentar a imagem de "alguém", mas as imagens são fenômenos superficiais que quase sempre têm pouca relação com a vida interior. Na verdade, quando precisamos projetar a imagem de ser "alguém", isso indica que no íntimo nos sentimos como um "ninguém". Esse sentimento é resultante da dissociação entre o ego e o corpo. Aquele que se identifica com seu ego e nega a importância do corpo na verdade não tem corpo. A perda da sensação do corpo, que é equivalente à sensação de si mesmo como um "ninguém", força-o a substituir a realidade do corpo por uma imagem baseada numa posição social, política ou econômica.

Se pretendermos conhecer a pessoa verdadeira, por trás da fachada do comportamento social, devemos olhar para seu corpo, perceber seus sentimentos e compreender suas relações. Seus olhos nos dirão se ela pode amar, seu rosto mostrará se ela é autoexpressiva e seus movimentos revelarão o grau de sua liberdade interna. Quando estamos em contato com um corpo vivo e vibrante, sentimos imediatamente que estamos na presença de "alguém", não importa sua posição social. E não importa o que nos ensinaram, a vida é realmente vivida nesse nível pessoal, em que um corpo se relaciona com outro ou um corpo se relaciona com o ambiente natural. O resto é teatro, e se confundirmos o teatro com o drama da vida estaremos de fato nas garras da ilusão.

Um objetivo irreal necessita de um modo aprovado de ser, pois por trás desse objetivo está a necessidade de aprovação. O objetivo geralmente é estabelecido na infância e a aprovação desejada é a dos pais, mais tarde transferida para outros. Vou ilustrar esse aspecto do problema com outro caso.

Tratei de uma jovem que me consultou devido a uma grave reação depressiva que aconteceu após o fim do seu casamento. Ela descobrira que o marido estava envolvido sexualmente com outra mulher, o que foi recebido como um choque. Ela era moderna e sofisticada, e estava ciente de que essas coisas acontecem com frequência. Antes disso, a relação entre os dois não se mostrava sem conflitos; o marido não ganhava bem e minha paciente usava a criatividade para manter um lar confortável para ele e o filho. Além disso, havia problemas sexuais no casamento. Minha paciente, Selma, nunca alcançara o clímax durante o ato sexual.

Estaria a paciente deprimida por ter perdido o amor do marido? É difícil estimar quanto amor existe entre duas pessoas, mas quando trabalhei com Selma, não tive a impressão de que ela sofresse por causa da perda. Ela estava só, mas solidão não é equivalente a depressão. E ela ainda tinha o filho e a casa para cuidar.

Selma estava chocada porque não previra que poderia ser traída e que seria tão vulnerável à traição. Sua autoestima sofreu uma perda real. Sempre se considerara superior ao marido em muitos aspectos. Acreditava ser mais inteligente, mais sensível e mais realista. Sentia que ele precisava dela. Ela poderia ajudá-lo a realizar sua ambição e alcançar o sucesso. Via a si mesma como uma força inspiradora e como diretora e gerente dos assuntos do marido.

É fácil ver por que Selma, funcionando como estava, ficou chocada com essa imagem de si mesma na cabeça. Ela não podia conceber que o marido se voltaria para outra mulher, uma vez que se via como tudo que um homem poderia querer, a mulherzinha perfeita. Essa autoimagem inflada foi derrubada abruptamente pela traição. Seu ego teve um colapso e Selma mergulhou na depressão.

O objetivo irreal que Selma buscava era uma relação na qual se sentisse completamente segura porque o outro não poderia nem sonhar em viver sem ela. A necessidade dessa segurança absoluta denota a presença de uma profunda insegurança, que emergiu ao longo de seu tratamento. Seus pais haviam se divorciado quando ela era jovem, e ela ficara profundamente magoada pela perda da relação com o pai. Outras carências afetivas nos seus primeiros anos modelaram sua personalidade, criando a necessidade de um nível incomum de segurança. Mas Selma não estava ciente disso e inclusive havia transferido essa necessidade para o marido. Ele precisava de segurança, dizia ela, e ela lhe daria segurança por meio de uma devoção sincera aos interesses dele.

Os objetivos irreais aos quais Selma consagrara sua energia eram ser a esposa e a mãe perfeita e obter, assim, o amor constante e inabalável que lhe fora negado quando ela era criança. Um objetivo era interno, o outro externo, mas ambos impossíveis de obter. O empenho em ser perfeito torna o indivíduo menos humano e acaba sendo contraproducente. Acaba servindo para fazer o outro parecer imperfeito. Na atitude de Selma em relação ao marido, detectamos um tom de desdém e podemos supor uma hostilidade subjacente. Ela expressou muitos sentimentos negativos e amargos em relação a ele à medida que saía da depressão.

A busca de um amor inabalável também é contraproducente. Selma queria mais do que o compromisso de um marido de dividir a vida com uma mulher. Ela queria alguém preso a ela por necessidade e admiração. Mas ninguém quer se sentir preso; é uma limitação à liberdade individual. O marido de Selma só podia reagir a essa exigência não expressa com ressentimento e uma revolta latente, o que por fim o levou a outra mulher.

O investimento de energia e esforços que Selma fizera ao tentar alcançar seus objetivos irreais era considerável. Começara antes da adolescência e só terminara com seu colapso. Quando isso aconteceu, ela estava exausta — esgotada fisicamente e deprimida psiquicamente. E sua depressão pode ser vista como a maneira de a natureza alertar contra um desperdício sem sentido de energia, e lhe dar tempo para se recuperar. Sem dúvida a reação depressiva é patológica, mas também é um fenômeno de recuperação. O colapso é uma espécie de retorno a um estado infantil, e, com o tempo, muitas pessoas se recuperam espontaneamente.

Infelizmente, a recuperação não é permanente. Logo que a energia retoma, aquele que esteve deprimido volta a tentar realizar seus sonhos. Às vezes, essa recuperação do estado depressivo é tão repentina e incontrolável que a pessoa fica eufórica da mesma forma que antes ficava prostrada. Essas alterações bruscas de humor da depressão à euforia e até mesmo o estado de mania podem ser o presságio de uma nova reação depressiva que se aproxima. A euforia decorre de uma crença exagerada de que *tudo será diferente desta vez*, como o alcoólatra que jura ter tomado seu último trago. Nunca é. Enquanto um objetivo irreal persistir no inconsciente e dirigir o comportamento, a depressão será inevitável.

Se a depressão é comum hoje, é porque grande parte da nossa vida é vivida na irrealidade, grande parte da nossa energia é dedicada à busca de objetivos irreais. Somos como especuladores do mercado de ações competindo por lucros no papel que pouquíssimos de nós convertemos em algo que de fato nos dê prazer. Esse investimento em coisas que estão fora de nós mesmos acaba levando-as à supervalorização. Uma casa maior, um carro mais novo, mais eletrodomésticos etc. têm, até certo ponto, um valor positivo; podem contribuir para os prazeres da vida. Mas se olharmos essas coisas como uma medida de nosso valor pessoal, se esperarmos que sua posse preencha nossa vida vazia, criaremos as condições para uma queda inevitável, que deprimirá nosso espírito assim como o especulador do mercado de ações fica deprimido quando a febre especulativa se esvai e o mercado entra em baixa.

Nós estamos sujeitos à depressão quando procuramos fontes de realização fora do *self*. Aquele que pensa que ter todas as vantagens materiais que os vizinhos possuem o fará melhor como pessoa, mais em paz consigo mesmo e mais autoexpressivo ficará tristemente desapontado. Quando a desilusão se instalar, ficará deprimido. Uma vez que essa é a atitude de tanta gente hoje em dia, acredito que veremos um aumento na incidência de depressão e de suicídios.[4]

O INDIVÍDUO INTRODIRIGIDO

Do ponto de vista da tendência à depressão, os indivíduos podem ser divididos em duas categorias, os introdirigidos, orientados para dentro de si mesmos, e as alterdirigidos, orientados para o olhar dos outros. Estas não são categorias absolutas, mas apenas termos convenientes para descrever atitudes e comportamentos; na verdade, muitas pessoas ficam no meio dessas classificações, mas a maioria mostra preponderância de um desses padrões. Por motivos que logo ficarão claros, quem é alterdirigido é bem mais vulnerável à depressão do que o introdirigido.

Em geral, o introdirigido tem uma sensação de *self* mais forte e profunda. Ao contrário do alterdirigido, seu comportamento e suas atitudes não são facilmente influenciados pelas mudanças dos padrões de seu ambiente. Sua personalidade tem uma estabilidade e uma ordem interna e se apoia na base firme da autoconsciência e autoaceitação. Ele caminha com as próprias pernas e sabe onde pisa. Já o indivíduo alterdirigido carece dessas qualidades. Mostra forte propensão à dependência, precisando de outras pessoas para se apoiar emocionalmente. Então, quando os apoios são retirados, torna-se deprimido. Ele tem o que se chama de estrutura de caráter "oral", o que significa que suas necessidades infantis de ser carregado, de ser aceito e de experimentar contato corporal e afeto não foram satisfeitas. Sentindo-se insatisfeito, não tem razões para ter fé em si mesmo nem na vida.

Uma das diferenças entre o introdirigido e o alterdirigido é onde cada um deposita sua fé. O primeiro a deposita em si mesmo. O segundo deposita o que lhe resta de fé em outras pessoas e, assim, se arrisca a constantes desapontamentos. Está sempre à procura de alguma coisa fora de si mesmo em que acreditar: um indivíduo, um sistema, uma crença, uma causa ou uma atividade. Em nível consciente, ele se mostra muito identificado com seus interesses externos. À primeira vista, isso pode parecer positivo; na superfície, parece que ele está envolvido, fazendo coisas. Mas essas coisas são feitas para os outros, e carregam a expectativa inconsciente de que estes reconheçam seu valor e respondam com amor, aceitação e apoio. Já o introdirigido age e faz coisas por si mesmo. Sua identificação inicial é consigo mesma como pessoa, e suas atividades são uma expressão de quem ele é. Encontra satisfação na sua resposta ao mundo, em vez de na resposta do mundo a ele. Quaisquer que tenham sido suas necessidades não satisfeitas na infância — e todos nós tivemos algumas —, ele não espera que agora sejam satisfeitas por outros.

Seria fácil dividir os seres humanos em tipos independentes e dependentes e igualar as pessoas introdirigidas ao primeiro tipo, como igualei as alterdirigidas ao segundo. Evitei essa classificação porque as aparências por vezes enganam. O alterdirigido quase sempre age de maneira muito independente. Em geral se coloca como aquele que é requisitado e, assim, parece ser o mais independente. Esse comportamento é uma indicação clara de que ele é alterdirigido e, portanto, na verdade é dependente sob sua fachada de autossuficiência. E, como já vimos, esse papel visa satisfazer suas necessidades de dependência enquanto as esconde de si mesmo e dos outros. Aquele que consegue expressar abertamente suas necessidades de dependência não é tão propenso à depressão como aquele que se esconde sob uma aparência de autonomia.

Outra diferença importante entre esses dois tipos de personalidade está na maneira como reconhecem seus problemas e definem seus desejos. Quem é introdirigido sabe o que quer e o expressa concretamente. Ele pode dizer, por exemplo, "Sinto que estou exigindo muito de mim e preciso relaxar", ou pode observar: "Meu corpo é muito tenso e minha respiração, superficial. Preciso me abrir". Ele fala de si mesmo com autoconsciência. Já quem é alterdirigido não consegue fazer isso; suas queixas são gerais e expressas em termos genéricos como "Quero amor" ou "Quero ser feliz". Esse estilo de falar denota falta de autoconsciência um forte sentimento que lhe asseguraria o centramento que está presente na pessoa introdirigida.

Uma personalidade introdirigida é dada por um sentimento forte que permite um único curso de ação. Isso não significa que o introdirigido seja dominado por um único sentimento e aja somente em uma direção. Uma atitude como essa implicaria rigidez, que inevitavelmente ruiria quando a pessoa já não conseguisse manter a tensão exigida. Num indivíduo saudável, os sentimentos estão em constante mudança. Ele pode ficar com raiva, depois sentir amor, ficar triste e em seguida alegre. Cada sentimento forte cria uma nova direção, que é a resposta pessoal do organismo ao seu ambiente. Todas as emoções verdadeiras têm essa característica. Elas são expressões diretas da nossa força vital.

A fé pode ser vista como um aspecto do sentir. Quanto mais se sente, mais forte é a fé. Não se sente a fé. O que normalmente se sente são as diferentes emoções. Mas quando se age com base em uma emoção ou sentimento forte, se está agindo com fé — tanto na validez do sentimento como em si mesmo.

A pessoa que perdeu a fé suprimiu todas as suas emoções fortes. Em seu lugar, adotou uma série de crenças ou ilusões para guiar ou dirigir seu comportamento. Pode ser, por exemplo, um estudante radical que acredita que a violência é a única forma de derrubar um sistema estabelecido que ele vê como opressivo. Em nome dessa crença, pode reunir uma energia considerável e evocar o que talvez pareçam ser sentimentos genuínos. Mas seus sentimentos não são pessoais. Ele não está indignado por causa de um insulto. Não está triste por causa de uma perda. Deixou de lado os sentimentos pessoais em favor do que acredita ser a necessidade de outros. E exatamente por essa ação ele revela que é uma pessoa alterdirigida. Em geral, elas ficam deprimidas quando a causa pelas quais lutam e sofrem enfrenta uma adversidade.

Não estou argumentando contra o envolvimento em causas. Mas parece que nosso primeiro interesse deveria ser o avanço de nosso próprio bem-estar. Se cada indivíduo pudesse agir por si mesmo, se pudesse cuidar de suas necessidades, o mundo inevitavelmente seria um lugar melhor. Contudo, a pessoa introdirigida não é egoísta. É centrada em si mesma, e um verdadeiro interesse por si mesma a torna consciente de que depende do bem-estar de todos os outros membros de sua comunidade. É verdadeiramente humanitária porque está ciente de sua humanidade, do seu ser como pessoa.

Transferir nossos problemas para outros e exigir deles uma solução é uma marca da pessoa alterdirigida. É também, tristemente, a marca de nossos tempos. Com pesar vemos a gradual erosão do senso de responsabilidade individual. Sem ter essa intenção, a psicanálise infelizmente contribuiu para isso. Tendo mostrado, em toda análise completa, que o indivíduo não é culpado de suas deficiências e infortúnios, sem o dizer explicitamente acabou encorajando a tendência oposta — a tendência de o indivíduo em sofrimento colocar a culpa na sociedade. Se a sociedade é a culpada, então ela deve remediar o problema. Como a sociedade são todos os outros indivíduos, ninguém se sente pessoalmente responsável.

A sociedade é uma entidade vaga, não tem poder real. O que acontece é que as responsabilidades de todas as nossas falhas pessoais e sociais são transferidas para o governo. É difícil conceber como o governo poderia suplantar nossas reações depressivas, curar nossas tendências esquizoides, nos proteger contra a ansiedade e assim por diante. Quando os cidadãos se abstêm de sua responsabilidade para manter a comunidade limpa, em ordem e segura, torna-se difícil para o governo até mesmo proporcionar serviços essenciais. É uma ilusão acreditar que tudo que o governo tem de fazer é fornecer mais dinheiro e todos os nossos problemas sociais estarão sanados. Essas ilusões caracterizam a pessoa alterdirigida.

Uma combinação de fé e responsabilidade está no âmago de todo sistema religioso. Se o indivíduo não assumisse a responsabilidade de manter os princípios éticos e morais que dão vida às crenças religiosas, a fé religiosa não teria sentido. Fé e crença formam um todo integrado quando ambas fazem parte do nosso cotidiano. Naqueles que contam com essa combinação, a tendência à depressão é muito menor.

Contudo, também é verdade que muitas pessoas que ficaram deprimidas mostravam um grau aparente de responsabilidade, similar à sua aparente independência. Haviam se esforçado para caminhar com as próprias pernas, mas podemos suspeitar — devido à depressão subsequente — que o esforço não foi realmente sincero. A análise sempre revela nesses pacientes que o esforço não foi feito pelo seu valor intrínseco, mas para conseguir aprovação e aceitação. Essa responsabilidade dissimulada é muito diferente da convicção religiosa de que cada indivíduo maduro é responsável, perante si mesmo e perante seu Deus, pela qualidade de sua vida. Não há como não ficar impressionado com a força e a coragem de povos verdadeiramente religiosos ao enfrentar grandes dificuldades e privações. Essa determinação não é comum em nossos dias.

Quando uma pessoa fica deprimida, fica claro que ela não está caminhando com as próprias pernas. É um sinal de que não tem fé em si mesma. Sacrificou sua independência pela promessa de que sua realização viria dos outros. Investiu suas energias na tentativa de realizar esse sonho — o sonho impossível. Sua depressão significa carência e desilusão. Mas quando compreendida e desarticulada devidamente, a reação depressiva pode abrir caminho para uma vida nova e melhor.

Muitos indivíduos conseguem superar a depressão pela terapia — aquela que ajuda o paciente a entrar em contato com seus sentimentos, seu ser profundo. Isso, por sua vez, o ajuda a recuperar certo grau de independência e domínio de si. Nesse processo, ele se reorienta em direção ao próprio *self*. Quando obtém sucesso, acaba recuperando a fé em si mesmo. Se quiser superar sua tendência depressiva, precisará se tornar introdirigido.

2. Pés no chão

EUFORIA E DEPRESSÃO

Como é a reação depressiva que leva a pessoa à terapia e essa é a sua principal queixa, tendemos a desconsiderar o fato de que ela geralmente é parte de um ciclo com altos e baixos. Na maioria dos casos, a reação depressiva é precedida de um período de euforia, cujo colapso precipita o indivíduo na depressão. Se quisermos compreender a reação depressiva por completo, precisamos entender também o fenômeno da euforia.

Os sinais de euforia não são difíceis de distinguir: hiperatividade, fala acelerada, ideias que parecem fluir livremente e grande autoestima. Uma intensificação desse fenômeno leva ao estado de mania. A psicanálise há muito tem se preocupado com o problema da mania e da depressão. Otto Fenichel vê a reação depressiva como sendo de etiologia primária — o que ela é, historicamente. Diz ele: "O caráter triunfante da mania surge da liberação da energia até então confinada no conflito depressivo e agora à procura de uma descarga"[5]. Do ponto de vista do ego, há certa verdade nessa interpretação. No estado depressivo, o ego está limitado pelo corpo em colapso, tendo sido abatido pelos sentimentos de desespero e desolação. Ele luta para ficar livre, e, quando isso acontece, surge triunfante como um balão de gás que escapa das mãos de uma criança, tornando-se gradualmente mais inflado à medida que ganha altura. Há um aumento da excitação no estado maníaco, mas essa excitação ou carga energética amplificada se limita à cabeça e à superfície do corpo, onde ativa o sistema muscular voluntário produz hiperatividade e volubilidade exageradas.

Essa orientação do fluxo para cima, em vez de para baixo, não leva a uma descarga — que é uma função da parte inferior do corpo. Ao contrário, serve para chamar a atenção para o indivíduo e representa uma tentativa de recuperar a sensação de onipotência infantil que foi perdida prematuramente. Fenichel reconhece o caráter ilusório da mania, dizendo que esta "não é uma liberação genuína da depressão, mas uma negação contida das dependências"[6].

O estado de euforia é apenas um grau menor dessa reação. O ego do indivíduo eufórico também está hiperexcitado, como se antecipasse algum acontecimento extraordinário ou milagroso que realizaria seus desejos mais profundos. Podemos comparar essa reação à da criança que foi separada da mãe e agora antecipa sua volta com uma agitação intensa. Para uma criança bem pequena, a volta da mãe perdida (ou a restauração de seu amor) é seu desejo mais profundo. O amor da mãe representa a satisfação de todas as suas necessidades.

Toda reação depressiva tem como base a perda do amor da mãe. Discutirei esse aspecto do problema em um capítulo posterior. Por enquanto, importa simplesmente saber que essa perda não foi aceita como irrevogável. A esperança da restituição, quase sempre inconsciente, proporciona a motivação para o fluxo ascendente da energia, que resulta em euforia. Infelizmente, o indivíduo eufórico não percebe a dinâmica de sua reação e o fato de que, inconscientemente, considera as pessoas à sua volta figuras maternas substitutas que o amarão, cuidarão dele e até mesmo o alimentarão. O interesse inicial dessas pessoas por ele parece apoiar essa transferência. Mas, à medida que sua euforia aumenta, elas se sentem perturbadas e se afastam. Não há possibilidade de satisfazerem suas expectativas inconscientes e, mais cedo ou mais tarde, o indivíduo eufórico se sentirá rejeitado. Então, a ilusão de autoconfiança e autoestima que acompanhava seu sentimento de euforia sofre um colapso e surge uma reação depressiva. O colapso é um fenômeno bioenergético. A carga energética que havia hiperexcitado as estruturas periféricas retira-se para o centro do corpo, a região do diafragma, estômago e plexo solar. A onipotência do ego se transforma em impotência. Por maior que seja a força de vontade, o sujeito deprimido não consegue continuar se mobilizando.

Aqueles que sofrem de depressão têm necessidades orais insatisfeitas — ser segurados no colo, experienciar contato corporal, sugar, receber atenção e aprovação e receber afeto. Estas são chamadas de necessidades orais porque correspondem ao período da primeiríssima infância, em que as atividades orais dominam a vida. Isso equivale a dizer que esses indivíduos foram privados do amor da mãe ou da satisfação que um amor seguro e incondicional proporcionaria. Quando essa carência determina a estrutura básica do caráter, tal estrutura pode ser descrita como uma personalidade oral[7]. No adulto, essas necessidades insatisfeitas são reveladas por: incapacidade de ficar sozinho, medo de separação, conversa excessiva ou outras atividades, ostentações ou manobras para chamar a atenção, sensibilidade ao frio e uma atitude dependente. Se a carência é menos grave, dizemos que o indivíduo tem traços orais ou uma tendência oral em sua personalidade. Necessidades orais insatisfeitas na infância não podem ser saciadas na vida adulta. Não há cuidado maternal substituto que possa proporcionar a segurança que não se obteve na infância. O adulto deve procurar essa segurança dentro de si mesmo. Não importa quanta atenção, admiração, aprovação ou amor uma personalidade oral receba, isso não preencherá seu vazio interior. Este só pode ser preenchido por um adulto num nível adulto, isto é, através do amor, do trabalho e da sexualidade. O sonho de que podemos transformar o passado é uma ilusão. Quando, na terapia, o paciente é encorajado a regredir a um estado infantil, o propósito é fazê-lo vivenciar a carência e confrontar os conflitos e sentimentos que esta lhe causou. O objetivo é superar sua fixação infantil inconsciente e, assim, ajudá-lo a agir mais plenamente como adulto no presente. Enquanto suas necessidades orais continuarem a influenciar seu comportamento, ele estará sujeito a mudanças cíclicas de humor e oscilará entre a euforia e a depressão.

Tenho visto isso acontecer com tanta frequência com personalidades orais que, quando trabalho com elas, recomendo que tomem cuidado para não ficar eufóricas. Se isso acontece, alerto-as para a consequente depressão. Esse aviso antecipado é sempre útil, pois inclui em seus pensamentos uma nota de realidade, agindo como um freio nas oscilações de humor; assim, quando a depressão aparece, não é tão grave. Num estado de euforia, pensa-se que tudo se resolverá esplendidamente. Mas isso não será possível se os problemas subjacentes não tiverem sido resolvidos. Fazer o paciente "baixar" o nível de energia o mantém mais em contato com seus problemas e, portanto, facilita a resolução destes.

"Baixar" também tem outro significado. Em oposição a "subir", que indica a direção da cabeça, "baixar" é em ir rumo à parte inferior do corpo, às pernas e ao chão. Ao baixar o nível de energia, fica-se mais próximo da realidade. De fato, quando um paciente que se encontrava em estado de euforia entra em depressão, ele vai tão para baixo que parece se enterrar num buraco no chão no qual não consegue ver a luz do dia. Torna-se necessário, então, ajudá-lo a sair, mas isso só pode ser feito se ele reconhecer que nunca esteve pisando no chão firme. O buraco sempre esteve ali — camuflado, talvez, por alguns gravetos e folhas, que não eram fortes o bastante para servir de base sólida para a personalidade. O paciente nunca confiou de fato nessa cobertura, pois nunca permitiu que o peso total de seu corpo se apoiasse nela. Tentou se manter erguido preso no ego ou na vontade, e entrou em depressão quando esse apoio ilusório ruiu. Mas, todas as vezes, sua reação era ficar muito acima do chão em vez de construir uma base firme na qual pudesse se apoiar. Quando está eufórico, está flutuando, "no ar", "nas nuvens", e não tem os pés realmente apoiados no chão.

No indivíduo saudável, não há alternância entre episódios de euforia e depressão. Ele sempre tem os pés no chão — a base a partir da qual age. Pode se empolgar com algum acontecimento ou perspectiva que leve toda a energia para sua cabeça, mas seus pés nunca abandonam a terra firme. Seu sentimento pode ser de prazer ou até de alegria, mas raramente é de euforia. Se o acontecimento ou perspectiva for desapontador, pode ficar triste, um pouco desanimado, mas não deprimido. Não perde a capacidade de responder a novas situações, como acontece com a vítima de uma reação depressiva.

Quando as pessoas têm altos e baixos, isso indica que bioenergeticamente perderam a sensação de seus pés se apoiando ou pisando em terra firme. Penso que o mesmo se pode dizer de uma cultura que tem altos e baixos, que oscila entre o entusiasmo extremamente otimista de que todos os problemas serão facilmente resolvidos e o desespero de que são insolúveis. Ao manter os pés no chão, podemos ver nossos problemas de maneira realista, compreendendo que são grandes como montanhas, mas sabendo que seres humanos com fé já moveram montanhas.

Embora os altos pressagiem os baixos, também devem ser vistos como tentativas de escapar do sentimento deprimido que há dentro do indivíduo. Essa é a única explicação para o desespero de muitos jovens que procuram nas drogas uma forma de ficar "altos". As viagens com drogas levam a mente para cima, para longe do corpo — longe do sentimento de estar num buraco que, não fosse por isso, estariam sentindo. É difícil culpar os jovens por procurar essa fuga quando os médicos receitam a seus pais outras drogas para obter os mesmos efeitos. Também não estou culpando os médicos, visto que o desespero, a depressão e a desolação são formas de morte em vida, muitas vezes intoleráveis. Infelizmente, nenhuma droga oferece ajuda duradoura. O bem-estar que elas induzem é sempre seguido de um abatimento e, assim, cria-se uma dependência psicológica à droga, que pode ser tão devastadora quanto a dependência fisiológica. Nossa salvação reside em compreender os abatimentos e aceitá-los, pois pelo menos fornecem uma base sólida onde construir.

Ficar "alto" com álcool, claro, não é diferente de ficar "alto" com drogas ou ter episódios maníacos ou de euforia. Quem toma uma bebida para se sentir "alto" obviamente necessita alguma coisa para se animar. Não estou dizendo que todo mundo que toma um drinque está fugindo da depressão. Mas se alguém *precisa* beber, isso é mau sinal. Quem é capaz de escolher entre beber ou não pode aproveitar o relaxamento suave da bebida e seus efeitos estimulantes. É daquele que procura ficar "alto" que estamos falando. Quando fica "alto", está quase literalmente fora do chão; seu equilíbrio fica perturbado, seus pés não estão firmes, e ele até pode sentir que há um espaço entre seus pés e o chão.

Todo mundo sabe que a bebedeira é seguida de um abatimento. Quando há sintomas físicos, chamamos de ressaca. Mas mesmo sem efeitos físicos posteriores, no dia seguinte a disposição é baixa. Quando não se é capaz de lidar com esse estado de ânimo, surge a necessidade de outro episódio alcoólico. Voltar de uma viagem de droga pode ser um pouco diferente. Os efeitos das drogas geralmente duram mais do que os do álcool. Quem volta de uma viagem de droga pode não se sentir para baixo no dia seguinte porque esse tipo de substância é mais eficaz em suprimir sentimentos do que o álcool. As viagens de maconha tendem a levar a um estado de apatia, que por vezes não é sentido como abatimento porque nem sequer é sentido. Alguns poderão argumentar que tiveram viagens com drogas das quais voltaram sentindo-se eufóricos. Sempre há exceções em toda generalização. Mas não é a experiência comum.

Alguns devem estar realmente desesperados, a julgar pelo fato de que tentam ficar "altos" o tempo todo. Viciados em drogas pesadas entram nessa categoria. Sentir-se para baixo é tão doloroso que é preciso manter-se "alto" a todo custo. Mas ocasionalmente encontro alguém que pergunta: "E por que não podemos ficar altos o todo o tempo?" A pergunta revela seu grau de irrealidade. Suponho que se possa ficar "alto" com drogas até arrebentar ou morrer, mas estes são descensos finais que não permitem, pelo menos no último caso, nenhum movimento ascendente. Nada fica no alto para sempre, nem mesmo uma árvore ou uma montanha. Mas o tempo de permanência depende de quão enraizada está no solo, no caso da árvore, ou de quão sólida é a base, no caso da montanha. Para uma árvore, ir para cima não significa ficar alta, mas ereta.

Falei de um indivíduo deprimido como alguém que caiu num buraco. Na verdade, o buraco é em seus sentimentos, ou, mais precisamente, em seu corpo. O buraco nos sentimentos é a sensação de vazio interior de que muitos indivíduos se queixam, sobretudo aqueles com uma estrutura de caráter oral. O buraco no corpo é uma falta de sensação no ventre. Já descrevi como nos casos de caráter oral a energia se retira da cabeça para o centro do corpo. Ela não flui por essa região para as partes inferiores do corpo. Permanece na seção média, por causa do medo — inconsciente — de que não haja algo em que se apoiar, nada ou ninguém para ampará-la se ela deixar o fluxo passar. Em consequência dessa barragem, a parte inferior do corpo fica desenergizada, o que contribui sobremaneira para a sensação de insegurança. E o ventre, que contém as vísceras, também perde as sensações ou a carga energética. Quando a sensação está ausente ali, é como se nos faltasse coragem quando tratamos de caminhar com as próprias pernas ou tomamos uma posição na vida. O ventre vazio, o medo profundo de não ter "estômago" ou de não ser capaz de enfrentar uma crise denotam um grande buraco na personalidade.

No pensamento japonês, o ventre é considerado o centro vital do ser humano. Chama-se *hara*. Como Karlfried Dürckheim assinala, os japoneses "acreditam que a vida na Terra, tanto em suas necessidades como em suas satisfações, só pode ser realmente vivida se não nos desviarmos da ordem cósmica e mantivermos contato com a grande unidade original. O contato permanente com ela é exemplificado por aquele que mantém seu centro de gravidade firme no ponto chamado *hara*"[8]. Por isso, na figura de Buda, como na de outros grandes mestres, o ventre aparece como o centro, "de onde flui todo movimento e de onde emanam sua força, orientação e medida"[9]. Quer se aceite ou não esse ponto de vista japonês, devemos reconhecer que o ventre é a parte do corpo na qual a vida do indivíduo inicia e da qual emerge para a luz do dia.

De acordo com os japoneses, se um homem tem *hara*, significa que ele está centrado. Também significa que está equilibrado tanto física como psicologicamente. O ser equilibrado é calmo, tranquilo, e enquanto permanece dessa forma, seus movimentos são virtuosos e sem esforço. O *hara* é o segredo do arqueiro Zen, pois aquele que o possui está em sintonia, através de seu centro vital, com todas as forças do mundo externo. Portanto, seus movimentos não são planejados, mas fluem naturalmente como respostas de todo o seu ser a uma situação.

Poder-se-ia perguntar: por que o ventre é tão importante? A resposta é: porque ele é a sede da vida. Literalmente nos assentamos no ventre e, através dele, temos contato com o assoalho pélvico, os órgãos sexuais e as pernas. Quando nos empurramos para cima em direção ao peito ou à cabeça, esse contato essencial se perde. A direção ascendente é orientada para o ego e a consciência. Em uma cultura que dá atenção excessiva a esses valores, a postura corporal correta é com a barriga para dentro e o peito para fora. Na mitologia antiga, o diafragma era equiparado à superfície da Terra. Tudo acima da superfície era luz e, portanto, consciente. Abaixo da superfície estava a escuridão, que representava o inconsciente. Mantendo-nos acima do diafragma, arrancamos a consciência de suas raízes profundas no inconsciente. A importância do ventre e a significância do *hara* indicam que somente se estivermos em nosso próprio ventre, sentindo-nos bem, evitamos a divisão entre consciente e inconsciente, ego e corpo, *self* e mundo. O *hara* representa um estado de integração ou unidade na personalidade em todos os níveis da vida.

Aquele que tem *hara* é, evidentemente, introdirigido, com todas as qualidades associadas. Na verdade, *hara* representa um estado ainda mais elevado, transcendente, no qual um indivíduo, através da realização total do seu ser, sente-se parte do grande Uno ou Universo. Essa pessoa tem fé não como uma questão de crença, que é uma função da mente consciente, mas como uma convicção interna profunda que sente em seu âmago. Apenas uma fé como essa tem um verdadeiro poder de sustentação. Essa perspectiva nos faz perceber que a fé verdadeira não pode ser ensinada. Só pode ser adquirida pelas experiências que chegam até o centro do ser e evocam sensações viscerais.

Sentir-se satisfeito é sentir-se preenchido, e isso significa um ventre cheio, seja de boa comida ou de boas sensações. Isso não é o mesmo que uma pança, que é o acúmulo de gordura no exterior de uma parede abdominal estirada e constrita. A plenitude do ventre como sinal da vitalidade do organismo é algo que me foi demonstrado de maneira drástica há muitos anos. Minha cadela teve sua primeira ninhada — dez cachorrinhos vivos.

Como aquela também era nossa primeira experiência com parto de animais, minha esposa e eu estávamos perdidos, sem saber como lidar com a situação. Se não interviéssemos, os cachorrinhos mais fortes tomariam todo o leite e os mais fracos morreriam. No fim do primeiro dia, chamamos um veterinário. Sua solução foi simples. Ele dividiu os cachorrinhos em dois grupos, os mais fortes e os mais fracos. Os mais fracos mamavam primeiro e, depois de terminarem, era a vez dos mais fortes. Para separar os cachorrinhos, ele pegou cada um deles no colo e sentiu seu ventre. Aqueles com o ventre cheio foram considerados os mais fortes. Com esse arranjo, todos os dez cachorrinhos sobreviveram.

GROUNDING

Levar as sensações para o ventre, para que a pessoa possa sentir suas entranhas, e para as pernas, para que ela as sinta como raízes móveis, chama-se *grounding*. A pessoa, assim, sente que tem um apoio sólido no chão e a coragem para se erguer ou movimentar-se como quiser. Estar *grounded* é estar em contato com a realidade; os dois são sinônimos em nossa linguagem. Frequentemente dizemos que alguém totalmente em contato com a realidade "tem os pés no chão" ou tem "bases sólidas". Portanto, sabe-se que quando um indivíduo tem *grounding*, deixa de agir com base em ilusões. Não precisa delas. Por outro lado, aquele que se aferra às suas ilusões, quer realmente precise delas ou não, permanece nas nuvens e, assim, impede seu *grounding*. Todo bom psiquiatra trabalha para dissipar as ilusões de seu paciente. Esta é uma tarefa muito mais fácil quando o paciente está deprimido ou abatido porque, ao menos temporariamente, suas ilusões não são potentes o bastante para mantê-lo erguido.

Contudo, em nenhuma situação o *grounding* é tarefa simples. Há ansiedades profundas no caminho. Mencionei o medo de que não haja ninguém para oferecer apoio se a pessoa se deixar ir. As garantias verbais do contrário são bem-intencionadas, mas apenas gestos vazios. Aquele que abre o coração para os outros rapidamente descobre que não está só. Quase todos respondem calorosamente a alguém com o coração aberto. Mas, para se conseguir essa abertura, deve-se passar pela ansiedade de se sentir só para entender que ela já não é relevante.

O indivíduo comum também tem medo de que, ao se deixar abater, talvez não consiga se erguer novamente. Em seu ventre estão sentimentos de profunda tristeza e desespero, aos quais ele tem medo de se entregar. Ele comprometeu suas energias na luta para vencê-los. Ceder a eles, portanto, seria sentido como um fracasso pessoal, uma derrota do ego e uma aparente perda de integridade. Mas ele deseja se render, pois a luta já não faz sentido, uma vez que se transformou numa luta contra o *self*. Ele está apavorado, mas se estiver trabalhando com um terapeuta que já ajudou outros pacientes a transpor seu inferno pessoal, pode ser encorajado pela fé de seu médico. O psiquiatra tem de ser uma pessoa de "fé" — isto é, ele próprio tem de estar *grounded* se deseja transmitir fé aos seus pacientes.

Quando um paciente começa a permitir que as sensações se desenvolvam em seu ventre, invariavelmente chora. Chora tanto pela tristeza de levar uma vida sem fé como pela alegria de que uma vida com fé talvez seja possível. Não são apenas lágrimas que fluem. Seu corpo inteiro poderá se convulsionar com soluços, às vezes dolorosos, outras vezes agradáveis. Eliminando as sensações de seu ventre, ele suprimiu o choro quando criança ao descobrir que este não conseguia lhe trazer o amor, a segurança e o conforto de que precisava. Quando as sensações retornam, o mesmo acontece com esses sentimentos, não uma, mas repetidas vezes, até que a dor do passado se disperse por inteiro.

Então, à medida que as sensações se desenvolvem mais profundamente no ventre, tocando o assoalho pélvico, elas se transformam em sensações sexuais, que para a maioria dos seres humanos são uma grande fonte de ansiedade. Para compreender essa ansiedade, devemos fazer uma distinção entre sensações sexuais e genitais. As sensações genitais fazem parte das sexuais, mas o contrário não é verdadeiro. A sexualidade é uma função de todo o corpo, incluindo o aparelho genital quando já é operante, na vida adulta. A genitalidade, por outro lado, é um aspecto limitado da resposta sexual completa. Em muitos indivíduos, a função genital é interrompida e dissociada dos sentimentos do corpo exatamente como, na outra extremidade do organismo, o ego é dissociado desses mesmos sentimentos. A ansiedade sexual está ligada às sensações do corpo, não às sensações genitais. Essas sensações corporais podem ser aterradoras, enquanto as sensações puramente genitais, como as que envolvem, por exemplo, uma ereção, não apresentam nenhuma ameaça à personalidade.

Podemos nos perguntar: o que são essas sensações sexuais? São as profundas sensações de fluir e desfazer-se dentro do corpo que precedem a excitação sexual. Quando acontecem, indicam que o desejo sexual está fluindo pelo corpo e não se limita à cabeça e aos órgãos genitais. Mas, então, por que são tão aterradoras? Porque são o início de uma dissolução que culminará no êxtase de um orgasmo completo, mas que, para a personalidade neurótica ou esquizoide, são primeiramente vivenciadas como uma dissolução do *self*, uma entrega sobre a qual não se tem controle, um deixar-se ir do qual não há retorno. Todos procuram essa dissolução, essa entrega, esse deixar-se ir, mas poucos têm a fé que permite que isso aconteça. Em nossa insegurança, agarramo-nos ao nosso precioso *self*, ao nosso ego e à nossa potência genital, e não estamos preparados para conceder tudo em nome do amor.

Na maioria das pessoas há ansiedades ligadas às funções urinárias e anais que também devem ser resolvidas. Muitos de nós aprendemos a lição de que essas funções podem nos causar muita dor, vergonha e humilhação se não forem rigorosamente controladas. Fomos elogiados por controlá-las e punidos quando falhamos. Fomos ensinados que é errado deixar a natureza seguir seu curso, que devemos manter o controle o tempo todo. Agora não conseguimos relaxar o ânus fechado e o assoalho pélvico tenso. Temos medo de que os fundilhos caiam se soltarmos. Não sabemos realmente como relaxar os músculos contraídos que envolvem as aberturas inferiores de nosso corpo.

Por fim, há a ansiedade que acompanha o ato de caminhar com as próprias pernas. Não é que tenhamos medo disso, mas a verdadeira independência significa ficar só. O medo de ficar só, eu diria, é provavelmente a maior ansiedade de nossos tempos. Ninguém realmente quer ficar só. Somos gregários por natureza, mas em muitas pessoas o medo de ficar só alcança níveis irracionais. Por causa desse medo, farão qualquer coisa para se conformar aos demais. Abandonarão sua individualidade por causa disso, presumindo, erroneamente, que aquele que é um verdadeiro indivíduo, que ousa ser ele mesmo em oposição a outros, será rejeitado ou cairá no ostracismo. Esse medo alimenta a sociedade de massa, com seus meios de comunicação de massa, seu entretenimento de massa etc.

E, no entanto, por mais estranho que pareça, é o indivíduo da massa que está realmente só, que carece das relações pessoais íntimas e profundas que unem os seres humanos. E é o indivíduo que caminha sozinho, com as próprias pernas, que sente e conhece a unidade que é a base das relações amorosas e de amizade. Sendo verdadeiro consigo mesmo, ele atrai as pessoas, e suas respostas a elas são genuínas e vindas do coração. Em seu sentimento ele nunca está só, enquanto o indivíduo da massa está só inclusive no meio da multidão. O indivíduo verdadeiro não faz jogos, não bate nas costas de alguém para que lhe retribuam. Ele se dá generosamente e recebe livremente de outros.

O medo de rejeição associado a ser independente vem de experiências antigas da infância. Em muitas famílias, a criança é levada a se sentir rejeitada se não aceitar as regras dos pais. Algumas mães não hesitam em privar os filhos de afeto se eles se opuserem ou se tornarem negativos. Ou a criança cumpre as exigências dos pais ou eles a fazem sentir como uma marginal. Podemos ver o resultado desse tipo de educação em um dos casos estudados, que será apresentado mais tarde.

Mas por trás dessa submissão superficial há uma sensação de rebeldia que se torna perversa com o tempo. Nos pacientes mais deprimidos pode-se descobrir a seguinte atitude (em geral escondida bem no fundo): "Fui levado a não me sentir querido, agora não quero nada". Essa perversão parece unir os rebeldes numa mesma causa, mas quase nunca em torno de um sentimento comum. Aqueles que carecem de fé não são espíritos afins, embora possam se encontrar do mesmo lado em um protesto ou manifestação.

Ao tratar o paciente deprimido, devemos entender sua perversão e aceitar sua rebeldia. Apenas por meio desta ele consegue mobilizar os sentimentos que o deixarão livre para ser uma pessoa verdadeira. Seu protesto é contra um sistema que lhe negou o direito de ser ele mesmo e o privou da segurança associada a esse direito, a amar e ser amado. Mas não é na rebeldia que ele encontrará a fé que precisa ou a base para se erguer. O rebelde ainda é um marginal que quer ser aceito, mas não quer ou não consegue admitir isso.

Não pedimos a um paciente que desista de sua rebeldia, mas sim que vá além dela, para uma fé na vida que transcenda qualquer sistema ou ideologia. Ao possibilitar que ele faça o *grounding*, que entre em contato com as sensações do seu corpo, com sua sexualidade animal e com a terra da qual saiu, o devolvemos à família humana e ao reino da natureza. Nós o trazemos de volta à fé elementar que sustentou seus mais antigos ancestrais, a fé de que ele foi feito para este mundo e de que o mundo foi feito para ele. Como e por que, por meio do *grounding*, um indivíduo alcança esses objetivos é algo que carece de uma discussão maior.

O *grounding* é um conceito bioenergético e não apenas uma metáfora psicológica. Quando colocamos um fio terra num circuito elétrico, fornecemos uma saída para a descarga de sua energia. No ser humano, o *grounding* também serve para liberar ou descarregar as excitações do corpo. A energia em excesso do organismo vivo é constantemente descarregada através do movimento ou do aparelho sexual. Ambas são funções da parte inferior do corpo. A parte superior é incumbida sobretudo de obter energia, seja na forma de alimento, oxigênio ou excitação e estimulação sensorial. Esses dois processos básicos de carregar em cima e descarregar embaixo costumam estar equilibrados. Dentro do corpo, há uma pulsação energética; os sentimentos se movem para cima, em direção à cabeça, quando precisamos de energia ou excitação; e para baixo, em direção às extremidades inferiores, quando a descarga é necessária. Se não pudermos nos energizar adequadamente, ficaremos fracos, descarregados, e mostraremos falta de vitalidade. Se não pudermos nos descarregar de forma adequada, ficaremos ansiosos. Ficamos ansiosos com alguma ilusão e somos incapazes de voltar ao chão até que esta se dissipe. Mas não fincamos os pés no chão a menos que estejamos na função de descarga.

A função de descarga é vivenciada como prazer. Sabemos disso pela simples experiência, que nos diz que a descarga de qualquer estado de tensão ou excitação é agradável. Também sabemos disso pelo prazer sexual quando a descarga de sensações foi intensa. Freud salientou o fato e Reich o documentou. Sentimos a dor da incapacidade de descarregar um estado de tensão. Podemos supor que o indivíduo ansioso está num estado de dor. Contudo, ele não a sente de forma consciente. Ele se amorteceu contra ela enrijecendo sua estrutura. E tem medo de liberar essa rigidez porque isso evocaria seu sofrimentos. Quando o estado ansioso passa a ser o habitual para o indivíduo, ele também perde consciência de sua rigidez. O que sente é uma falta de prazer na vida, o que o obriga a intensificar seu interesse por dinheiro, fama ou sucesso, ou a alcançar qualquer que seja o objetivo imposto por sua ilusão. Fica preso num círculo vicioso espiralando cada vez mais para o alto, até que a ilusão se desfaz e ele afunda na depressão.

O *grounding* facilita a experiência do prazer, que, então, motiva a pessoa a procurar mais carga energética em todas as áreas que prometam prazer. O processo da vida pode ser visto, em termos bioenergéticos, como carga ascendente com excitação → descarga descendente com prazer → mais carga ascendente (mais excitação) → mais descarga descendente (mais prazer). Se a capacidade de um organismo de vivenciar prazer é interrompida ou reduzida, limitam-se imediatamente todos os seus impulsos em direção ao exterior. Quando se perde o prazer de estar vivo, a respiração é restringida, o apetite míngua e o interesse pela vida diminui. O fluxo oscilante de sensações ou energia no corpo é como um grande pêndulo que faz a vida se mover facilmente e sem esforço. Na pessoa ansiosa, o fluxo é reduzido; na pessoa deprimida, parece ter parado. Na verdade, qualquer perturbação no *grounding* é como a destruição de algumas das raízes que mantêm a vida de uma árvore. Destrua as raízes e veja por quanto tempo ela se manterá ereta e viva.

O *grounding* conecta o ser humano a suas funções corporais básicas, ou animais, e ao fazer isso nutre e apoia seus esforços espirituais, que estão associados com o movimento dos sentimentos e da energia para a cabeça. À medida que seus pés se apoiam no chão, seus braços se levantam para os céus, seus olhos se abrem para as glórias do universo e seu espírito ascende exultante diante do milagre de sua vida, de sua consciência, de sentir-se parte de um todo. Essa elevação de sentimentos de alguém com raízes no chão é a sensação corporal equivalente a todos os sentimentos espirituais. É a base de toda experiência religiosa. É o milagre da vida se movendo contra a gravidade e sentindo a própria força ascendente.

Quando uma fruta cai no chão, as sementes contidas nela germinam e procuram se implantar no solo. Esse processo é facilitado se a fruta e as sementes estiverem amadurecidas. Tanto a germinação como a implantação serão prejudicadas se a fruta tiver sido separada prematuramente da árvore. Uma criança prematuramente separada da mãe está na mesma situação. Sua inclinação natural é voltar para a mãe para completar o processo de maturação abortado. Sem dar por isso, toda sua energia disponível é investida nessa tentativa. Mas, se a separação for definitiva, a ligação original não poderá ser restaurada, assim como a fruta não pode ser presa novamente à árvore. Por mais persistente que seja o intento, está destinado ao fracasso. Este é o dilema da personalidade oral e explica sua predisposição à depressão.

Assim, o processo de *grounding* de um indivíduo serve para ajudá-lo a completar sua maturação. No decorrer dos anos, enquanto crescia fisicamente, ele permanecia imaturo emocionalmente. Não aprendeu a caminhar com as próprias pernas, pois ainda espera muito dos outros. Seu ventre não é pleno porque ele continua à espera e na esperança de que outros o preencham por ele. Essa é a sua irrealidade. Mas ninguém pode agir em seu lugar. Ele deve fazê-lo por si mesmo, embora possa ter a ajuda de um terapeuta.

Como isso acontece? Na terapia bioenergética, começamos com a respiração, exatamente como faz o oriental ou a ioga em sua prática. A respiração guarda o segredo da vida, pois fornece energia através do metabolismo da comida para manter acesa a chama da vida. Mas ela faz mais do que isso. Como diz Dürckheim: "Na respiração, nós participamos inconscientemente da Vida Maior"[10]. A razão para essa afirmação é que a respiração é um processo de expansão e contração que envolve todo o corpo e é, ao mesmo tempo, consciente e inconsciente. A respiração sadia é, em grande parte, inconsciente; mas, através das sensações do corpo que surgem com uma respiração profunda e completa, tornamo-nos conscientes da vida pulsante de nosso corpo e nos sentimos unidos a todas as criaturas pulsantes de um universo pulsante.

Para alcançar esse estado de unidade e autorrealização, a respiração deve ser profunda e abdominal. A onda inspiratória se inicia dentro do ventre em um lugar que os japoneses chamam de centro vital do ser humano. Quando se move para cima em direção à garganta e à boca, produz uma inalação. A onda expiratória procede na direção oposta e resulta numa exalação. Podem-se observar essas ondas passando pelo corpo, seja como movimentos completos e livres, seja como movimentos restritos e espásticos. Cada área de tensão bloqueia a onda e distorce a percepção da pulsação. Esses bloqueios podem ser encontrados da cabeça aos pés.

Para mostrar como eles perturbam o padrão natural da respiração, descreverei alguns desses bloqueios. Se a barriga estiver tensa e as nádegas contraídas, há pouco envolvimento do abdome nos movimentos respiratórios. A respiração ou é torácica ou diafragmática, com poucas sensações na parte inferior do corpo. Essas tensões musculares no abdome são um meio de reprimir as sensações sexuais, controlar as funções excretoras e diminuir a dor causada por um choro persistente que não conseguiu obter uma resposta positiva dos pais. As tensões diafragmáticas que surgem em decorrência do medo também fazem que as costelas inferiores se elevem. Isso quebra a unidade de sensações no corpo, criando um anel de tensão ao redor da cintura.

Em geral, a metade superior do corpo tem tensões específicas que interferem na respiração profunda natural. Uma parede torácica rígida reduzirá as sensações nessa parte do corpo, especificamente as sensações e os sentimentos associados com o coração. Quando o coração está fechado numa caixa torácica rígida, seu amor não é livre: está restrito e confinado. A espasticidade muscular na articulação dos ombros, que inibe os movimentos naturais de estender os braços para agarrar ou golpear, também afeta a respiração. Impedem uma expiração profunda, que evocaria sensações na pelve, e mantêm o indivíduo "pendurado" (como num cabide), obstruindo a fase descendente normal do ciclo respiratório. As tensões nos ombros também elevam o centro de gravidade do corpo.

Ainda mais importantes são as tensões nos músculos da garganta e do pescoço. Elas se desenvolvem para bloquear e inibir o choro e os gritos. Pela constrição da passagem de ar, reduzem a absorção de oxigênio e diminuem o nível energético do organismo. As tensões da garganta costumam se estender para cima, dentro da cabeça e da boca, porque também fazem parte de uma inibição geral da sucção. Os mamíferos são, por natureza, criaturas que mamam e sugam. Respirando, sugamos o ar. No meu trabalho com pacientes, descobri que qualquer perturbação no padrão normal de sucção se reflete numa perturbação correspondente do padrão respiratório.

Finalmente, há um anel de tensão pressionando a base do crânio. Atrás do pescoço, essas tensões são palpáveis na espasticidade dos pequenos músculos occipitais. Na frente da cabeça, são palpáveis na rigidez da musculatura que movimenta a mandíbula. Essas tensões afetam a mobilidade da mandíbula, que é mantida numa posição retraída ou proeminente. Cada posição tem um significado específico: a mandíbula retraída denota falta de autoafirmação; já a proeminente é desafiadora e intransigente. Uma vez que as tensões da mandíbula incluem os músculos internos pterigoides, que se inserem na base do crânio, esse anel de tensão é, na verdade, uma barreira que bloqueia o fluxo de sensações do corpo para a cabeça.

Há outros padrões de tensão muscular crônica que perturbam as ondas respiratórias e bloqueiam o fluxo livre e completo de excitação no corpo. Espasticidades nos músculos longos das costas e das pernas criam uma rigidez corporal que impede sobretudo o fluxo das ondas excitadoras. Em outros casos, há áreas de colapso no corpo onde um padrão de contenção rígida se rompeu sob o estresse. Essas áreas de colapso são fortes barreiras contra o fluxo de excitação e de sentimentos.

Toda abordagem terapêutica que pretenda conduzir o paciente por um processo de *grounding* necessita ajudá-lo a liberar essas tensões musculares. Na análise bioenergética, isso é feito colocando o paciente em contato com suas tensões, isto é, ajudando-o a percebê-las. Pode-se pedir a ele que faça certos movimentos expressivos que ativem as áreas imobilizadas, ou realizar uma pressão seletiva sobre os músculos tensos para produzir uma liberação imediata. Então, o paciente precisa se tornar consciente do significado dessas tensões: 1) que impulsos ou ações estão sendo evitadas inconscientemente pela tensão?; 2) que papel a tensão exerce na economia energética do corpo — isto é, como ela age para limitar os sentimentos e a excitação?; 3) que efeito ela causa no comportamento e nas atitudes? Para que essas tensões sejam liberadas, não só temporariamente, é necessário compreender suas origens. O paciente deve entender a relação entre suas atitudes corporais — seus padrões de tensão — e suas experiências de vida, sobretudo as da infância. Por fim, em certa medida, devem ocorrer fenômenos reativos. Os impulsos bloqueados pela tensão muscular devem poder ser expressos dentro do ambiente controlado da situação terapêutica. Portanto, os pacientes podem ser encorajados a expressar verbalmente sua negatividade ou a gritar suas hostilidades contra os pais quando tais ações são pertinentes a seus sentimentos, desde que esse comportamento não seja reproduzido na vida real.

Não quero dar a impressão de que o trabalho terapêutico de *grounding* se limita ao aspecto físico do problema. As questões psíquicas exigem tanta atenção quanto aos físicas. *Grosso modo*, eu diria que o tempo terapêutico é igualmente dividido entre esses dois lados. Toda modalidade séria de psicoterapia tem seu lugar no arsenal de um bom terapeuta. A análise bioenergética se distingue pelo fato de ser voltada para o corpo, o que fornece uma base visível e objetiva tanto para as observações de diagnóstico como para os progressos terapêuticos.

À medida que os vários padrões de tensão muscular são reduzidos, rapidamente se nota a diferença no corpo do paciente. Uma luminosidade marcante no rosto e nos olhos indicam um fluxo maior de excitação ali. Mais cor e calor nos pés não são apenas sinais de uma melhor circulação, mas denotam uma carga de energia maior. A diminuição de um arco alto e contraído ou uma melhor tonicidade muscular nos pés chatos também são sinais positivos. O mais importante, contudo, é o fato de que as pernas deixam de ser órgãos passivos usados apenas para sustentar o tronco e passam a ser órgãos ativos de relacionamento. Essa mudança é logo visível para um observador treinado. Torna-se nítida quando a mobilidade natural da pelve é restaurada e abre sua conexão com as pernas. Pode-se ver a onda de respiração passando por todo o corpo na direção das pernas.

Pelo lado subjetivo, o paciente relata estar sentindo as pernas e os pés de forma diferente e mais vital. Sente que está "dentro deles" e não apenas "em cima deles". Torna-se consciente do seu contato com o solo e se sente mais enraizado. Diz que se sente conectado com seu corpo, sua sexualidade e o chão. Estar conectado assim não é um ideal de saúde; na minha opinião, *é o mínimo de saúde*. Não estar conectado ou *grounded* é uma indicação de patologia no nível corporal.

ALGUNS EXERCÍCIOS BIOENERGÉTICOS DE *GROUNDING*

Embora seja verdade que muitas pessoas podem precisar da ajuda de um terapeuta para trabalhar as ansiedades que as impedem de estar totalmente *grounded*, muito se pode fazer por si mesmo para promover esse processo, praticando alguns exercícios e posturas bioenergéticas simples. De fato, meus pacientes são incentivados a fazer esses exercícios regularmente, pois acredito que o que fazemos por nós mesmos tem mais valor, no decorrer do tempo, do que o que outros fazem por nós. Se surgir alguma ansiedade durante os exercícios, deve-se tentar compreendê-la com base nas experiências da infância e "deixar-se levar" por ela.

O primeiro passo para o *grounding* é aprender a ficar em pé com os joelhos ligeiramente flexionados. Ficar em pé com os joelhos rígidos, como muita gente faz, imobiliza toda a parte inferior do corpo. Fique com os pés paralelos e separados uns quinze centímetros e flexione os joelhos de modo que o peso do corpo se equilibre entre os calcanhares e as pontas dos pés. O resto do corpo deve estar ereto, com os braços soltos e relaxados ao lado do corpo. Os melhores resultados são obtidos quando se fica descalço. Se possível, mantenha essa postura por cerca de dois minutos.

A boca deve estar entreaberta para que a respiração aconteça fácil e completamente. Deixe a barriga solta, mas sem forçar. Encolher a barriga restringe a respiração e constitui um esforço desnecessário. Você não precisará se sustentar pelas vísceras se permitir que as pernas e as costas cumpram essa função — é para isso que elas existem. Os movimentos respiratórios devem descer até o ventre. As costas precisam estar retas, mas não rígidas; as nádegas e a pelve, soltas e livres.

O propósito deste exercício é fazer você entrar em contato com suas pernas e pés, e isso acontecerá à medida que forem surgindo sensações nelas. Concentre-se nos pés e tente manter o equilíbrio entre os calcanhares e a

EXERCÍCIO 1

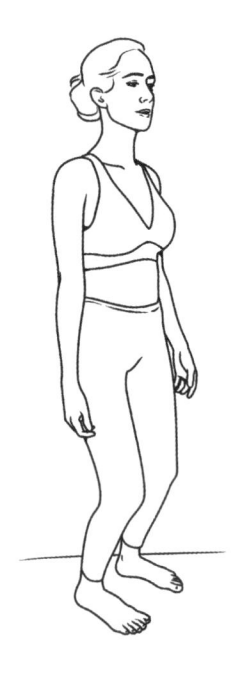

ponta. Talvez você sinta alguns tremores involuntários nas pernas ou no corpo; suas pernas podem começar a vibrar ou tremer. Esses tremores involuntários são uma expressão do fluxo de sensações em seu corpo. Permita que aconteçam até onde se sentir confortável com eles. Sinta seu corpo e procure sentir sua vitalidade. Quando a posição se tornar dolorosa — ou se você achar que suas pernas não aguentarão —, mude a postura para o Exercício 2.

Na segunda postura, os pés são colocados a 25 centímetros de distância um do outro com os dedos virados ligeiramente para dentro. Com os joelhos flexionados, abaixe-se até a ponta dos dedos das mãos tocarem o chão e deixe a cabeça pender. Depois, mantendo a ponta dos dedos das mãos no chão, estique os joelhos aos poucos até sentir alguma vibração nas pernas. Se os músculos isquiotibiais, na parte de trás das coxas, estiverem muito contraídos, essa postura pode produzir alguma dor. Não tente estender completamente os joelhos e enrijecer as pernas, pois isso tornará o exercício inútil.

Assim como no primeiro exercício, a boca deve estar aberta e a respiração deve ocorrer fácil e completamente. Todo o peso do corpo tem de estar nos pés; a ponta dos dedos das mãos servem apenas como pontos de contato. O corpo precisa estar equilibrado entre os calcanhares e a ponta dos pés.

EXERCÍCIO 2

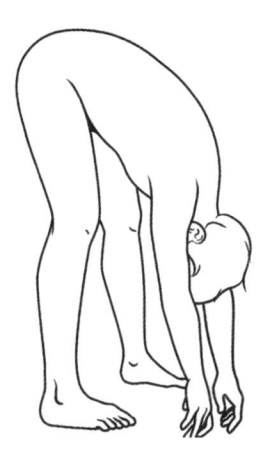

Essa postura, ainda mais que a primeira, tende a produzir algumas vibrações nas pernas. Contudo, nem todos experimentam essas vibrações logo na primeira tentativa, e os que inconscientemente se mantêm sob rígido controle talvez necessitem de várias repetições do exercício para que ocorram. A natureza desses movimentos vibratórios será explicada em mais detalhe posteriormente. Sua ocorrência aumenta a quantidade de sensações nas pernas e nos pés, que é o nosso objetivo. A postura deve ser mantida por um ou dois minutos, mas nunca se ela se tornar muito dolorosa ou cansativa. Você também notará que ambos os exercícios aprofundam a respiração e aumentam a circulação nas mãos e nos pés. Talvez surjam formigamentos ou parestesias nas extremidades. Essas sensações são um sinal de que você está respirando mais profundamente do que de costume, e desaparecem quando a respiração volta ao normal.

Se esses dois exercícios forem feitos regularmente, contribuirão muito para aumentar seu *grounding*. Os pacientes que os usaram relatam vários benefícios. Por exemplo, um analista que assistiu a um *workshop* de bioenergética, durante o qual se conscientizou de que sempre teve uma postura com os joelhos rígidos, mais tarde me escreveu: "Ficar com os joelhos flexionados me parece pouco natural. Me dá a impressão de que estou me humilhando. Mas notei também que me sinto mais seguro e equilibrado. Meus amigos dizem que pareço mais bem disposto e vivo. Certamente estou mais consciente das minhas pernas o tempo todo". Com a prática contínua, a postura dos joelhos flexionados torna-se a mais natural. Tornamo-nos conscientes de que deixar os joelhos rígidos nos coloca numa posição passiva porque desvia o peso do corpo para os calcanhares e elimina a flexibilidade da ação dos joelhos. Os treinadores de atletas parecem saber disso; fiquei surpreso ao ouvir um comentarista dizer que um jogador de futebol americano aprendeu a superar sua tendência a perder o equilíbrio flexionando os joelhos quando pegava a bola.

Outra história contada por um paciente mostra a eficácia do segundo exercício. Ele era cantor e ator. Antes dos espetáculos, enquanto outros praticavam escalas nos bastidores, meu paciente fazia o *grounding* flexionando os joelhos e deixando as pernas vibrarem. Consequentemente, em vez de se sentir tenso e depois ainda pior durante o espetáculo, ele se sentia relaxado e cantava com facilidade e sem esforço. Atribuía a essa prática parte do seu sucesso em conseguir trabalhos.

O corpo naturalmente se contrai quando vai receber um choque esperado. Essa reação evita o colapso que o choque poderia produzir, mas também imobiliza o organismo e limita sua capacidade de lidar com a situação estressante. Quase sempre, a reação inicial de se tensionar é seguida de uma mobilização das forças para lutar ou fugir quando a adrenalina é liberada na corrente sanguínea. Assim que o corpo entra em ação, a musculatura relaxa. Mas, se a posição contraída (rigidez) se mantém, o relaxamento não acontece e o impacto do choque não é absorvido. O organismo não é liberado e continua num estado de emergência.

Travar os joelhos é parte dessa reação de tensão, que também inclui prender a respiração e alertar os receptores exteroceptivos, sobretudo os sensores de distância, a visão e a audição. Pelo próprio fato de alguém habitualmente ficar em pé com os joelhos rígidos, podemos inferir que ele se mantém num estado de emergência. Não está consciente do significado da sua postura corporal, porque esta se tornou natural. Ele perdeu o contato com sua natureza primária ou original. Não fosse o fato de uma sensação de emergência ser tão preponderante e de estarmos constantemente prontos para enfrentar uma crise, as pessoas teriam mais consciência de estar sem contato com sua natureza original ou animal. Só podemos aceitar um estado de emergência do ser enquanto não temos consciência de seu efeito deletério em nosso corpo. Talvez até nos orgulhemos de nossa capacidade de tolerar pressões e estresse, sem perceber que criamos emergências desnecessárias para obter essa satisfação espúria do ego.

Aquele que "não aguenta" é visto como fraco. Se se permitisse chorar, seria uma humilhação ainda maior. Foi condicionado por uma educação insidiosa a ver o colapso ou o fracasso como um estigma moral. Porém, aquele que não pode desabar, que não pode desistir, entregar-se e abandonar-se é condenado a um contínuo desgaste das suas energias vitais que inevitavelmente o destruirá. Estará sujeito a doenças causadas por estresse crônico: dores lombares, artrite, doenças cardiovasculares, distúrbios gastrointestinais como úlceras, colites e outras. Parece sensato aprender a desabar em determinadas situações e desistir de conflitos desnecessários. Deixar-se cair devolve a pessoa à segurança sólida da terra e permite que ela renove suas energias e forças nas fontes de seu ser. Vem-me à memória a história da luta de Hércules com Anteu, o filho de Gaia, a Mãe Terra. Anteu tinha o poder de recuperar sua força tocando a terra com os pés. Toda vez que Hércules o derrubava, ele se levantava com vigor renovado. Hércules já começava a se sentir exausto e corria o risco de perder a batalha quando descobriu a natureza da força de Anteu. No final, Hércules o estrangulou enquanto o segurava no ar. Não há como também não pensar na Alemanha e no Japão, que depois de terem sido derrotados e devastados na Segunda Guerra Mundial hoje se encontram entre as nações mais prósperas do mundo.

Não poderemos estar conectados com a terra se estivermos apavorados com a possibilidade de falhar ou cair, pois então todas as nossas energias se voltarão para cima. Mas por que ficamos tão apavorados? Nossa vida não depende do sucesso, embora tenhamos a impressão de que depende. Para desmascarar a fonte desse medo, uso um exercício simples: peço ao paciente que se equilibre em uma perna só e dobre o joelho o máximo possível sem tirar a sola do pé do chão. A outra perna deve ser estendida para trás, sem tocar o chão. Os braços ficam estendidos para a frente e as mãos repousam sobre duas cadeiras colocadas paralelamente a ele. As cadeiras são usadas para ajudar o equilíbrio, não como apoio. No chão, a 15 centímetros do pé do paciente, coloca-se um cobertor dobrado.

Peço ao paciente que permaneça nessa posição o máximo de tempo que conseguir, respirando livre e profundamente e sentindo o peso do corpo em seu pé. Quando ele não puder mais permanecer assim, é orientado a deixar-se cair de joelhos sobre o cobertor. Não há perigo de se machucar com esse exercício, mas a maioria das pessoas têm medo de se deixar cair. Algumas se esforçam para manter a postura por tempo indefinido, enquanto outras caem prematuramente como um ato de vontade, e não como rendição. Muitas se aproximam do chão de maneira gradual. Esse exercício é repetido duas vezes com cada perna. Na quarta vez, peço para o paciente dizer "eu desisto" ao cair. Quando o exercício é praticado em meu consultório, posso aferir pelo tom de voz e sua maneira de dizer se essa desistência é genuína ou falsa, isto é, se ele de fato se sente desistindo ou se disse isso em resposta à minha instrução. Em ambos os casos, contudo, as implicações dessa ação são discutidas com o paciente.

EXERCÍCIO 3

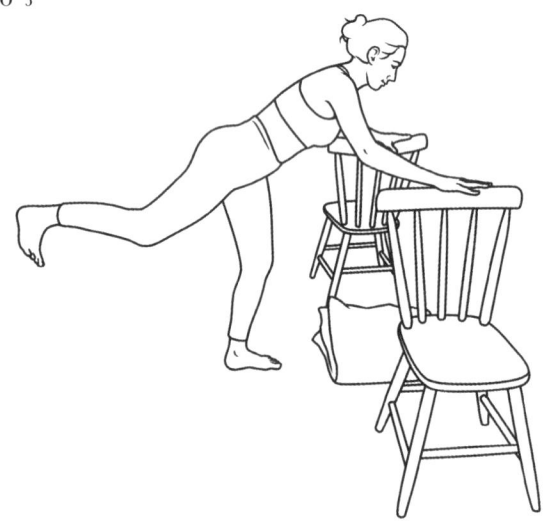

O Exercício 3 costuma ser precedido dos outros dois exercícios, de modo que já existe uma certa quantidade de sensações e sentimentos no corpo da pessoa. Não é surpreendente, portanto, que muitos pacientes, quando caem ou dizem "eu desisto" pela primeira vez, rompam em prantos. Sentir-se cair e não se machucar parece liberar alguma ansiedade profunda. Tendo caído, o paciente se sente seguro na proximidade com o solo. Deitado no chão, abandona temporariamente a luta contra a força da gravidade e a compulsão por fazer alguma coisa. Mas pouquíssimas pessoas parecem capazes de se entregar dessa maneira simples. Acham que precisam estar em pé fazendo algo.

Por que cair e se render é tão difícil, até mesmo dessa forma simbólica? Nas minhas discussões posteriores com os pacientes, tornam-se visíveis as seguintes razões. Há a associação de que cair é estar desamparado. Estar desamparado é estar vulnerável. Podemos analisar essa sensação com base na experiência do paciente com os pais. Ele pode ter se sentido preso numa luta de poder com eles, na qual, se não resistisse às exigências, seria abatido e negado. Se não conseguisse contra-atacar, pelo menos não se renderia. Aferrar-se e resistir torna-se, então, uma expressão final da individualidade e integridade. Os pacientes também dizem que cair é estar só. Se o indivíduo cai, será deixado para trás e não haverá ninguém para erguê-lo. Se esta foi a experiência vivida na infância, não é difícil compreender o medo de cair. O ato de cair evoca a sensação de solidão, que sentimos relutância em reexperienciar. É preciso acompanhar a multidão, cujo movimento é tão rápido que poucos ousam se virar para trás para ajudar os que caíram. E existe também, em muitas pessoas, um orgulho obstinado que diz: "Vocês não estavam lá quando eu precisei na minha infância, agora não vou me permitir precisar de alguém novamente". Essas motivações complexas e ocultas destroem nossa capacidade de nos entregar ao amor ou de cair no sono fácil e profundo como o de um bebê.

Esse exercício também tem outro significado. Com todo o peso do corpo sobre uma perna e um pé, o paciente sente essa perna mais intensamente. Também pode aprender que suas pernas tanto podem mantê-lo erguido como deixá-lo cair. Desenvolve mais sensações nos pés e pode sentir o que significa literalmente ter os pés no chão. Tendo em mente o objetivo desse exercício, o leitor poderá fazê-lo em casa, sempre realizando um relaxamento ao final dele. Depois de cair pela quarta vez, sugiro que você permaneça no chão, sobre os joelhos, com as mãos estendidas, juntas e espalmadas no chão. Com a testa apoiada sobre as mãos, estará na postura de oração muçulmana. Com isso, a cabeça fica próxima do chão, o que

EXERCÍCIO 4

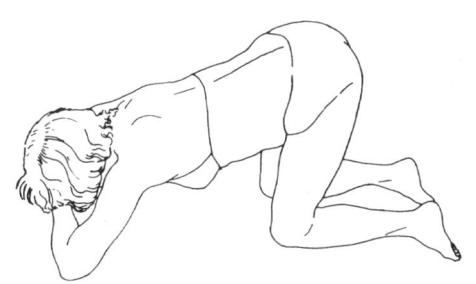

simbolicamente leva o ego para baixo do nível do corpo. Também permite que a frente e as laterais do corpo fiquem relaxadas, sobretudo a barriga. As nádegas devem ser empurradas para trás o máximo possível. Isso permitirá que a respiração ocorra na cavidade abdominal profunda. Serve também para relaxar algumas das tensões dos glúteos e do ânus. Mantenha essa posição por dois minutos para sentir o efeito relaxante de deixar o ventre solto.

Outra postura que uso para ajudar os pacientes a sentir o centro vital de seu ser é uma variação do Exercício 2. Depois de adotar a postura do Exercício 2 e se manter nela por aproximadamente um minuto, peço a eles que dobrem os joelhos por completo e mantenham as mãos estendidas, mas sem tocar o solo. O peso do corpo deverá pender para a frente, mas os calcanhares não devem sair do chão. A postura é ilustrada a seguir.

EXERCÍCIO 5

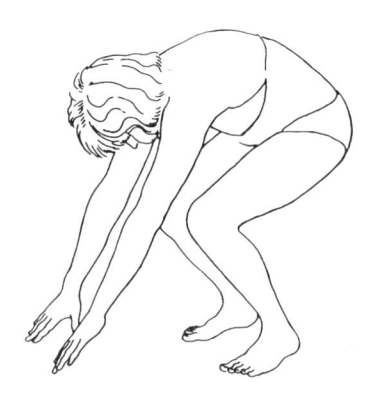

Peço que o paciente se mantenha nessa posição o maior tempo que conseguir, mas não excessivamente. Essa postura coloca muita tensão nos quadríceps femoral e é difícil de manter se esses músculos estiverem contraídos e tensos. Além disso, força a respiração profunda na pelve. Com isso não quero dizer que o ar entra na pelve. A posição agachada força a usar e a expandir o baixo ventre para que se possa fazer uma inspiração completa. O resultado é que se sente que a cavidade pélvica ganha vida, e para muitas pessoas esta é uma das melhores maneiras de se conseguir isso.

Nessa postura, como em todas as outras, é importante respirar pela boca, sem esforço, mas profundamente. A respiração pela boca é usada porque as posturas são cansativas e é necessário tanto oxigênio quanto possível. Isso também permite que a mandíbula caia relaxada, o que diminui a tensão normalmente presente nos músculos da região quando a boca está fechada. Uma respiração mais completa e profunda energiza o organismo e promove o surgimento de movimentos vibratórios nas pernas. Com frequência, acontecem tremores muito fortes nas pernas durante esse exercício. Isso se deve, em parte, ao esforço a que os músculos da perna são submetidos. À medida que você se cansa, diminui sua capacidade de opor resistência à queda. Em algumas pessoas, os joelhos começam a tremer, o que é diferente do movimento vibratório natural. Ao tremer, os joelhos se movem de um lado para outro, um sinal bastante conhecido de medo. Os movimentos vibratórios naturais são pequenas oscilações ascendentes e descendentes ou tremores rápidos. Quando esses exercícios são feitos com regularidade, os músculos da coxa relaxam aos poucos. As sensações fluem mais facilmente para a parte inferior do corpo e para as pernas e pés. Muitos dos meus pacientes descobriram que o estado físico de seus pés e pernas melhorou sobremaneira graças a esses exercícios. Embora esse resultado possa ser esperado, não é nosso principal objetivo. O principal objetivo é o *grounding* do indivíduo na realidade de seu corpo e da terra — não como conceito intelectual, mas como experiência vivenciada.

Quando sentir que os músculos da perna estão começando a se cansar ao fazer o último exercício, deixe-se cair de joelhos e assuma a postura descrita no Exercício 4, que é de relaxamento e entrega. Não devemos temer a rendição, pois estamos nos entregando ao nosso corpo, à terra, à vida; estamos nos rendendo à única força que, em última análise, pode nos sustentar. É a força da vida no solo que passa pelo corpo de todas as plantas e animais. Se ela nos falta, nem o intelecto nem a vontade poderão nos assegurar a sobrevivência.

Neste capítulo, descrevi alguns dos exercícios bioenergéticos simples que são usados regularmente na terapia bioenergética para ajudar os pacientes a obter um *grounding* mais firme. Há outros com o mesmo propósito. Por exemplo, ficar de cócoras é recomendável. Alguns exercícios trabalham diretamente com os pés, como colocar a sola do pé no cabo de uma raquete de tênis e pressioná-la para excitar os músculos do arco longitudinal. Também é possível improvisar exercícios ou posturas especiais para ajudar a trabalhar áreas específicas de tensão ou interrupção de energia. Entretanto, eles só funcionarão se o indivíduo compreender que seu objetivo é liberá-lo de padrões de tensão muscular ou interrupções energéticas que limitam sua mobilidade e bloqueiam sua capacidade de se relacionar.

Em nossa cultura, as pessoas têm uma grande necessidade de "deixar-se cair". Já mencionei que, como sociedade, estamos destinados a crises contínuas. Se a pessoa não encontrar uma forma natural de "deixar-se cair" através do corpo, ficará tentada a usar drogas ou álcool. Se ela não se deixar cair naturalmente, mais cedo ou mais tarde se verá mergulhada na depressão.

3. A dinâmica energética da depressão

O ESTADO DEPRESSIVO

Nos capítulos anteriores, mostrei que a reação depressiva ocorre apenas em indivíduos que perseguem objetivos irreais e não estão em contato com a realidade. Salientei que ela resulta do colapso de uma ilusão, não uma ilusão consciente, mas uma que atuou no comportamento da pessoa. Muitos psiquiatras veem a reação depressiva como consequência de uma perda de autoestima. Assim, devemos esquadrinhar os fundamentos da autoestima para entender por que esta é vulnerável à destruição. Acredito que isso implica reexaminar o fenômeno depressivo e especialmente os processos energéticos que formam a base da autoafirmação, da autoconfiança e da autoestima.

A palavra depressão vem sendo usada para descrever qualquer estado de tristeza. Mas nem sempre o desânimo e a tristeza são estados depressivos, e é preciso traçar uma distinção clara entre eles. Do contrário, cairemos no erro de considerar a reação depressiva normal em certas circunstâncias. Por exemplo, daremos por certo que é perfeitamente natural que alguém fique deprimido quando sofre uma perda financeira, pessoal ou de qualquer outra espécie. O repórter Long John Nebel assumiu essa posição durante uma entrevista radiofônica comigo. Ele me perguntou: "O senhor não acha normal que alguém fique deprimido quando a promoção no emprego, que ela vinha esperando há um tempo, não acontece?"

Ele se surpreendeu quando respondi: "Não. A reação normal a essa situação é decepção".

"Qual é a diferença entre elas?", ele perguntou.

A reação depressiva imobiliza o indivíduo. Ele se torna incapaz de comandar o desejo ou a energia para manter suas atividades habituais. Sente-se derrotado, minado por uma sensação de desespero, e, enquanto a reação depressiva continuar, não vê razão para nenhum esforço. A decepção pode nos deixar tristes, mas não nos imobiliza. Conseguimos falar sobre a decepção e assim expressar nossos sentimentos, ao passo que a pessoa deprimida não consegue. Em decorrência da decepção, podemos reavaliar nossas aspirações ou encontrar outros meios para realizá-las. Não temos a sensação de desesperança que caracteriza os deprimidos. Nem nosso interesse pela vida, nem nossa energia são afetados seriamente.

Ao contrário da decepção, em geral não há nenhum motivo aparente para a reação depressiva. Em muitos casos, ocorre quando tudo parece estar indo bem, às vezes exatamente no ponto em que se está prestes a realizar uma ambição ou se acabou de fazê-lo. Por exemplo, um homem ficou deprimido quando vendeu seu negócio por mais de um milhão de dólares. Esta tinha sido sua meta durante vários anos e ele havia trabalhado energicamente para alcançá-la. Mas, quando a venda se consumou, ele entrou em depressão. Ouvi uma história parecida de outro dos meus pacientes que ficou deprimido quando lhe foi oferecida uma alta soma em dinheiro por um negócio que ele havia montado e estava pensando em vender. É comum ouvir histórias de homens que ficam deprimidos quando a aposentadoria, que esperaram durante tantos anos, se torna realidade. Ou de pessoas do mundo artístico que ficam deprimidas quando alcançam o sucesso e a fama que tanto buscavam.

A aparente contradição entre sucesso e depressão pode ser explicada se admitirmos que o sucesso não era a meta real do indivíduo. Se era amor, por exemplo, e essa meta foi inconscientemente concebida como um meio de obter amor, é claro que o fracasso em obtê-lo poderia resultar numa grande decepção. Mas como essas pessoas não estão conectadas com seu corpo nem em contato com seus sentimentos, não conseguem sentir tais decepções. Sendo incapazes de expressar qualquer sentimento, entram em depressão.

Nem sempre é possível relacionar o início da depressão a uma causa imediata. A reação depressiva pode se desenvolver de maneira tão insidiosa que quando finalmente se manifesta a pessoa já pode ter esquecido o acontecimento específico que a desencadeou. Mas conhecer o catalisador pouco ajuda. A mulher deprimida que procurou terapia porque seu casamento havia se destroçado estava tão impotente para combater a situação quanto aquele cuja depressão não tinha uma causa óbvia.

Nós experimentamos muitos estados de abatimento na vida que não são reações depressivas. Além da decepção, podemos ficar abatidos ante uma recusa ou desanimados após um acontecimento infeliz. Cada qual tem um tom emocional de tristeza que o distingue do estado depressivo. Se não estivermos em contato com nossos sentimentos, ficaremos deprimida. Vejamos um exemplo simples: quase sempre, um paciente responde à minha pergunta inicial, "Como você se sente?", com: "Deprimido". Olhando para ele, no entanto, percebo que seu rosto está triste, às vezes quase a ponto de chorar. Quando observo isso, ele poderá dizer: "Sim, claro, eu me *sinto* triste". Surpreendentemente, o reconhecimento e aceitação de um sentimento muda a característica do estado emocional. O paciente já não se sente tão deprimido como quando havia bloqueado sua percepção da sensação de tristeza.

Os psicoterapeutas há muito sabem que fazer um paciente chorar ou sentir raiva o liberta da reação depressiva. O choro é a emoção mais apropriada, uma vez que a reação depressiva está ligada a uma sensação de perda. Freud, que estudou a reação depressiva na sua forma mais grave, a melancolia, acreditava que era causada por uma inibição na expressão da dor. Em alguns casos, era possível identificar que essa dor advinha da perda de um objeto amado importante no início da vida do indivíduo. Psicanalistas posteriores a relacionaram com a supressão da raiva e do furor diante da privação causada pela perda do objeto amado. Descobri que pouco importa qual emoção é expressa. Na maioria dos casos, a expressão de *qualquer* emoção é suficiente para libertar o paciente de seu estado depressivo.

Como a depressão é causada pela supressão da emoção, ela não pode ser, em si mesma, considerada uma emoção. Representa a ausência de emoção. Não é um sentimento verdadeiro; ninguém se "sente" deprimido, e isso não deve ser confundido com um sentimento real, como quando sentimos tristeza e solidão. Sentimentos e emoções são reações orgânicas a acontecimentos no ambiente; o estado depressivo é uma *falta* de reação. Os sentimentos mudam quando a situação externa muda, causando uma reação diferente do organismo. A companhia adequada, por exemplo, pode animar uma pessoa que se sentia triste e sozinha; o indivíduo em um estado depressivo, entretanto, permanece apático.

A depressão é uma perda da força interna do organismo, comparável, em certo sentido, com a perda de ar de um balão ou de uma câmara de pneu. Essa força interna é o fluxo constante de impulsos e sentimentos dos centros vitais do corpo para a periferia. Na verdade, o que se movimenta no corpo é uma carga energética. Essa carga ativa tecidos e músculos em seu caminho, fazendo que surjam sensações ou sentimentos. Quando isso resulta em ação, chamamos de impulso — uma pulsação vinda de dentro. No estado depressivo, a formação de impulsos é reduzida de forma drástica tanto em número quanto em intensidade. Essa diminuição produz, internamente, uma perda de sentimentos e, externamente, uma falta de ação. Portanto, podemos falar da depressão como um colapso interno, o que significa que a capacidade do organismo de reagir aos acontecimentos do ambiente com impulsos oportunos diminui muito.

Pensar nos impulsos e na força que exercem nos ajuda a compreender a natureza da depressão. Os impulsos exercem uma pressão para fora e costumam resultar em alguma forma de expressão. Expressão, literalmente, significa força com movimento para fora. Por trás de cada desejo, sentimento ou pensamento há um impulso, que pode ser definido como um movimento energético de dentro do organismo para o mundo exterior. Cada impulso que chega ao exterior representa um desejo, evoca um sentimento, é associado a um pensamento e termina em uma ação. Então, por exemplo, quando sentimos o impulso de bater em alguém, isso representa o desejo de fazer essa pessoa parar de nos causar dor, carrega consigo o sentimento de raiva, está associado a pensamentos relativos à situação que provocou o impulso e termina num soco.

Uma impressão é o oposto de uma expressão. Quando um impulso afeta outra pessoa, ela recebe uma impressão. O impulso não precisa ser um soco; pode ser um olhar, um gesto ou uma palavra. A impressão é resultado de uma força externa agindo no corpo. Num organismo vivo, a impressão evoca alguma reação do organismo; essa reação constitui um reconhecimento da impressão. Os objetos inanimados em geral não reagem a forças externas. Posso, por exemplo, pressionar o polegar em uma bola de massa e deixar uma impressão, mas a massa não sente a impressão nem reage a ela. Para um objeto reagir, ele precisa conter alguma força interna. Um balão inflado reage à pressão do meu polegar porque contém essa força. Primeiro ficará distorcido, e quando a pressão for removida voltará à forma original. Um balão vazio não fará isso. Essa analogia simplificada ajuda a explicar por que a pessoa deprimida não reage normalmente aos estímulos vindos do ambiente. Ela poderá senti-los como qualquer pessoa normal, mas seu corpo descarregado e seu espírito esvaziado a tornam incapaz de reagir.

A SUPRESSÃO DOS SENTIMENTOS

Não expressamos todos os nossos impulsos o tempo todo. À medida que crescemos, aprendemos o que revelar e o que conter. Aprendemos também quando certos impulsos podem ser expressos e a maneira adequada de fazê--lo. A contenção consciente de um impulso é feita pela musculatura voluntária do corpo, que está sob o controle da mente consciente e do ego. Ocorre na superfície do corpo exatamente antes que o impulso seja liberado numa ação. Na verdade, os músculos que estariam envolvidos na expressão estão programados para agir, mas são bloqueados por um comando da mente. O comando inibitório não afeta os outros componentes do impulso. Permanecemos conscientes do desejo, em contato com o sentimento e alertas aos pensamentos. Apenas a ação é bloqueada.

A supressão dos impulsos é diferente. Todos os componentes de um impulso estão bloqueados quando ocorre a supressão. A palavra "supressão" significa que o impulso é levado para baixo da superfície do corpo, abaixo do nível em que ocorre a percepção. Perde-se a consciência do desejo ou o contato com os sentimentos. Quando a memória ou a ideia do impulso é recuada para o inconsciente, falamos de repressão. As memórias e as ideias são reprimidas; os impulsos e os sentimentos são suprimidos. A supressão de impulsos não é um processo consciente ou seletivo como o ato de conter sua expressão. É o resultado da contenção contínua até que esta se torne um modo habitual e uma atitude corporal inconsciente. Com efeito, a área do corpo que estaria envolvida na expressão do impulso é amortecida, por assim dizer, pela tensão muscular crônica que se desenvolve em consequência do padrão contínuo de contenção. A área é efetivamente isolada da consciência pela perda de sentimentos e sensações normais nela.

O amortecimento de uma parte do corpo tem efeitos no seu funcionamento como um todo. Cada área que se torna amortecida reduz a vitalidade do organismo. Limita, até certo grau, a mobilidade natural do corpo, e age como uma restrição da função respiratória. Então, diminui o nível de energia do organismo e, indiretamente, enfraquece toda a formação de impulsos.

Nas situações em que a expressão de um impulso evocaria uma ameaça do ambiente à criança, ela inconscientemente tenta suprimir tal impulso. Em geral, diminui sua mobilidade e limita sua respiração. Não se movendo e segurando a respiração, pode-se eliminar o desejo e o sentimento. Com efeito, em uma manobra desesperada para sobreviver, pode-se amortecer todo o corpo. Se esse amortecimento vai muito longe, produz uma personalidade esquizoide, como descrevi em outro livro[11]. Essa personalidade é extremamente propensa à depressão por esse mesmo motivo. Na personalidade esquizoide, toda a formação de impulsos é diminuída.

A criança também suprime ativamente um impulso quando ele se torna muito doloroso por causa da frustração contínua. A criança que perdeu a mãe em uma multidão, por exemplo, chora com a dor da perda, mas não indefinidamente. Após certo tempo ela para, porque a dor é muito intensa e o esforço, exaustivo. Estamos admitindo, nesse caso, que ninguém a consola. Em seu estado de exaustão, ela fica anestesiada. Mas a anestesia passa, e, quando isso acontece, a criança chora de novo se não encontra a mãe. Contudo, o choro vai ficando cada vez mais fraco. É uma situação de desespero, pois uma criança que é abandonada chorando poderia morrer. René Spitz relatou alguns casos assim. Mas em situações como essa, felizmente, a criança logo encontra a mãe e o trauma dura pouco.

Porém, se a mãe não se perdeu, mas morreu, e a criança é deixada sem amor, a situação passa a ter um caráter sério e crônico. Por mais que chore, isso não lhe devolve a mãe, e cada crise de choro serve apenas para aumentar a dor da perda. Mais cedo ou mais tarde, a criança desiste. Deixa de chorar e gemer, mas também abandona todos os esforços para se relacionar com o ambiente. Permanece deitada na cama, sem reação, num estado de depressão que, se for prolongado, pode levar à morte.

A situação é só um pouco menos trágica quando a mãe está fisicamente presente, mas emocionalmente ausente — isto é, se não responde emocionalmente às necessidades da criança. Em certo sentido, é como se ela tivesse se perdido. A criança chora pedindo uma proximidade que a mãe não pode lhe dar e continua a chorar até que se torna doloroso demais ansiar pelo impossível. Ao contrário de uma criança sem mãe, ela sobrevive, mas nesse processo aprende a suprimir tanto o desejo como o sentimento.

Uma criança pequena não consegue aceitar a perda do amor materno. Ela é muito dependente da mãe ou de uma figura materna substituta para sobreviver. Portanto, não consegue extravasar sua dor como fazem os adultos que perderam alguém amado. Mas mesmo alguns adultos têm grande dificuldade em dar vazão ao seu sofrimento. Acredito que isso se deva à supressão parcial do impulso de chorar no início da infância. Em consequência, esse impulso não está totalmente disponível na vida adulta.

O impulso de chorar pode ser suprimido na infância por outras razões além da perda da mãe. Muitas mães não conseguem tolerar o choro dos filhos. Incapaz de dar resposta por causa de seus próprios conflitos, a mãe reage ao choro persistente da criança com hostilidade ou com a retirada de seu amor. Pode não pegar o filho no colo quando ele quer e fazer disso uma prática, para ensiná-lo que ela não pode ser comandada por essas táticas. Ela se engaja numa luta de poder com o filho e, sendo mais forte, vence. Se seu choro a aliena da mãe, a criança é forçada a suprimi-lo. Quando a mãe reage com raiva e hostilidade, o efeito sobre a criança é ainda maior. No início, ela pode intensificar o choro, mas logo aprende que não é um procedimento inteligente e passa a suprimi-lo em nome da sobrevivência.

Apesar de eficaz, é muito difícil conseguir que um paciente deprimido chore. Se pedimos que ele estenda os braços e diga "Mamãe", a resposta frequentemente é: "Para quê?", "Ela nunca veio" ou "Ela não estava lá". Esses comentários são motivos para chorar. Chora-se porque a mãe não correspondeu, mas essas razões não tocam o paciente deprimido. Ele suprimiu a maioria dos sentimentos associados à mãe, e perdeu a capacidade de expressar uma sensação de anseio. Mas isso não acontece com todos os pacientes, e a técnica costuma funcionar com aqueles que não sofrem de depressão. Geralmente desencadeia uma crise de choro e soluços. Na verdade, quem está deprimido não tem energia para expressar sentimentos. Quando a energia é restituída, o choro ou a expressão de outros sentimentos torna-se possível.

Outros sentimentos que com frequência são suprimidos na infância são a raiva, a negatividade e a hostilidade. Não é difícil perceber que em alguns lares sua expressão seria recebida com uma punição severa. Hoje talvez não seja tão assim, em nossos lares permissivos, mas antigamente com certeza era. Uma criança pequena não tem o ego suficientemente desenvolvido para o controle consciente da expressão do impulso. Ela ainda vive num mundo de tudo ou nada. Confrontada com conflitos contínuos com os pais, tende a suprimir seus impulsos negativos ou hostis. No início, eles não são controlados por completo e extravasam em explosões histéricas, mas sua expressão direta e imediata fica bloqueada, e com o tempo os próprios sentimentos são suprimidos. Quando isso acontece, surge a figura da criança boa e obediente que acata a todas as ordens e desejos dos pais. Evidentemente, é o retrato de um autômato.

Em minha experiência, poucos pacientes se mostraram capazes de expressar seus sentimentos negativos ou hostis de maneira direta e convincente. Eu testo isso pedindo que digam "Não!" tão alto quanto puderem enquanto esmurram ou chutam o divã. Em quase todos os casos, o esforço não é feito com convicção. Não acredito que meus pacientes sejam exceções na população geral. A incapacidade de dizer "não" parece estar estruturada na maioria das pessoas. Meus colegas e eu tentamos este exercício em oficinas para profissionais em todos os Estados Unidos e encontramos a mesma dificuldade em toda parte. Só podemos concluir que esses impulsos foram suprimidos quando essas pessoas eram jovens.

Parece fora de moda, nestes dias de aparente liberação sexual, falarmos de sentimentos sexuais suprimidos na infância. Contudo, o fato é que isso ainda acontece — e provavelmente mais do que antes. Os sentimentos sexuais são suprimidos não só porque são um tabu, mas também porque são perigosos para a criança. Eles apresentam um perigo quando os pais são sedutores, seja de maneira aberta ou velada. Acredito que o comportamento sedutor dos pais seja mais comum hoje do que em gerações passadas, por causa da nossa sofisticação sexual. Uma prova é a crescente incidência da homossexualidade, cuja origem, na minha opinião, sempre pode ser associada a pais sedutores. Em relação a isso, devemos lembrar que estou falando de sentimentos sexuais no corpo e não de sensações genitais. Esses sentimentos sexuais são suprimidos encolhendo a barriga e contraindo a musculatura pélvica. O efeito dessa manobra defensiva é "isolar" as sensações da parte inferior do corpo, o que impede o indivíduo de se sentir *grounded*. Também perturba seriamente a função respiratória, limitando a respiração do peito e do diafragma.

Pode-se perguntar, supondo que não ocorre incesto, que perigo verdadeiro os pais sedutores representam para a criança. Esta, porém, não tem condições de fazer essa suposição, uma vez que o incesto de fato ocorre — surpreendentemente, com bastante frequência. Mas há outros perigos envolvidos. Se os pais não estão conscientes de seu comportamento sedutor e a criança responde a ele, ela é vista como a agressora sexual, é repreendida e, muitas vezes, humilhada. Vimos como isso aconteceu com Anne, um dos casos apresentados no primeiro capítulo. Seria muito fácil para um pai ou mãe transferir sua culpa sexual para a criança dessa forma. Por outro lado, se o adulto aceita a resposta da criança sem se engajar em nenhuma ação sexual explícita, esta é levada para a órbita daquele e perde a independência.

A criança que é sexualmente envolvida com um dos pais, num nível de sensação, não pode lhe dizer não. Tornando-se um satélite, ela perde não só sua independência como seu senso de *self* ou identidade. Consequentemente, não tem escolha a não ser suprimir a sexualidade de seu corpo.

A supressão de sentimentos cria uma predisposição para a depressão, uma vez que impede o indivíduo de confiar em seus sentimentos como um guia para se comportar. Suas emoções não fluem com força suficiente para lhe proporcionar uma direção clara; isto é, ele perde o que é preciso para ser introdirigido. Perde a fé em si mesmo e é forçado a olhar o mundo exterior para se guiar. Foi condicionado a isso por seus pais, de cujo amor e aprovação precisava. Como adulto, envida todos os esforços para conseguir amor e aprovação do mundo exterior, e faz isso provando que é digno das respostas que procura. O esforço será enorme, pois os riscos são altos, e todas as energias do indivíduo serão mobilizadas e destinadas a essa tarefa.

A maneira como alguém prova que é digno de ser amado depende dos valores dos pais. Para alguns, o merecimento é alcançado por meio de realizações; para outros, por meio de favores e abnegação. Certos pais exigem que a criança se destaque; outros requerem conformismo, submissão e trabalho duro. A criança que procura cumprir essas exigências (que quase nunca são expressas abertamente) está a caminho da depressão; já a que as rejeita se torna rebelde e marginal. Em ambos os casos, entretanto, a energia que deveria estar disponível para o prazer e a criatividade fica sujeita a um estilo de vida que não leva à plenitude. O indivíduo submisso torna-se deprimido quando seus esforços fracassam em produzir o resultado esperado, mas o rebelde também fica deprimido quando descobre que sua resistência é em nome de uma causa perdida.

Para alguém que não conseguiu o amor e a aprovação necessários na infância, meu conselho é "Esqueça". Uma vez que se chegou à idade adulta, o assunto está encerrado. A volta à infância é impossível. Quem tenta isso sacrifica o seu presente — isto é, sua vida adulta — nessa tentativa vã. As necessidades que parecem tão imperiosas quando se é pequeno e dependente não têm sentido agora. O seio não pode mais satisfazer um adulto. O colo e o apoio, tão vitais nos primeiros anos, não contribuem para a independência e a maturidade. Deve-se aceitar sua perda e continuar vivendo e crescendo.

A única exceção a esse princípio é a situação terapêutica. O terapeuta costuma funcionar como substituto do pai ou da mãe. Oferece amor e aprovação e pode encorajar o paciente a regressar a um estado infantil. No entanto, não o faz com a ideia de compensar as perdas que o paciente teve na infância, mas sim para ajudá-lo a revivenciar essa perda e expressar a tristeza associada a ela. A tarefa terapêutica é ajudar o paciente a encontrar seu caminho de amor-próprio e autoaceitação e desenvolver a fé em si mesmo, para substituir a que ele não conseguiu obter de seus pais.

SUICÍDIO E NEGATIVIDADE

A depressão é uma forma de morte emocional e psicológica. O sujeito deprimido não só perdeu o gosto pela vida, como temporariamente perdeu o desejo de viver. Dependendo do grau de depressão, ele desistiu da vida, e é por isso que tantas vezes a depressão é acompanhada de pensamentos, sentimentos ou ações suicidas. Porém, poucos adultos morrem de depressão, a não ser pelo ato voluntário de tirar a própria vida. Uma análise dos motivos subjacentes ao suicídio pode oferecer algum esclarecimento sobre o estado depressivo.

O ato suicida tem várias motivações no inconsciente. A tentativa de autodestruição é, como quase todo psicólogo concorda, um grito de socorro, uma manobra desesperada para chamar a atenção para o desespero de sua situação. As tentativas são mais numerosas que os suicídios em si, numa proporção de dez para um. A maior parte delas não é *planejada* para ter sucesso. Uma jovem pode cortar os pulsos, mas num determinado lugar e hora em que seu ato será descoberto antes que seja tarde demais. Outro poderá tomar uma dose excessiva de pílulas para dormir, prevendo que será encontrado antes de morrer. Mais tarde, essas pessoas muitas vezes admitem que não queriam morrer. Queriam ajuda e que sua situação fosse levada a sério. A tentativa frequentemente consegue a atenção necessária; e muitos dos que estão vivos hoje em dia, depois de terem tentado suicídio, encontraram seu caminho para uma vida com mais sentido por meio da ajuda que a tentativa lhes trouxe.

Mas também há tentativas bem-sucedidas, e o desejo de morrer é parte da motivação desse ato. As razões dadas para esse desejo podem ser resumidas nas declarações "A *vida não vale a pena*", "*Não há razão para viver*" e "*Não posso continuar deste jeito*". Não posso discutir essas declarações quando feitas por um paciente, já que não estou em sua situação e não posso fazer promessas. Saliento, no entanto, que não é o corpo que quer morrer. Se fosse esse o caso, ele morreria de forma pacífica, como faz um animal selvagem quando morre naturalmente. O suicídio é um ato consciente e deliberado no qual o ego se vira contra o corpo porque o corpo fracassou em realizar a imagem egoica. Essa imagem sempre é de poder e masculinidade nos homens e de atração sexual e feminilidade nas mulheres. A sensação de fracasso nesse nível é ás vezes tão preponderante que pode levar à autodestruição.

O *"Você falhou comigo"* por trás da autodestruição é voltado tanto para o *self* como para os outros. O suicídio é tanto uma censura àqueles que professam um interesse pelo indivíduo quanto uma rejeição do *self* corporal. E, uma vez que sempre serve para fazer a família do falecido se sentir culpada, também deve ser visto como um ato hostil e negativo para com ela.

Os colaboradores de um psiquiatra que teve um número atípico de suicídios entre seus pacientes me contaram que ele fazia de tudo para lhes assegurar seu apoio. Ele dizia a todos os pacientes: *"Pode me ligar sempre que precisar"*. Então, por que tantos suicídios? A única conclusão a que pude chegar era que seus pacientes tinham necessidade de dizer "Você falhou comigo", e ele *falhou* em reconhecer essa necessidade. Se ignoramos ou tentamos negar esse sentimento em um paciente, podemos pressioná-lo a tal ponto que ele *tem* de provar isso pela ação extrema de tirar a própria vida.

No ensaio intitulado "Luto e melancolia", ao qual futuras referências serão feitas, Freud expressou a opinião de que o suicídio era motivado em parte por sentimentos hostis e sádicos. "É esse sadismo, e apenas ele, que soluciona o enigma da tendência ao suicídio." Seu raciocínio foi assim explicado: "Os que padecem [de melancolia] geralmente têm sucesso ao final se vingando, pelo tortuoso caminho da autopunição, dos objetos originais, atormentando-os por meio da doença, tendo-a desenvolvido para evitar a necessidade de expressar abertamente a hostilidade contra os seres amados"[12]. Freud não quer dizer com isso que a reação depressiva é uma manobra deliberada para magoar um ser amado, mas que há uma relação entre depressão, suicídio e a supressão da hostilidade, que não deve ser desprezada se quisermos compreender o indivíduo deprimido e sua tendência suicida.

Quando uma pessoa se suicida, isso significa que ela não consegue viver consigo mesma. Não suporta mais os sentimentos negativos e hostis dentro de si nem consegue expressar tais sentimentos a não ser por um ato destrutivo. É por isso que o assassinato e o suicídio muitas vezes ocorrem juntos — o assassinato, evidentemente, antes do suicídio. Uma das formas eficazes que encontrei para ajudar pessoas nessa situação é salientar que seu ato é parcialmente dirigido a mim, uma maneira de se voltar contra mim por minha suposta falha para com ele. Essa conduta deixa o paciente com raiva e, assim, a hostilidade é expressa contra mim de forma menos autodestrutiva.

Mas não será a morte emocional uma censura parecida? A depressão, como o suicídio, pode produzir uma boa dose de culpa na família do indivíduo deprimido. Também pode ser vista como um pedido de socorro. *"Olhe! Não consigo mais aguentar sozinho!"* Contudo, se quisermos ajudá-lo, não podemos simplesmente oferecer apoio enquanto sua negatividade é deixada de lado. Ninguém pode lhe dar o amor e a aprovação que ele não teve quando criança. Pretender isso é irreal, e ele continuará em seu estado depressivo nem que seja para lhe provar que *"Você também falhou"* com ele.

No nível consciente, a pessoa está dizendo *"Não consigo reagir"*, ao mesmo tempo que proclama seu desejo de ficar bem. No inconsciente, tem ressentimentos profundamente arraigados que a levam a um *"Não reagirei"*. Não estando consciente desses ressentimentos, não consegue expressá-los. Superficialmente, se apresenta como alguém que faria qualquer coisa para sair da depressão. Mas é como um nadador com uma âncora presa à perna: não importa quanto esforço faça para vir à tona, a âncora a levará para baixo. Os sentimentos negativos suprimidos, com o peso da culpa que os acompanha, são como a âncora na analogia. Livrando-se o nadador da âncora, ele subirá naturalmente à superfície. Libertando-se os sentimentos negativos suprimidos no indivíduo deprimido, sua reação depressiva acabará.

Há sentimentos negativos suprimidos em todo caso de depressão? Minha resposta inequívoca é *sim*. Esses sentimentos foram demonstrados em todos os casos que atendi. Demonstrar sua existência, contudo, é bem diferente de liberá-los, e apenas sua liberação tem um efeito benéfico no estado depressivo.

A presença desses sentimentos negativos no inconsciente de um indivíduo é responsável pela destruição da sua autoestima, pois eles corroem os alicerces de uma autopercepção sólida. Toda pessoa deprimida antes agia negando sua negatividade. Investiu energias na tentativa de provar ser digna de amor. Sua autoestima foi construída sobre alicerces frágeis. A queda era inevitável. Ao mesmo tempo, a energia envidada no esforço de realizar suas ilusões foi desviada dos verdadeiros objetivos da vida — prazer e satisfação em ser. O processo de renovação da energia — que em grande parte depende do prazer — foi muito enfraquecido. No final, ela se vê sem uma base onde se apoiar e sem energia para se mover.

A FALTA DE ENERGIA

A depressão é marcada pela perda da energia. Isso deve ser reconhecido se quisermos entendê-la e tratá-la. O sujeito deprimido se queixa de falta de energia — e quase todos os que o observam concordam que a queixa é válida. Tudo relacionado com o paciente denota esse empobrecimento. Todas as grandes funções orgânicas, aquelas que envolvem o corpo como um todo em oposição a sistemas de órgãos separados, estão deprimidas. A quantidade e a extensão dos movimentos ficam reduzidas. Os estudos cinemáticos corroboram essa observação, revelando uma marcada diminuição dos movimentos do corpo no deprimido em comparação com o indivíduo normal. Essa diminuição é claramente visível nos casos de depressão grave, quando se fica sentado a maior parte do tempo, quase sem se mexer. Mas mesmo em alguém com depressão leve há uma notável diminuição dos gestos espontâneos e uma visível falta de mudança facial. O rosto deprimido é lânguido e sua pele parece flácida, como se tivesse perdido a energia que mantém a tonicidade. O jogo normal dos movimentos faciais — olhos, boca, sobrancelhas etc. — está ausente.

Esse baixo nível de energia pode ser diretamente relacionado a uma diminuição do metabolismo. Mencionei antes que a falta de apetite é comum no estado depressivo. Mais importante, contudo, é a redução da absorção de oxigênio devido à marcada diminuição da atividade respiratória. A respiração do paciente não só está restrita pela base neurótica ou esquizoide da sua personalidade, como também é diminuída pela reação depressiva. A relação entre o humor deprimido e a respiração deprimida é tão direta e imediata que qualquer técnica que ative a respiração alivia a depressão, pois aumenta o nível de energia do corpo e restabelece parte do fluxo de excitação corporal. O aumento da respiração costuma levar, mais cedo ou mais tarde, a alguma forma de liberação emocional, seja choro ou raiva.

A pergunta que não pode ser respondida é: a pessoa deprimida sofreu uma diminuição abrupta no seu nível energético *por causa* de sua desilusão ou perda de interesse ou sua perda de interesse é o *resultado* da redução de sua energia disponível? Isso não pode ser respondido porque estamos lidando com dois aspectos relacionados de uma única função orgânica, isto é, a capacidade de manutenção da vida ou do fluxo de sentimentos. Quando esse fluxo diminui consideravelmente, falamos de depressão. Quando ele para, é a morte. Por outro lado, quando o fluxo é intenso, mantém o nível de energia elevado aumentando a atividade metabólica e, ao mesmo tempo, estimulando o interesse pela vida.

Terapeuticamente, é mais fácil e efetivo trabalhar com um paciente pelo lado físico ou energético da personalidade do que pelo lado psíquico ou dos interesses. Qualquer um que tenha vivido com ou tratado de alguém deprimido sabe quanto é difícil ativá-lo atiçando seu interesse. Sua resistência contra ter um interesse ativo no mundo é enorme. Em parte, isso se deve a uma profunda atitude negativa da qual ele é inconsciente e que deve ser revelada e trabalhada até se conseguir chegar a um resultado duradouro. Mas, em grande parte, sua resistência se origina de uma sensação de esgotamento e exaustão surgida da sua falta de energia. Se a tendência depressiva não está fortemente estruturada na personalidade, muitas vezes há uma recuperação espontânea da energia e, com ela, do interesse. Geralmente essa recuperação é apenas temporária, a menos que a pessoa encontre meios de manter sua energia e seu interesse.

Um fenômeno que exige explicação é a diferença entre a quantidade de energia que um indivíduo exibia antes da reação depressiva e o baixo nível de energia que ela apresenta no estado depressivo. O contraste é muitas vezes surpreendente e também enigmático para as pessoas que conheciam o paciente antes de ele adoecer. Os próprios pacientes costumam salientar isso. Um me contou, por exemplo: "Antes de ficar deprimido, eu era o melhor funcionário da empresa. Podia trabalhar mais rápido que qualquer outro". O mesmo acontece com o alcoólatra que parece extremamente energizado até que a bebida tome conta dele e sua capacidade de trabalho decaia. Tanto o sujeito deprimido antes de sua doença como o alcoólatra antes que o seu problema com a bebida se tornasse sério eram trabalhadores compulsivos. A queda da compulsão imediatamente revela sua natureza patológica e sua fraqueza. (A aparente energia do trabalhador compulsivo é enganadora.) Essas similaridades também mostram que o alcoolismo é um disfarce para a depressão. O alcoólatra bebe para evitar ficar deprimido, embora ambos os sintomas aparecerem juntos em alguns indivíduos.

Já salientei que o colapso que precede a reação depressiva pode ser devido a uma desilusão, por vezes produzida por um acontecimento que despedaça os sonhos da pessoa. Mas casos como esses são menos comuns do que aqueles em que a reação depressiva não pode ser atribuída a um acontecimento específico, e então o fator energético é mais aparente.

Martin, por exemplo, me foi encaminhado por causa de uma grave reação depressiva. Ficava sentado em casa o dia todo, incapaz de realizar qualquer trabalho ou de reagir ao ambiente. Antes de ficar deprimido, Martin era um trabalhador incansável, pintor de casas. Ele me disse que era um dos melhores, que podia trabalhar dez horas por dia "como uma máquina". Trabalhando duro, economizou e investiu em imóveis. Como se isso não fosse suficiente para um homem, ele ia quase toda noite às reuniões de sua igreja, onde era muito atuante. Portanto, foi um verdadeiro choque para seus amigos quando de repente ele perdeu o interesse por todas as atividades.

Martin não conseguia encontrar uma razão para o seu colapso e no decorrer do tratamento não consegui identificar o acontecimento que possa tê-lo desencadeado. Muito provavelmente, foi alguma coisa pequena. Basta a ponta de um alfinete ou de um cigarro aceso para estourar um balão. Mas, em vista da história de Martin, o acontecimento específico não seria tão importante. Ele manteve esse ritmo intenso por quase dezoito anos. Quanto tempo mais poderia manter? O ser humano não é uma máquina, que só precisa de um suprimento constante de combustível para se manter em operação. O ser humano precisa de prazer e de uma sensação de satisfação na vida. O prazer era algo alheio a Martin. Ele só conhecia o trabalho. Mesmo o sexo perdera a atratividade muito antes de sua depressão aparecer. Ao longo dos anos, ele mostrara cada vez menos interesse pela esposa e pela família. Além disso, desprezava os outros prazeres procurados pelos homens — pesca, boliche etc.

Ele era um trabalhador compulsivo, não criativo. Numa cultura que valoriza a produtividade, Martin passava por normal, embora durante seus anos de trabalho sua vida emocional estivesse bastante deprimida. Quando presumimos que alguém como ele é enérgico, não levamos em conta que precisamos de mais energia para estar vivos emocionalmente do que para funcionar como uma máquina. Qualquer que tenha sido a autoestima de Martin antes de sua depressão, não estava baseada no fato de ele ser uma pessoa. Se antes ele se orgulhava de sua capacidade de trabalho, agora via que esta não é a verdadeira medida de um ser humano.

Alguma coisa estava radicalmente errada, e acredito que a depressão de Martin era inevitável. Um padrão de autonegação começou cedo em sua vida, associado à necessidade de se provar digno através do trabalho. Apesar de sua filiação religiosa, ele não tinha fé, e apesar de sua sólida convicção cidadã, não era um indivíduo com os pés no chão. Para mim, o surpreendente é que ele não tenha ficado abatido antes.

Acredito que seja razoável supor que a depressão ocorreu quando Martin, a máquina, ficou sem vapor. Ele exauriu suas reservas vitais no esforço de manter uma imagem impossível. Acredito que se tivesse tido mais energia disponível, sua reação depressiva apenas teria sido adiada. Era como alguém que corre até cair de exaustão, e então já não tem energia nem desejo de se levantar. Martin estava assim.

Independentemente do catalisador da reação depressiva, ela não ocorre até que se tenha chegado a um ponto crítico. Se o indivíduo não chegou a esse ponto, não acredito que desistirá de lutar para realizar sua ilusão. A prova disso é que quando recobra a energia e reafirma seu interesse pela vida, continua buscando sua meta ilusória. Portanto, assim como o interesse está ligado a um nível alto de energia, a desilusão e a perda de interesse estão relacionadas com um nível baixo.

Ajudar o paciente a recuperar a energia é o primeiro passo no tratamento da depressão. Mas mesmo quando seu nível normal de energia é restabelecido, ela ainda não está livre de sua tendência à depressão — apenas da reação depressiva em si mesma. Qualquer que seja esse "nível normal de energia", não pode ser considerado um equivalente de saúde. Não atende os requisitos para uma vida e um funcionamento saudáveis. Consegue ativar o movimento do ego, mas não sustém as motivações do prazer. Pode manter a parte superior do corpo ativada, mas não consegue se estender para as pernas e o chão. É preciso energia para se manter em pé, é preciso vitalidade ou força interna real para manter o espírito constantemente elevado, e aqueles com tendência à depressão *não têm* esse tipo de energia.

A tendência à depressão indica um organismo sem energia. Pessoas saudáveis e cheias de vida não ficam deprimidas. Se sua cultura está deprimida, isso pode afetá-las, mas não com o tipo de depressão que os psiquiatras veem no consultório. Esta é uma reação seletiva e pessoal com raízes em fenômenos culturais, mas não causada diretamente por eles. Examinaremos essas raízes mais tarde; por ora, devemos analisar mais a fundo o fator energético.

Os físicos definem energia como a capacidade de trabalho e a medem pelo trabalho realizado. O trabalho envolvido no processo vital, porém, não é mecânico. A energia da vida é usada para crescer, se reproduzir, reagir a excitações e emoções. Está presente em todo o reino animal, movendo os organismos rumo à satisfação de suas necessidades e rumo à autoexpressão, o que leva à criatividade e é vivenciado como prazer.

Uma vez que o organismo é um sistema contido em si mesmo, sua capacidade para funcionar de modo efetivo depende do seu estado de excitabilidade — ou, se preferirmos, vitalidade, embora o primeiro termo seja mais preciso. Dentro dos limites da sua estrutura biológica, um organismo com mais energia tem um nível maior de excitação interna. Ele se move mais rápido do que outros do seu tipo, está mais alerta e capacitado a reagir. Seus movimentos são mais coordenados e, portanto, mais eficientes. A carga elevada se manifesta no brilho dos olhos e na mobilidade do corpo.

Excitação e depressão são características opostas. Quando alguém está excitado, não está deprimido. Quando está deprimido, seu nível de excitação interna mostra-se reduzido. Na euforia e na mania, a excitação se acende depressa, mas também se apaga rápido. Um indivíduo saudável pode manter seu nível de excitação num nível razoavelmente alto. O fogo metabólico queima como uma chama quente e o brilho da chama se mantém relativamente constante. Não podemos ignorar o fato de que é preciso energia para fazer esse processo continuar.

A energia entra no organismo na forma de comida, ar ou estímulo excitante. É descarregada na forma de movimento ou outras atividades corporais. Entrada e saída estão sempre em equilíbrio se considerarmos o crescimento como um aspecto da atividade corporal. Se a entrada de energia é reduzida, a saída também decresce. Mas também é verdade que se a saída de energia diminui, a entrada espontaneamente se reduz. A saída de energia é motivada pela busca do prazer. Toda atividade de todo organismo animal visa o prazer imediato ou futuro. Esta afirmação inclui seu corolário — o de que todo organismo também se move e age para evitar a dor.

Quando está faltando prazer, a motivação para a movimentação também diminui. A saída de energia declina e o nível energético do organismo recrudesce. Quando a falta de prazer se deve a uma incapacidade estrutural, temos alguém cuja reatividade emocional é limitada e, por esse mesmo motivo, cujo nível de excitabilidade é baixo. Uma pessoa como essa é séria candidata a uma reação depressiva, pois já tem tendência à depressão.

Quando a depressão é trabalhada em terapia, cada um dos seus aspectos — a perda de fé no *self*, a busca de objetivos irreais, a incapacidade de estar em contato com a realidade, a diminuição do grau de energia — deve receber atenção. Não é suficiente, por exemplo, sugerir um novo interesse à pessoa deprimida a menos que ela possa extrair algum prazer dele, e isso não será possível se ela tiver culpas e ansiedades inconscientes a respeito do prazer. Estas precisam ser resolvidas primeiro. Só assim confrontaremos sua falta de identificação com o corpo e observaremos sua falta de *grounding*. Isso, então, nos leva inevitavelmente à base energética do fenômeno depressivo.

Anos atrás, tratei um analista que relacionava seu estado depressivo com a incapacidade de consumir a literatura de seu campo de atuação. Ele me perguntou se eu poderia ajudá-lo a vencer esse bloqueio. Quando o examinei, descobri que seu corpo estava tão deprimido quanto seu espírito. Era um homem pesado, de cerca de 50 anos, cuja respiração mostrava-se muito superficial. A mobilidade do seu corpo era extremamente limitada devido a graves tensões musculares que o acorrentavam. Devo acrescentar que ele havia estado cerca de vinte anos sob tratamento psicanalítico.

Minha reação inicial não foi positiva. Não acreditei que pudesse ajudar muito e salientei a ele a gravidade do problema de seu corpo, sobretudo sua respiração deficitária. Ele disse: "Não estou interessado na respiração, apenas em superar minha incapacidade para ler". Relutei em recusá-lo antes de tentar a terapia bioenergética, mas tinha dúvidas de que poderia funcionar. Contudo, ambos concordamos em ver o que poderia ser feito.

Trabalhamos com seus problemas durante quarenta sessões semanais, combinando conduta física com a análise verbal. Embora tenha surgido um material importante e interessante, fizemos pouco progresso. Ele me falou das experiências sexuais que havia tido com a irmã quando era jovem e que não havia revelado a nenhum analista anterior, e assim compreendi por que tinha sentimentos suprimidos em grau tão severo. Mas ele não desejava recobrar uma vida com sentimentos nem estava preparado para isso. Havia eliminado o interesse ativo pela vida de seu corpo, e acredito que isso estava ligado à sua depressão. Definitivamente, estava relacionado com nossa incapacidade de aliviar sua reação depressiva. Esse caso confirmou minha intuição de que não se pode construir nem uma fé sustentadora nem uma autoestima verdadeira com um interesse limitado pela vida.

4. Um caso de depressão

O PROBLEMA

Você acreditaria que uma pessoa possa viver quase constantemente deprimida por mais de vinte anos? Essa foi a história que Joan me contou em sua primeira consulta. Ela estava com pouco mais de 40 anos, havia se casado duas vezes e duas vezes se divorciado. Tinha um filho do primeiro casamento que já havia saído de casa para estudar. Joan vivia sozinha, mas isso não a incomodava. Ela estava perturbada, entretanto, por uma falta de desejo de fazer qualquer coisa e pela perda de interesse em seus amigos. Achava doloroso ficar com as pessoas, mesmo aquelas que conhecia havia muitos anos. Sentia que sua vida era vazia e sem sentido — queixa comum entre as pessoas deprimidas.

Quando conversamos, compreendi que Joan era extremamente sensível. Conhecia pessoalmente diversas figuras artísticas e literárias e havia publicado alguns de seus poemas. A situação do mundo a entristecia, e ela expressava uma profunda preocupação com o envolvimento norte-americano na guerra do Vietnã. Havia uma elegância nas maneiras de Joan, indicando que se tratava de uma mulher refinada e de bom gosto. Ela viajara intensamente durante toda a vida. Graças a uma herança considerável, recebida após a morte do pai, era independente economicamente e podia viver em condições melhores do que a média.

Além de seu estado depressivo, Joan reclamava amargamente da falta de uma relação amorosa significativa em sua vida. Havia se apaixonado muitas vezes e em cada uma delas esperou ter encontrado o que buscava, mas a promessa nunca se cumpriu. Os homens por quem Joan se apaixonava pareciam incapazes de manter uma relação madura com uma mulher. Após certo período — às vezes mais curto, outras vezes mais longo — esses relacionamentos acabavam e Joan sofria uma decepção que sempre a deixava mais deprimida. Apesar desses repetidos desapontamentos, a ideia de plenitude por meio de um amor romântico ainda permanecia consigo como o sonho ao qual sua vida estava entregue.

Os sinais físicos eram claros: sua voz era baixa em timbre e intensidade. Ela se sentava quietamente quando falava, com uma expressão lânguida no rosto. Seu sorriso era superficial: nenhuma vez seus olhos brilharam durante nossa conversa. Apesar de seu histórico de depressão de longa data, ela não trazia suas marcas no rosto. Seus lábios não estavam retraídos, sua pele não estava flácida e ela não tinha o olhar abatido dos que padecem de depressão crônica. A característica que saltava à vista em seu rosto era a imobilidade; a demonstração normal de emoções estava completamente ausente.

Joan fizera análise muitos anos antes. Embora isso a tivesse ajudado na época, ela não conseguiu mudar sua atitude básica. Um ano antes de me consultar, ela estava em tratamento com um terapeuta reichiano cuja conduta enfatizava a importância do corpo e o papel central da respiração na restituição do sentimento. A terapia bioenergética é uma ampliação e um desenvolvimento dos conceitos básicos de Reich, e a crença de Joan na eficácia da abordagem corporal a motivou a procurar minha ajuda. Sua reação inicial a seu terapeuta reichiano foi positiva; ela conseguiu algumas melhoras iniciais, mas estas não se mantiveram, e a depressão retornou. Descobri mais tarde que o mesmo aconteceu no decurso do nosso trabalho.

Estudaremos a personalidade e o tratamento de Joan para ilustrar a abordagem bioenergética na depressão. Depois de um breve histórico do caso, a primeira coisa que faço é examinar o corpo do paciente. O corpo me conta quem o paciente é e o que está acontecendo com ele. Costuma ser mais revelador que as declarações verbais do indivíduo, porque estas refletem o que há em sua mente consciente, enquanto a expressão corporal demonstra suas atitudes inconscientes em relação ao mundo e a si mesmo; a maneira como ele se mexe, o grau de mobilidade no corpo, a quantidade de sentimento nos olhos, a profundidade da respiração, a temperatura e a cor da pele, todos esses indicadores, além de outros, revelam o estilo de vida do indivíduo. São um aspecto da sua realidade e podem ser correlacionados com o outro aspecto, que é a vida psíquica ou interior. Será necessário obter essa correlação se o paciente quiser descobrir quem é.

Quando vi Joan pela primeira vez, fiquei surpreso com a pose e a expressão do seu corpo. Ela parecia uma estátua, e seu rosto tinha a expressão de alguém que espera ser admirado. De fato, admirei seu corpo bem-feito e suas feições regulares. Infelizmente, o que Joan queria era amor, e não admiração. E ninguém pode amar uma estátua com a paixão e o entusiasmo que se reserva para outro ser humano. Joan estava condenada a decepções contínuas. Evidentemente, ela não percebia que sua atitude corporal inconsciente se identificava com sua pose e com o papel que esta implicava. Conscientemente, via a si mesma como uma mulher à procura de amor e capaz de amar. Mas, na medida em que essa característica de estátua afetava sua personalidade, era incapaz de ambas as coisas. Não há afeto em estátuas — aliás, não há vida nelas.

Mas Joan não era uma estátua, e sim uma pessoa viva. No entanto, no nível com que se identificara inconscientemente com a imagem da estátua, estava imobilizada por sua pose, que restringia sua vida. Não percebia que estava posando; portanto, estava sem contato com a realidade das atitudes de seu corpo. Em vista da irrealidade em sua personalidade, não era difícil compreender por que Joan ficava deprimida.

Essa análise do problema sugeria duas abordagens para encontrar uma solução. Era preciso ajudar Joan a se tornar ciente de sua atitude corporal e seu significado, e a entrar em contato com a realidade do funcionamento do seu corpo, uma vez que essa é a realidade básica da existência individual. E, ao mesmo tempo, era preciso ajudá-la a se tornar consciente das experiências que no início de sua vida a forçaram a abandonar sua personalidade verdadeira e assumir a imagem de uma estátua. Seria importante averiguar quem impôs essa imagem, alguém cuja admiração era esperada, e que terror "petrificara" Joan na imobilidade.

Sua história me lembrou o mito de Pigmaleão, o escultor de Chipre que fez uma estátua de marfim e se apaixonou por ela. Quando a estátua não correspondeu a seu abraço, Pigmaleão ficou desolado. Com pena dele, Afrodite deu vida à estátua. Joan provavelmente se identificava com Galateia, a estátua que recebeu a vida da deusa do amor. Há uma conexão entre o mito de Pigmaleão e as histórias da Cinderela e da Bela Adormecida. Em todas as três, uma jovem inocente é devolvida à vida ou à felicidade através do amor e da devoção de um herói ou príncipe. Suponho que Galateia foi transformada em pedra por alguma influência malévola que só poderia ser superada pelo seu oposto, o poder do amor.

As duas direções do esforço terapêutico — ajudar Joan a ter contato com seu corpo e com seu passado — são meramente duas condutas diferentes com o mesmo objetivo, a realidade da pessoa. O corpo é o repositório de toda experiência, além do somatório e da expressão das experiências de vida do indivíduo e da espécie. Trabalhar com o corpo, portanto, facilita a lembrança de memórias reprimidas e sentimentos suprimidos. Mas também é importante atuar pelo lado psicológico. A interpretação dos sonhos, a análise da situação de transferência e o uso de fantasias conscientes revela sentimentos e evoca sensações que liberam o corpo. Quando e como se usa cada uma dessas condutas depende da orientação pessoal do terapeuta e da sua sensibilidade e habilidade. Eu prefiro começar com o corpo e introduzir o trabalho psicológico à medida que a terapia se desenvolve.

No caso de Joan, isso significou começar a fazê-la respirar mais profundamente. Sua respiração era tão superficial que quase não se podia notar. Quando ela tratava de respirar fundo seguindo minha sugestão, o fazia com esforço voluntário, forçado e constrito. Sua respiração não ficava mais profunda espontaneamente quando ela estava sobre o banquinho[13], como costuma acontecer. Porém, seu estado não era de surpreender. Uma estátua não precisa respirar. Se sua respiração fosse livre e completa, seria impossível vê-la como uma imagem que causa admiração. Inibindo a respiração, Joan conseguia manter seus sentimentos suprimidos. Era essencial, portanto, torná-la consciente dessa inibição e soltar seu corpo para que surgisse alguma respiração abdominal. Seu aspecto de estátua não era simplesmente uma metáfora psicológica; seu corpo era extremamente rígido, como o de uma estátua, apesar de não ter a dureza da madeira ou da pedra.

EXERCÍCIO 6 – **Respirando no banquinho bioenergético**

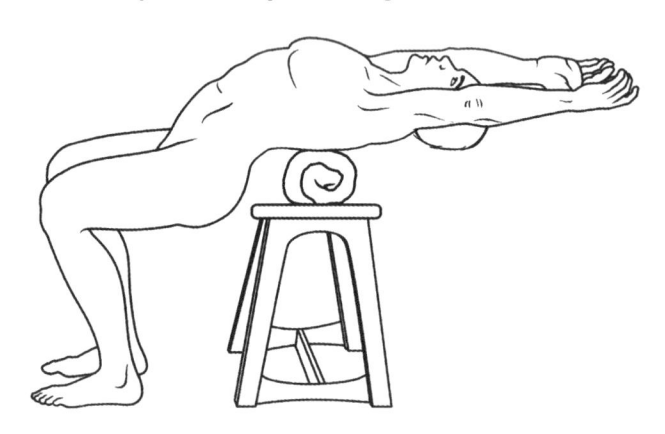

Após o exercício sobre o banquinho, pede-se ao paciente que se incline para a frente, com os joelhos um pouco flexionado e a ponta dos dedos das mãos tocando levemente o chão. Essa posição inverte o arco das costas do corpo e leva a pessoa a se aproximar do solo. Se for mantida por trinta ou sessenta segundos, surgirá um tremor nas pernas e elas começarão a vibrar. Certo grau de vibração é normal quando o corpo ou parte dele é mantido numa posição fixa. A vibração pode ser explicada pela elasticidade natural do tecido muscular. É facilitada neste exercício pela extensão imposta aos músculos isquiotibiais, na região posterior da coxa, e nos músculos da panturrilha. A reação vibratória a esse exercício, entretanto, não ocorre se as pernas estiverem muito rígidas. Por essa razão, se dá mais rapidamente em pessoas mais jovens. Uma vibração forte indica a presença de tensão muscular, que é ativada pelo exercício. Uma vibração mais delicada indica a ausência de tensão. À medida que o corpo relaxa por meio das manobras terapêuticas, a vibração aumenta de intensidade e se estende para cima, alcançando a pelve e todo o organismo.

Os pacientes experimentam a vibração como uma agradável corrente ou uma sensação de vida no corpo. Também têm a sensação vívida de que seus pés estão tocando o chão. Alguns observaram que após esse exercício sentiam os pés enraizados no chão.

Assim como a respiração de Joan era muito superficial no início, sua capacidade de vibrar mostrava-se tão reduzida que parecia totalmente ausente. Isso era de esperar. Se seu corpo fosse levado a vibrar, sua rigidez diminuiria e a imagem da estátua correria o risco de se quebrar. Depois de considerável trabalho com a respiração e fazendo que ela chutasse, Joan passou a sentir algumas vibrações nas pernas, mas estas raramente se tornavam intensas e não se estendiam para a pelve. Esse estado, contudo, melhorou à medida que a terapia progrediu.

A forma mais simples de levar uma pessoa a expressar sentimentos é fazê-la chutar o divã e dizer "Não" sustentando a voz em um volume alto. Todo paciente tem alguma coisa para chutar, algum protesto para verbalizar, sobretudo os deprimidos. Mas eles, mais do que outros, suprimiram seus impulsos negativos. Quando Joan chutou o divã, seus movimentos eram mecânicos e sua voz não era convincente. Já que ela não podia fingir que não tinha nada que quisesse chutar, eu tinha como confrontá-la com o fato de que ela suprimira seus sentimentos. É nesse ponto que introduzo o trabalho analítico, perguntando ao paciente se ele havia sido capaz de se posicionar contra os pais e externar sua oposição às exigências deles. Joan nunca fizera isso. Todas as suas formas de autoafirmação tomaram caminhos diferentes.

Mobilizar o volume da voz é uma das formas mais eficazes de evocar sentimentos. A maioria dos pacientes suprimiu o choro e o grito ao descobrir que esse comportamento muitas vezes provocava uma reação hostil dos pais. Mesmo sob a pressão de uma dor aguda eles se petrificam em vez de gritar e, assim, estruturam a dor no corpo como tensão muscular. O grito cria uma intensa reação vibratória, que temporariamente liberta o corpo de parte de sua rigidez. Era importante fazer Joan gritar. Em geral conseguimos isso aplicando uma pressão nos músculos escalenos anteriores no terço superior do pescoço enquanto o paciente tenta gritar. A espasticidade desses músculos inibe o choro e o grito. Precisamos trabalhar muito antes que Joan se tornasse livre o bastante para se permitir gritar. Liberar o grito também a auxiliou a chorar, e ambas as reações tiveram um efeito positivo em seu estado de ânimo.

O foco no corpo e em suas funções ajuda a tornar o paciente ciente de que seu problema não está apenas na cabeça. Até esse momento, eles costumam considerar sua reação depressiva um fenômeno puramente mental. Em sua mente, estão lutando com a tendência depressiva, procurando entender suas causas e mobilizando a vontade para superar sua propensão à autonegação e ao abatimento. Cada fracasso na tentativa de sair desse buraco faz que se sintam mais ineptos, indignos e deprimidos do que antes. Esse conflito mental está fadado ao fracasso, uma vez que o processo depressivo está além do alcance da mente consciente. No entanto, isso é tudo que o paciente sabe fazer. É um grande alívio, portanto, aprender que o problema pode ser atacado por outro lado e que seu fracasso em resolvê-lo com o esforço mental não é um reflexo adverso de sua inteligência ou vontade.

Mais importante, contudo, é o ressurgimento de sensações trazidas pela ativação das funções do corpo. Começando com uma percepção do corpo, o paciente progride até sentir-se mais vivo e mais útil. Em geral, a mudança é drástica. A depressão desaparece, em níveis variados, em todos os pacientes, lentamente nos casos crônicos e mais depressa nos agudos.

Ao fim de cada sessão eu podia ver a vida voltando ao corpo de Joan. Seus olhos brilhavam, a cor de sua pele melhorava, sua voz tinha mais ressonância e seu corpo se movia de modo mais livre. Essa resposta positiva tornava-se mais evidente quando Joan liberava parte de sua tristeza através do choro. Porém, não se tratava de um choro muito profundo. Nessa época, ela era incapaz de enfrentar a tragédia de sua vida e dar vazão à raiva que estava enterrada bem fundo dentro de si. Foi preciso alcançar essas emoções profundamente suprimidas para que eu pudesse ter certeza de que Joan estava em terra firme.

À medida que o trabalho com o corpo progredia, comecei a análise do comportamento e do passado de Joan e procedi assim concomitantemente com os exercícios físicos. Antes Joan havia descrito a personalidade de cada um de seus pais e as circunstâncias e padrões de sua criação. Ela crescera em uma comunidade do sudoeste dos Estados Unidos. Sua família morava no campo. Seu pai era um engenheiro civil que se tornou muito bem-sucedido trabalhando duro. Ela se lembrava da mãe como uma mulher bonita que sofria de tuberculose. Segundo ela, seu lar não era feliz, com o pai fora a maior parte do tempo. Quando ele ficava em casa, raramente falava com a família e poucas vezes expressava algum sentimento. Um dia ela mencionou que sua mãe era muito só. Quando Joan tinha 12 anos, sua mãe morreu, e ela disse que chorou ao ver o pai chorar. Entretanto, ele se casou de novo alguns meses depois.

Joan se descrevia durante a infância como uma vã sonhadora que lia muito. Suas fantasias se centravam no amor romântico e ela relatou que adorava todos os meninos — mas só de longe. Para conseguir algum contato com eles, participava de seus esportes, e muitas vezes se destacava. Mas o interesse desapareceu quando ela chegou à adolescência. Mencionou que nesse período de sua vida seus conflitos sexuais eram tão intensos que ela estava à beira da agonia. Não se masturbava, o que provavelmente teria trazido algum alívio, em parte porque a masturbação era tabu e em parte porque ela estava procurando alguém que a resgatasse. Imaginava um herói, um príncipe num cavalo branco que conseguiria passar pela impenetrável cerca de espinhos que a rodeava e traria à vida a princesa adormecida. Joan era chamada de princesa pelos familiares que admiravam e ao mesmo tempo ressentiam sua presunção de ter maneiras especiais e aparentemente nobres.

Quando Joan tinha 16 anos, um herói de fato apareceu. Um jovem que, levado por sua beleza e carruagem elegante, tomou nota do número da placa de seu carro e conseguiu seu nome e endereço. Para sua grande surpresa e exultação, ele era um ídolo do futebol da escola. Por dois anos pareceu que suas fantasias românticas se tornariam realidade. O casal de namorados se entregou a todo tipo de jogo sexual, mas por causa de sua educação, sempre parava antes consumar sua paixão em um coito. Por fim, decidiram que era melhor se separarem.

Durante os anos que se seguiram, Joan se envolveu com vários homens. Todos os relacionamentos começavam com as mesmas grandes esperanças, e todos acabavam quando essas esperanças eram despedaçadas no momento em que Joan descobria um grande defeito na personalidade do namorado. Não ocorreu à paciente que ela estivesse procurando uma irrealidade ou que, com sua própria personalidade, contribuísse para o fracasso dos relacionamentos. Ela não estava procurando um homem real, mas o príncipe da sua imaginação, que simplesmente não existia. Não poderia se entregar a um homem real, pois seu coração estava aprisionado dentro da estátua, que teria de ser quebrada antes que se pudesse liberar a pessoa verdadeira. Mas os homens que eram atraídos por ela admiravam a estátua, sem compreender que era essa característica de Joan que derrotava suas aspirações. Ela não conseguia se entregar e eles não podiam possuí-la.

Como alguém se transforma numa estátua e por quê? Uma vez que essa postura caracterológica, no sentido em que é estruturada no corpo e parte da personalidade, não é adotada conscientemente, devemos examinar a situação emocional de Joan na infância para descobrir as forças que a aprisionaram. No decorrer de sua terapia, Joan relembrou um sonho significante. Sonhou que estava andando em um belo salão de mármore no fim do qual viu sua mãe em cima de um pedestal, rígida como uma estátua. Quando se aproximou da mãe, ficou horrorizada ao ver que os braços da estátua caíam e se espatifavam no chão. Há muitas facetas envolvidas. Uma delas revela que Joan se identifica com a mãe, uma vez que atribuiu a ela a mesma pose que desenvolvera.

Não sei se a mãe de Joan tinha o mesmo porte de estátua. É raro que a identificação do filho com um dos pais o leve a ter uma imagem espelhada. Em geral, a identificação tem elementos tanto positivos como negativos; assim a criança mostrará atitudes que lembram as de seus pais e ao mesmo tempo se opõem a elas. Joan descreveu a mãe como uma mulher sofrida e só, cuja dor era visível. Joan, entretanto, fez um grande esforço para se assegurar de que ninguém visse seu próprio sofrimento. Como princesa, estava acima disso e, como estátua, era insensível.

A atmosfera do sonho nos mostra alguma coisa a respeito do relacionamento de Joan com a mãe. O salão de mármore pode ser lindo, mas é frio e vazio. Sua mãe não é vista como um ser afetuoso, amoroso ou vibrante, mas petrificado e imóvel. Quando Joan se aproxima, talvez com o desejo de ser pega no colo (a maioria das crianças pequenas tem esse desejo), fica horrorizada com a incapacidade da mãe de lhe estender os braços ou carregá-la. A impotência da mãe, expressa na imagem dos braços da estátua caindo, a deixa aterrada. Pois Joan também se sentiu impotente a vida toda, apesar de não aceitar isso conscientemente. Veremos mais tarde por que não. Por ora, é importante reconhecer a ausência de uma relação afetuosa e segura entre mãe e filha. Isso explica por que Joan não chorou a morte da mãe. Suas lágrimas, nessa ocasião, foram para o pai. A perda da mãe havia ocorrido antes da morte real. Essa perda é confirmada pelo fato de que suas memórias mais antigas envolviam a avó materna.

A perda da mãe, física ou emocionalmente, é, como já disse, o que predispõe a pessoa à depressão. Para ter esse efeito, deve ocorrer quando a criança ainda precisa de uma figura materna, quando depende da mãe para ter contato corporal, afeição e apoio. Em caso de perda ou ausência da mãe verdadeira, uma mãe substituta pode satisfazer essas necessidades. Mas elas devem ser satisfeitas se quisermos assegurar a saúde emocional da criança. E esta se voltará para qualquer outra figura adulta no ambiente de seu lar para ser satisfeita se sua mãe for incapaz de responder.

Joan se voltou para o pai para conseguir a proximidade e afeição que a mãe lhe negou. Há pais capazes de proporcionar esse tipo de apoio, mas o de Joan não era um deles. Quase não ficava em casa e era inexpressivo emocionalmente. Porém, não era um homem só, sofredor e indefeso. Era forte, um *self-made man*. Parecia um rei para Joan, e portanto era fácil imaginar-se como uma princesa. Em todas as suas fantasias, o príncipe que a salvaria era uma imagem idealizada de seu pai. Ele teria a força e a coragem de seu pai, mas também seria mais terno e amoroso. O mais importante, no entanto, é que ele corresponderia a ela. O que ela realmente queria era o amor e a aceitação do pai — e assumiu a postura de estátua para ganhar sua aprovação.

Joan também se identificava com o pai. Antes da adolescência, havia competido com os meninos, querendo ser como eles na esperança de que essa semelhança a aproximasse do pai. No entanto, ele estava muito ocupado com o trabalho para dar atenção a ela. O pouco que lhe dava era dirigido a ela como menina. Ele a via como uma mulher adulta na forma, mas não nos sentimentos. Exigia a supressão de todas as nuances sexuais que costumam acontecer entre pai e filha, e Joan não tinha escolha a não ser concordar. Ele queria uma filha cujas maneiras e aparências o honrassem, mas cujos sentimentos não interferissem em sua vida. Joan acreditava que, se pudesse se tornar o que seu pai queria, ele, por sua vez, se tornaria o pai que *ela* queria. Em certo sentido, ela foi seduzida pelo pai a se transformar na estátua de uma mulher elegante.

A partir do momento em que se comprometeu com isso, Joan estava destinada a contínuas decepções. Mas não podia, por vontade própria, voltar atrás. Todas as suas esperanças se apoiavam na realização de um sonho baseado na ilusão, e não na realidade. Como uma estátua, ela se afastou de todo contato humano real, embora acreditasse que essa manobra lhe traria o contato que poderia satisfazer sua necessidade. Foi traída, mas também traiu a si mesma, embora não estivesse preparada para encarar esse fato. A traição evoca uma raiva assassina na pessoa. Mas Joan só falava de amor e tinha horror à violência e ao ódio. Por meio das tensões musculares e da rigidez corporal, suprimiu a raiva e a hostilidade que, uma vez que eram dirigidas à mesma pessoa de quem esperava salvação, não podiam ser expressas com segurança.

No que concerne à guerra do Vietnã, Joan era pacifista. Isso decorria de sua devoção consciente ao amor em todas as suas formas. O que me surpreendeu, porém, foi o veemente ataque que ela fez a Lyndon Johnson, na época presidente dos Estados Unidos, quando o assunto da guerra surgiu casualmente em nossa conversa. Ela o reprovava por considerá-lo ambicioso, sem coração e insensível. Essa descrição correspondia tanto a seu pai que a hostilidade expressa contra Johnson obviamente fora transferida do pai para ele. Apesar de eu ter sugerido isso, ela ignorou a conexão.

Mais tarde ficou claro, no decorrer da terapia, que ela havia vivenciado a mesma sensação de traição de minha parte. Ela se voltou para mim, no início, com a sensação de que havia finalmente encontrado a salvação. É claro que não prometi isso, e a avisei repetidas vezes das dificuldades que encontraríamos pela frente. Porém, sua aparente necessidade de salvação era tão grande que se sobrepunha a toda consideração racional. E isso a dispôs para um desapontamento que ela via como traição. Porém, nos permitiu trabalhar a hostilidade que ela sentia diante dos homens e consolidou o progresso da paciente.

O TRATAMENTO

Descrevi o procedimento básico para o problema da depressão tanto no plano físico como no psicológico. O trabalho físico envolve a mobilização de sentimentos através da respiração, dos movimentos e do som. O trabalho psicológico visa ajudar o paciente a compreender seu estado depressivo, seu significado e sua causa.

Trabalhando diretamente com o corpo, libera-se uma série de conflitos profundos que giram em torno da relação da pessoa com seu corpo e seus sentimentos. O primeiro a emergir é o conflito entre o ego e o corpo. O indivíduo deprimido não confia em seu corpo. Aprendeu a controlá-lo e sujeitá-lo à sua vontade. Não tem fé de que ele funcionará normalmente sem a sua vontade. E no estado depressivo não se sente capaz disso. Não compreende que seu corpo ficou exausto pela longa subserviência às exigências de um ego inflado. Ele vê sua depressão como consequência do colapso da sua vontade e não de uma exaustão física. Então, sua primeira preocupação é restabelecer o poder da vontade, e tenta perseguir esse objetivo mesmo à custa da necessidade que o corpo tem de se recuperar e recobrar a energia. Essa atitude adiará a recuperação, mas esta é a natureza do problema.

O segundo conflito envolve a sensação de desamparo que a pessoa deprimida não consegue aceitar. Ela esteve desamparada antes, quando bebê ou criança, numa situação que sentia ameaçar sua existência, e sobreviveu e superou a sensação de desamparo com um esforço tremendo. O colapso da sua vontade, agora, a joga num sentimento de completa impotência contra a qual acha que deve lutar. A luta é intensificada pela culpa oriunda da hostilidade suprimida em sua personalidade. Seu fracasso ao tentar se erguer do abatimento abre espaço para a autodepreciação, que serve apenas para aprofundar o buraco em que está. Diversos fatores no estado depressivo indicam a ação de forças autodestrutivas na personalidade.

A vontade é um mecanismo de emergência que tem um grande valor para a sobrevivência, mas não para o prazer[14]. O corpo não costuma funcionar pela força de vontade, mas em virtude de sua força vital inata. No indivíduo deprimido, essa força foi solapada pela sujeição do corpo à autoridade da vontade e pela supressão de sentimentos em nome de uma imagem egoica. Liberar esses sentimentos é algo que não pode ser conseguido sem dor, o que adiciona outro elemento ao conflito entre o ego e o corpo. No início da terapia, contudo, antes que esses conflitos se tornem conscientes, a abordagem corporal tem um efeito positivo e imediato. O paciente experimenta uma sensação de alívio quando compreende que existe uma nova maneira de superar suas dificuldades.

Assim foi com Joan. Na nossa primeira sessão ela reagiu com entusiasmo. De fato, nada poderia ter sido mais eficiente para superar a imobilidade do seu corpo do que os movimentos involuntários associados à respiração, à vibração, aos chutes e aos gritos. Mas o conflito entre a vontade e os sentimentos tinha raízes em um conflito anterior entre o desejo de se aproximar de um pai que não estava presente e a dor de fazer isso. Joan não estava ciente da dor e do desespero ligados a esses traumas iniciais. No início, tudo que ela sentia era uma excitação porque agora sua situação poderia mudar radicalmente para melhor. Mas a dor não demorou a chegar e, com ela, também vieram sentimentos que ela suprimira fazia muito tempo.

Eu tinha aconselhado Joan a praticar nossos exercícios regularmente em casa. Então, seis semanas após o início da terapia, tirei férias. Recebi duas cartas dela falando de seus problemas. Ela havia ido para uma ilha no Caribe para uma breve estadia. Escreveu que passou alguns dias maravilhosos lá, e em seguida disse: "Acordei no meio da noite [a noite antes de voltar de viagem] com dores na cintura e na pelve. Era como se os músculos estivessem se retorcendo. Gritei de dor, mas ao mesmo tempo era agradável. Meus gritos se transformaram em "Sim, Sim!" Voltei a dormir muito admirada. Acordei com uma terrível dor de cabeça — bem no meio dos olhos, na nuca e no pescoço. Voltei das férias. Por uns cinco dias estive imobilizada, fraca até mesmo para atender ao telefone. Me sinto bem agora e voltei a fazer os exercícios".

Interpreto esse sofrimento como "dores de crescimento" — isto é, ele resulta de sentimentos (ou energia) forçando passagem através de músculos espásticos rígidos. É como a dor que se sente quando se expõem os dedos quase congelados ao calor. O fluxo de sangue nas extremidades enregeladas é por demais doloroso. O processo de descongelamento, portanto, deve ser feito aos poucos, para permitir que o tecido tenha tempo de relaxar. A dor na cabeça e na nuca de Joan têm a mesma explicação. Correntes vitais forçando passagem pelo seu corpo estavam encontrando forte resistência. Era demais para o corpo dela, que se abateu a fim de conseguir o repouso necessário.

Em outra carta escrita à época, Joan dizia: "Há momentos em que sinto o que deve ser a armadura completa cedendo. Meus ombros parecem mais soltos, assim como os músculos da região pélvica, das costas e até das panturrilhas. Meu corpo parece estar no meio de um conflito como o de Lúcifer e Gabriel. Gemo com o terror e a doçura disso. Senti obscuramente as correntes de energia — e ainda mais obscuramente, medo." Antes dessa nota falando de medo, Joan nunca havia sentido que estava amedrontada. Seu medo, assim como sua raiva, estava extremamente suprimido, e ambos tinham de ser evocados e expressos antes que ela ficasse bem. Não estamos acostumados a pensar em uma pessoa deprimida como alguém com medo. Elas quase nunca manifestam algum sinal nesse sentido. O medo é efetivamente ocultado pelo papel que o paciente adota. Do que uma estátua poderia ter medo? Ela não ameaça ninguém. Então, quando o papel desaba, a pessoa se torna deprimida demais para perceber o medo. Mas todo aquele que adota uma pose precisa estar muito amedrontado para abandonar seu *self* verdadeiro, seu *self* emocional. A função da terapia é tornar esse medo consciente para que possa ser compreendido e liberado.

Alguma indicação do terror escondido em Joan apareceu em um sonho. Ela se lembrou: "Acordei apreensiva e deprimida. Foi um sonho muito vívido e eu queria esquecê-lo". Assim o descreveu: "Eles vão atormentar um bebê. (Sinto que o bebê sou eu, mas está vestido como meu irmãozinho.) Para salvá-lo, eu o roubo e escapo do lugar em um carro e na companhia de um homem. É uma noite escura e chuvosa. Chegamos a um lugar cheio de árvores onde nunca estive, mas que parece familiar, como um ambiente da minha infância. O bebê está salvo, mas continuamos sendo perseguidos. Os perseguidores nos avistam. Sigo meu companheiro para dentro de uma casa sem portas. Deito-me no chão embaixo de uma mesa, para não ser vista, e como uma esfinge fito a entrada.

"Nossos perseguidores passam por nós, mas voltam à casa e nos descobrem. Não fazem nada sinistro imediatamente. Somos forçados a sentar na mesa enquanto eles descansam e bebem. Acho que estou apavorada, mas espero que não me machuquem. Por fim, ficam prontos. Um dos homens se aproxima de mim e diz: 'Nós vamos fazer você perder sua função'. [Este personagem, ela disse, se parecia comigo.] Ele demonstra certa comiseração, mas é decidido e cruel. Um de seus companheiros lhe passa um líquido nauseante que ele me dá para beber. É uma forma de tortura. Acordo às 3 horas da manhã".

Sua associação com o sonho era: "Minha avó está brava comigo porque fui má com meu irmãozinho. A cena lembra um local com uma mesa sob a qual me escondi quando era pequena com medo de ser punida". O sonho combina um medo da infância com seu medo não verbalizado da terapia.

O medo infantil era o de receber uma punição por ter sido má com o irmão; a punição, de acordo com o sonho, era ser forçada a "beber um líquido nauseante", o que pode ser equiparado a engolir uma humilhação. Também pode se referir a ser obrigada a comer alguma coisa que não se quer, o que é um insulto à personalidade da criança. A pose de estátua, com suas implicações de superioridade, pode ser vista como uma compensação pela sua sensação de humilhação. Também pode ser considerada uma forma de autopunição por ter sido má. Anos atrás, as crianças eram obrigadas a ficar imóveis num canto da sala de aula por terem feito alguma coisa contra as regras dos professores. A atitude exemplificada pela estátua é também uma defesa contra qualquer maldade no temperamento de Joan. Uma estátua não pode fazer mal. Se a pose de estátua é abandonada, essa maldade pode vir à tona. Joan, portanto, estava com medo de que o processo terapêutico tivesse um efeito destrutivo. Este é o significado da frase em seu sonho: "Nós vamos fazer você perder sua função". A perda da função defensiva, expressa na atitude do seu corpo, exporia sua maldade e a sujeitaria à tortura.

Fritz Perls, o fundador da Gestalt-terapia, diz que somos ao mesmo tempo todos os personagens de nossos sonhos. Visto por esse prisma, Joan infligia a tortura a si mesma, no sonho, como punição pela sensação de estar errada. O sonho é uma medida de sua culpa.

Joan teve outros sonhos em que era torturada, o que indica o grave estado de medo em que se encontrava. "Um homem alto me mantém com outra prisioneira em um lugar subterrâneo. Ela está quase insensível, de tão doente e amedrontada. Então somos levadas para outra sala subterrânea — lama e pedras. Nosso algoz está sentado e se serve de uma bebida. Sei que ele vai ficar bêbado e violento. Manda a outra mulher, que é jovem e bonita, deslizar na lama — é uma forma de tortura. Muito mal e incapaz de qualquer resistência, ela vai e desaparece na lama. Enquanto isso, eu trepo em um lugar mais afastado, me sento e fito o torturador. Ele não percebe meu movimento. Quando passo por ele, me mostra a lama e sorri sadicamente: 'Só para puni-la um pouquinho', falou. Sem ser notada, para minha surpresa, consegui me mover para mais longe e, sempre aterrorizada, escapo facilmente, descendo um precipício escuro, lamacento e cheio de pedras".

Joan observou que o torturador era um personagem composto, mas "todos os três são eu mesma". Que aspectos dela cada personagem representa? Como o torturador é um homem, eu o identificaria com seu pai e o veria como uma representação de seu ego. A outra mulher me lembrava sua mãe, que estava doente e desapareceu; assim, eu relacionaria essa figura a seu corpo. Joan foge, mas na verdade é apenas o seu espírito que escapa. Ela abandonou o corpo e então foi obrigada a vagar pela terra sem um lar. Todas as suas buscas de amor na realidade são meios tortuosos de tentar retomar seu corpo e recuperar sua identidade — isto é, de se encontrar.

A dissociação, em Joan, entre espírito e corpo, ou entre ego e sentimentos, é revelada também em outro sonho. "Há uma greve. Os carros, inclusive o meu, são tomados pelo sindicato para transportar os trabalhadores. O meu, um modelo antigo caindo aos pedaços, com capacidade para cinco passageiros, é lotado com trabalhadores brancos e negros. É um fim de tarde terrivelmente frio, mas ensolarado. A capota e as cortinas de lona mantêm os trabalhadores protegidos. Do lado de fora, pendurando-se de lado de alguma forma, com os pés erguidos num equilíbrio precário, viaja uma segregacionista. A segregacionista (eu) é Barbra Streisand."

Comentando esse sonho, Joan disse: "Estou fascinada pela questão: o inconsciente de vez em quando nos cutuca ou é tão 'careta' que não compreende como esse sonho é hilário?" O que Joan achava tão engraçado era sua identificação com uma segregacionista e uma comediante. Conhecendo Joan, seria difícil para qualquer um imaginá-la em um desses papéis. Ao longo de toda a sua vida adulta ela foi uma séria defensora de todas as causas democráticas. O preconceito contra os negros era a última coisa que passaria por sua cabeça. Mas quão distante isso estaria do seu corpo ou, mais especificamente, dos seus sentimentos, ambos os quais ela tentou excluir do carro?

Para conseguir que Joan se encarasse honestamente, seria preciso primeiro fazê-la sentir a verdade do seu corpo — que era rígido, rígido de medo, petrificado numa imobilidade gélida. O trabalho com o corpo conseguiu isso gradualmente. Ela afirmou, "Estou cada vez mais consciente da dissolução de um sistema de rigidez muscular. Sinto que essa consciência e essa dissolução são boas. Ao mesmo tempo, uma grave depressão me ameaça. Tenho menos resistência do que antes. Minha conclusão é a de que a única escolha é nunca abandonar meu lar (corpo)". No nível psicológico, seu problema era aceitar seu medo, sua tristeza e sua solidão. No nível físico, aceitar sua rigidez e sua exaustão. Se ela não conseguisse aceitar essas realidades do seu ser, estaria condenada a mais depressões. Sua exaustão a amarrava ao corpo e fornecia os meios para sua convalescença. É apenas se entregando à exaustão que se consegue superá-la.

Outro sonho a pôs em contato com sua solidão. "Estou sentada em uma sala olhando para uma paisagem plana e sem detalhes exceto por uma espécie de torre, muito perto. Meu pai e sua segunda esposa entram inesperadamente. Sou obrigada a explicar meu silêncio e meu isolamento. Confesso, com uma força súbita, que estou incuravelmente só.

"Para me animar, meu pai e sua esposa, Florence, compram ingressos para o teatro. Sei que ele é incapaz de se aproximar de mim ou de aceitar qualquer responsabilidade efetiva pelo meu estado ou por mim. No teatro, descemos pelo corredor entre as poltronas e não me surpreendo ao ver outros membros da família de Florence sentados. Isso impõe um peso de *civilidade,* que eu não tinha nem interesse nem forças para aceitar.

"Estou indo embora pela mesma paisagem e Florence está andando ao meu lado segurando os ingressos. Digo a ela: 'Acho que minha solidão é patológica'".

Por patológica, Joan queria dizer que havia sido imposta por si mesma. Por quê? Obviamente porque ela não conseguia alcançar o pai. Ele era a torre, desesperadoramente perto, mas inacessível. Este foi um *insight* importante, pois ajudou Joan a reconhecer um dos mecanismos psicológicos de sua tendência depressiva. Se conseguisse abandonar suas tentativas de conquistar o amor do pai e aceitar o fato de que esse era um sonho que jamais se realizaria, estaria livre para escolher não ficar só. Após a análise desse sonho, houve uma mudança significativa em suas atitudes. Ela começou a ser mais sociável e teve dias maravilhosos, embora seu estado depressivo às vezes voltasse com força.

Pouco a pouco, outros mecanismos subjacentes à sua tendência depressiva vieram à luz. O incidente seguinte revelou um importante mecanismo físico de seu transtorno: "Você se lembra, talvez, que há algumas semanas comecei a desmaiar sentada à mesa durante um jantar. Minha explicação para esse incidente e outros parecidos é que eu não consigo beber — nem mesmo uma dose. Não consegui encontrar uma explicação para esse meu comportamento a não ser intoxicação alcoólica.

"A mesma coisa começou a acontecer comigo a noite passada em um coquetel — uma festa que achei especialmente agradável. Por uma hora, fiquei relaxada. Nas duas horas seguintes, agora compreendo, estive me tensionando. Aquele sentimento tão conhecido de fadiga sufocante tomou conta de mim. Eu mal conseguia falar. Consegui sair e tropecei no ar, o que me reanimou um pouco, e peguei um táxi. Em casa, me sentindo completamente bêbada, apesar de em três horas e meia ter tomado meio vermute e mais tarde um uísque com soda, tirei a roupa e, deixando-a no chão, caí na cama, onde desmaiei. Às duas e meia da manhã, acordei em profunda depressão e gemi porque teria de passar por isso outra vez. Bebi um copo de leite e tomei um banho quente, tentando entender por que aquilo havia acontecido. Relembrei a noite. De repente, percebi que estava segurando a respiração. Cada parte do mecanismo de segurar a respiração estava em ação. Então percebi que minha bebedeira era falta de oxigênio e minha fadiga era resultado da falta de um mínimo de absorção de energia.

"Hoje de manhã, à luz de tudo que você me ensinou, compreendi melhor o mecanismo pelo qual eu tenho tentado me matar. Naturalmente, a questão é: por que faço isso? Por que esse extremo de terror inconsciente? Lembrei que tive uma experiência similar de pavor e de segurar a respiração quando tinha 5 ou 6 anos. Ainda estou de 'ressaca'; cada inspiração é difícil e demanda um esforço consciente. Eu não desejo respirar. Agora vejo isso".

Na verdade, as dificuldades respiratórias de Joan eram tanto "não posso" como "não vou". A rigidez de seu corpo tornou a respiração fácil e natural quase impossível. Só depois que essa rigidez foi um pouco afrouxada Joan conseguiu identificar sua respiração suspensa como uma decisão consciente. A primeira hora de prazer e relaxamento na festa possibilitou que ela percebesse a perturbação respiratória que a levava ao terror, à fadiga e à depressão. Para chegar a isso foram precisos vários meses de terapia, nos quais ela foi encorajada a respirar, gritar e chutar.

A pergunta que Joan fez, "por que eu faço isso?", ainda tinha de ser respondida. Não pode haver uma resposta simples, pois se houvesse eu não precisaria escrever um livro sobre depressão. Um padrão de comportamento que se mostra autodestrutivo no adulto não começou assim. Originariamente foi um meio de sobrevivência, uma maneira de lidar com uma situação dolorosa, provavelmente a *melhor* maneira de lidar com ela. O padrão se torna estruturado nas atitudes corporais porque a situação para a qual foi designado — digamos, a relação entre a criança e seus pais — também está estruturada por atitudes fixas por parte dos pais.

No caso de Joan, por exemplo, a indisponibilidade da mãe e a ausência do pai forçaram-na a um doloroso estado de isolamento e solidão. Suas tentativas iniciais de obter atenção e afeto tomaram a forma de gritos, birras e atos de rebeldia e desafio, que foram sendo interligados com um traço de maldade à medida que eram continuamente vencidos. A paciente não tinha uma lembrança consciente desse comportamento; as memórias haviam sido reprimidas muito tempo atrás, junto com o comportamento rebelde e provocador.

Em certo ponto da vida, ela suprimiu todos os impulsos para expressar hostilidade e raiva pelo medo profundo de que a continuação desse comportamento a levasse a ser completamente rejeitada ou aniquilada. Joan ficou aterrorizada. No desespero, foi para o extremo oposto. Retraiu-se, eliminou todos os sentimentos agressivos e adotou a pose que lhe asseguraria aprovação. Acredito que ela não teve escolha, não enxergou alternativas possíveis. A rendição de sua espontaneidade e mobilidade foi um último esforço desesperado para conseguir o amor e a aceitação de que precisava. Se isso falhasse, nada parecia restar além do profundo desespero e da morte.

Todavia, Joan não é mais criança; portanto, sua vida e sua plenitude já não dependem do amor e da aceitação dos pais. Por que, então, ela continuava a prender a respiração, imobilizar o corpo e bloquear a espontaneidade? Na verdade, ela permaneceu fixada naquele estágio inicial em que isso aconteceu pela primeira vez, incapaz de crescer e de sair para o mundo como uma mulher madura. Seu desenvolvimento subsequente aconteceu num nível consciente e superficial. O âmago do seu ser, sua vida emocional, permanecia trancado na criança. Associada à criança estava sua sensação de desesperança, um desespero que levaria à morte. Sua atitude consciente estava fortemente ligada à convicção de que um comportamento inibido, suas maneiras elegantes e a negação de sua autoafirmação eram as únicas condições para ser amada.

Não devemos subestimar a força dessa crença. A própria paciente pode conscientemente reconhecer que ela não procede, que na verdade é uma ilusão. Mas seu reconhecimento é superficial; seu objetivo é agradar o terapeuta e ganhar sua aprovação. O compromisso com a ilusão é tão profundo quanto o desespero e a desesperança que a motivaram. Joan se aferrava teimosamente à sua ilusão, pois não via outra forma de ser. Meu ataque a essa atitude era visto como uma expressão de hostilidade. Sua depressão, como diz Lucy Freeman, é um grito por amor. O que ofereço, no entanto, é apenas uma compreensão empática de sua dificuldade.

As crises de Joan costumavam surgir quando ela tinha companhia ou estava em uma festa. Ela notou que quando tomava um estimulante, fazia todo o possível para suprimir seu efeito. Parava de respirar. O que aconteceria se ela deixasse o estímulo e a excitação crescerem dentro de si? Acredito que, à medida que ela ficasse mais empolgada, se tornaria exibicionista, dominado a reunião e fazendo de tudo para chamar atenção para si mesma. Isso pode não parecer tão terrível, mas para Joan representava o perigo de uma possível humilhação e rejeição. Contudo, ela não podia evitar seu estado; se desmaiasse ou fosse embora, sentir-se-ia humilhada; se ficasse em casa, recusando todos os convites, o resultado seria o mesmo.

Enquanto Joan não fosse livre para se expressar e mostrar seus sentimentos com facilidade e espontaneidade, ela se sentiria inepta. E, já que não era livre, sofria. O sentimento que precisava ser expresso era uma raiva violenta oriunda de uma sensação de traição, um forte desafio contra a exigência de submissão e uma profunda tristeza que se originava da perda de amor e do abandono do seu corpo. Ela não podia se permitir qualquer espontaneidade, pois isso abriria a tampa de uma caixa de Pandora cheia de hostilidade, negatividade e tristeza. Contudo, essa tampa tinha de ser aberta e os sentimentos, liberados — mas apenas no ambiente controlado e protetor do consultório do terapeuta.

Nos meses seguintes de terapia, Joan foi levada a compreender que ela não era como se mostrava para o mundo. Tinha preconceitos, certa dose de falta de franqueza, não estava livre do egoísmo e certamente não era despojada de sentimentos. Isso foi alcançado, em parte, com uma cuidadosa análise de seus sonhos e comportamentos; e também com a mobilização de seu corpo através de movimentos e do uso da voz. Ela foi encorajada a gritar, e um de seus sonhos recorrentes era o de estar num conflito de vida ou morte com outra mulher. Percebeu que gritar a salvaria, mas não conseguia emitir som algum. A outra mulher era ela mesma e também sua mãe ou sua avó.

Joan usou uma raquete de tênis para golpear o divã, no início sem muita convicção, mas, mais tarde, com uma raiva considerável diante do doloroso tratamento a que estava sendo submetida. Chutou o divã e, gritando, expressou sua rebeldia e negatividade. Isso foi feito repetidas vezes, usando diversos procedimentos para trazer à tona o "Não" suprimido. Depois de um tempo, Joan foi capaz de ver que sua depressão, com sua consequente incapacidade para se movimentar, era uma forma de o corpo dizer: "Não, não vou tentar mais". Traduzindo essa resposta inconsciente para uma forma explícita, ela aos poucos venceu a tendência depressiva. Também foi encorajada a levantar os braços e estender os lábios para fora como uma criança faz para a mãe. Esse gesto ou expressão, que era muito difícil para ela, abriu sua garganta para a liberação dos sentimentos reprimidos de anseio e pranto. Se a depressão é um grito por amor, o choro é o antídoto para o problema. Para ser eficaz, entretanto, tem de ser um choro com o corpo todo.

O trabalho crítico no tratamento da depressão é o *grounding* na realidade, no corpo e na sexualidade. Nas discussões precedentes, descrevi com alguns detalhes os primeiros dois aspectos desse procedimento. O aspecto sexual é o mais difícil porque é o mais profundamente suprimido e porque a ansiedade relacionada com a situação edipiana é muito grave. Se esse aspecto do problema não é resolvido, a parte inferior do corpo permanece instável e não proporciona uma sensação de segurança. Quando as sensações fluem para as pernas, fluem também para a pelve e os genitais. Se um deles está bloqueado, o fluxo é interrompido.

A relação de Joan com o pai envolvia tanto necessidades orais como sexuais. Ela queria que ele tomasse conta dela, que a pegasse no colo e a apoiasse — como sua mãe não havia feito. Também queria que ele reagisse a ela como uma mulher em potencial — isto é, com interesse e admiração pela sua feminilidade. Mas, acima de tudo, o que ela mais queria era estar perto dele, tocá-lo e sentir sua masculinidade. Esses sentimentos sexuais são pélvicos e não genitais, visam a excitação e não a descarga. A satisfação das necessidades orais ajuda a criança a se situar no mundo com segurança. A satisfação de suas necessidades sexuais permite à menina aceitar sua sexualidade como natural e, à medida que cresce, a se colocar no mundo como mulher.

É extremamente difícil para um pai responder às necessidades orais e sexuais de uma criança. Se ele dá resposta às primeiras, assume o papel da mãe e perde sua imagem masculina. Se ignora as necessidades orais e responde às necessidades sexuais da filha, seu comportamento é vivenciado pela criança como sedutor, uma vez que enfatiza o lado sexual sobre a personalidade total. O problema só pode ser evitado quando o pai e a mãe satisfazem plenamente a criança. Isso transmite a ela a sensação de que tem duas pernas para se manter, uma mãe e um pai.

Há casos, porém, em que os filhos foram criados com fé, segurança e autoestima apenas por um dos pais. Nesses casos, até onde sei, quem criou foi a mãe. A ausência do pai não é tão grave porque seu papel pode ser executado por parentes homens ou figuras masculinas da comunidade. Esses homens podem aceitar e aprovar a feminilidade que desabrocha na menina ou a masculinidade que se desenvolve no menino. Nem a mãe nem outra mulher consegue substituir adequadamente um homem nesse sentido. Por essa mesma razão, não acredito que um homem possa substituir uma mulher no cuidado materno, sobretudo quando a criança é muito pequena. A figura materna substituta tem de ser uma mulher.

Como vimos, a mãe de Joan estava indisponível e seu pai era distante em ambos os níveis. Isso deixou Joan sem escolha a não ser se retrair, tornar-se uma sonhadora e ansiar por ser realizada por um homem. Contudo, ela não podia se entregar, pois havia eliminado todas as suas sensações sexuais para diminuir a dor da rejeição. Continuava a ter sensações genitais, que aplacavam suas necessidades orais, mas era incapaz de ter um orgasmo satisfatório. Foi reduzida a uma criança rejeitada e tão humilhada que, em sua autodefesa, tornou-se uma estátua.

Uma estátua é fria e sem emoções. Uma criança é cálida, mas não tem a capacidade de realização sexual. Nem como criança, nem como estátua Joan poderia se realizar como mulher. Quando a estátua se quebrou, a criança emergiu. Mas a terapia não pode parar aí. É importante ajudar o paciente a alcançar a maturidade para a satisfação de sua vida adulta. Isso só pode ser feito abrindo-se a sexualidade do paciente, que reside no ventre como uma sensação pélvica.

O trabalho com a parte inferior do corpo envolve exercícios especiais para restaurar a mobilidade natural da pelve. Quando os movimentos vibratórios das pernas alcançam a pelve, ela começa a tremer. Esse é o início.

À medida que a tensão na pelve se reduz, ela entra num movimento oscilatório em harmonia com a respiração, para trás na inspiração e para frente na expiração. Reich chamou esse movimento de reflexo orgástico porque também ocorre involuntariamente no clímax do ato sexual. Quando esse movimento é livre, a onda respiratória passa pela pelve em direção às pernas. O *grounding* é completo. Para abrir o ventre e liberar a pelve, é necessário analisar completamente a situação edipiana, assim como reduzir a tensão muscular na região lombar e nos quadris, a qual bloqueia o fluxo de sensações para essa área e através dela.

O trabalho com o corpo de Joan, estimulando sua respiração e mobilizando sua motilidade, teve outros aspectos positivos. Sua rigidez diminuiu marcadamente, e sensações de prazer começaram a percorrer o seu corpo. Ela passou a vivenciar o prazer de estar viva em seu corpo. À medida que este aumentava, ela conseguiu um certo grau de amor-próprio. Às vezes se sentia amorosa e inclusive digna de ser amada, e era capaz de *dar* amor em vez de só *precisar* dele. Finalmente, decidiu mudar-se de Nova York, que ela odiava, e construir uma casa no campo em um ambiente parecido com o de sua infância.

A terapia de Joan demorou dois anos e meio. Eu a revi quando visitei a região para onde se mudou, dois anos depois de nossa última consulta, e a encontrei com boa disposição. Ela me disse que não se sentia mais deprimida. Notei que seus olhos estavam mais brilhantes e suas maneiras, mais vivas. Apesar de estar na companhia de várias pessoas, estava relaxada e natural. Bebemos alguma coisa juntos e a bebida não a afetou em nada.

Joan lembrou a importância dos exercícios que havíamos feito e que ela transformara numa prática regular. Eu sabia que enquanto estivesse em contato com seu corpo e percebendo seus sentimentos, ela estaria livre de uma reação depressiva maior.

Em capítulos subsequentes apresentarei casos de outros pacientes deprimidos que tratei. Descrevi em detalhe o caso de Joan ele porque mostra todos os mecanismos dinâmicos da tendência depressiva. Cada um deles deve ser estudado mais de perto agora, pois estão sempre presentes, em maior ou menor grau, em todos aqueles que sofrem desse transtorno.

5. A visão psicanalítica da depressão

A PERDA DE UM OBJETO AMADO

O fenômeno da depressão despertou o interesse de diversos pensadores da psicanálise, a começar por Freud. Isso é facilmente explicável, pois foi e é uma das principais razões pelas quais as pessoas procuram ajuda psicanalítica. O interesse de Freud data de 1894. Sua maior contribuição para nosso conhecimento dessa reação está contida em um artigo intitulado "Luto e melancolia", publicado em 1917.

Nesse ensaio, Freud mostrou que havia um paralelo entre o luto e a melancolia (como então era chamada a depressão). Ambos têm muitos traços em comum: "Um profundo e doloroso desânimo, renúncia ao interesse pelo mundo exterior, perda da capacidade de amar e inibição de toda atividade"[15]. Há, contudo, uma perda de autoestima na melancolia que não existe no luto. Quando a perda da autoestima é considerada do ponto de vista bioenergético, a diferença entre os dois estados é acentuada. O luto é uma atividade viva e carregada energeticamente, na qual a dor da perda é expressa e descarregada com o apoio total do ego. Na depressão ou melancolia, o ego está corroído pelo colapso energético do corpo, resultando num estado sem vida nem reação.

Embora Freud tenha se concentrado exclusivamente nos fatores psicológicos, a clareza e a profundidade de sua compreensão continuam a impressionar. Ele salientou que o luto executa um trabalho necessário; permite que o indivíduo retire os sentimentos ou a libido investida no objeto de amor perdido e os torne disponíveis para outras relações. Mas isso não é obtido com facilidade. A mente humana tende a se aferrar ao objeto perdido e negar a realidade da perda. Faz isso para evitar a dor da separação. Em consequência, se a dor não é liberada pelo luto, a separação é incompleta e o ego permanece atado ao objeto perdido e inibido em sua capacidade de estabelecer novas relações.

No luto, a perda é conhecida e aceita; na melancolia, é desconhecida ou não reconhecida. O motivo de isso acontecer na melancolia deixou Freud intrigado; posteriormente ofereceremos uma explicação. O fato é que a perda não é admitida. O ego se identifica com o objeto e o incorpora. A pessoa continua a agir como se a perda não tivesse ocorrido e modifica seu comportamento para não ter de aceitá-la. Isso se tornou patente para mim ao tratar um caso há alguns anos. A paciente, uma mulher de cerca de 40 anos, sofria de depressão e enxaquecas. No início de nosso trabalho ela me contou que seu pai havia morrido quando ela tinha 7 anos. Ao longo do tratamento, ficou claro que essa perda era extremamente aflitiva, pois ela havia transferido para o pai a ânsia por amor, aceitação e segurança que a mãe não fora capaz de proporcionar. Na terapia, seu progresso era constante, mas lento. Apesar de melhoras significativas, seus problemas voltavam. Quando se tornou visível que ela era incapaz de estabelecer uma relação satisfatória com um homem, ofereci a interpretação de que ela ainda estava presa à imagem de seu pai. Ela me surpreendeu ao dizer que nunca havia aceitado a perda dele. Isso foi fomentado pela mãe, que sempre lhe dizia: "Seu pai observa cada passo que você dá. Ele sabe tudo que você faz". Ela ainda estava tentando conseguir a aprovação dele. Depois que admitiu isso, houve uma profunda mudança para melhor e não demorou muito para que a terapia terminasse. Ela sabia que havia feito uma forte transferência para mim como figura substituta do pai e que estava tentando conseguir minha aprovação. Passou a vivenciar esse esforço como uma luta da qual queria desistir e percebeu que tinha de me perder para poder se achar. Quando, por fim, aceitou a realidade de que estava só e tinha de se manter só, estava livre para ser ela mesma.

Quem vive o luto expressa sua tristeza; chora, geme, fica com raiva da perda, e pode até se submeter a insultos físicos a fim de liberar ou descarregar sua dor. Se isso não ocorre, a dor deve ser suprimida para ser contida. Tal supressão resulta na redução de todos os aspectos vitais da personalidade do indivíduo. Toda a sua vida emocional fica empobrecida, porque a supressão de qualquer sentimento em particular opera para fazer o mesmo com todos os sentimentos. Daí Freud ter notado que "no luto, o mundo se torna pobre e vazio; na melancolia, é o próprio ego" que passa pelo processo.

Mas, embora seja verdade que na depressão o ego fica deveras reduzido, não devemos encará-la como uma reação puramente psíquica. Se fizermos isso, nos limitaremos ao ego, excluindo o corpo e deixando de ver como o estado depressivo afeta a personalidade como um todo. A depressão é uma perda de sentimentos, e Freud concluiu seu ensaio afirmando que "a melancolia consiste no luto pela perda da libido". Uma vez que a libido é a energia psíquica do impulso sexual, pode ser igualada a sentimentos sexuais e, portanto, à excitação em geral. Em termos físicos, diríamos que o melancólico chora a perda de sua vitalidade. Quem quer que tenha contato com uma pessoa deprimida percebe que ela sempre lamenta sua falta de sentimentos, interesse e desejo. Com efeito, ela sofreu uma perda do *self*, não apenas da autoestima. Antes de tentarmos descobrir como perdeu o *self*, examinemos o desenvolvimento posterior do pensamento analítico sobre o assunto.

Um dos primeiros analistas, Karl Abraham, ao estudar pacientes com bipolaridade, relacionou a depressão do adulto a uma "depressão primeira na infância". Ele acreditava que a reação depressiva no adulto era a reativação de uma experiência similar experimentada quando criança. Essa depressão infantil se originou de "experiências desagradáveis na infância do paciente". Em consequência, o bebê ou a criança sente ódio dos pais, sobretudo da mãe. Uma vez que isso tem de ser suprimido, o paciente é "enfraquecido e privado de sua energia". Então, na depressão, não há apenas uma perda de amor, mas também a supressão da reação instintiva a essa perda.

O fenômeno da depressão infantil foi estudado profundamente por Melanie Klein, que tratou várias crianças bem pequenas. Segundo ela, toda criança, em seu desenvolvimento normal, passa por duas reações típicas: a primeira, chamada esquizoparanoide, descreve a atitude da criança perante a frustração causada pela mãe. A criança vê essa frustração como uma forma de perseguição. A segunda, chamada depressiva, ocorre quando ela desenvolve certa consciência e se sente culpada pela raiva contra a mãe. Klein escreve: "O objeto que está sendo lamentado é o seio da mãe e tudo que o seio e o leite representam na mente da criança: isto é, amor, bondade e segurança. Tudo isso é sentido como perdido pelo bebê, e perdido em consequência de suas próprias fantasias e impulsos incontrolavelmente insaciáveis e destrutivos contra o seio materno"[16].

Há uma lógica estranha no pensamento de Klein, que vê a hostilidade como primária e a perda como secundária. No curso natural dos acontecimentos, os impulsos destrutivos da criança, como o de gritar e morder, seriam vistos como uma reação tanto à frustração como à perda do prazer proporcionado pelo seio. Quando isso leva à perda irrecuperável do seio, é natural que a criança se torne deprimida. Mas uma sequência como essa — frustração, raiva e perda — não pode ser considerada um desenvolvimento normal exceto numa cultura que desencoraja a amamentação ou a limita a três, seis ou nove meses. As crianças cujo acesso ao seio materno é regulado pela própria necessidade e desejo não desenvolvem "fantasias e impulsos incontrolavelmente insaciáveis e destrutivos " para com essa fonte de prazer. E se o seio estiver disponível para a criança por três anos, que acredito ser o tempo exigido para satisfazer as necessidades orais infantis, o desmame causará um trauma muito pequeno, uma vez que a perda desse prazer será compensada pelos muitos outros prazeres que a criança já poderá vivenciar.

Jamais compreenderemos por completo a reação depressiva se aceitarmos a frustração e a privação infantis como normais. Certamente é verdade que em nossa cultura, com suas exigências exageradas do tempo e da energia da mãe, algumas frustrações e privações infantis são inevitáveis. Se essa situação cultural tem precedência sobre as necessidades da criança, então aquela que não consegue se ajustar se torna um "monstro". Na verdade, talvez seja uma criança com mais energia e, portanto, mais briguenta, enquanto uma criança mais fraca e plácida, que cause menos alvoroço, seria considerada mais normal. Seguindo essa linha de raciocínio, para tratar a depressão bastaria obter um melhor ajustamento aos aspectos negativos da vida do paciente, embora eu acredite que o único tratamento real para a depressão é aumentar o sentido da vida *ampliando* o prazer de viver.

O efeito direto na criança da perda do contato físico com a mãe foi estudado por René Spitz. Ele observou o comportamento de bebês separados de mães detentas após seis meses de vida. No primeiro mês de separação, os bebês faziam algum esforço para tentar contato com uma figura materna. Choravam, gritavam e se agarravam a qualquer um que fosse afetuoso. À medida que fracassavam essas tentativas de restaurar o cordão umbilical, eles gradualmente se retraíam. Depois de três meses de separação, o rosto ficava rígido, o choro era substituído por soluços e eles se tornavam letárgicos. Se a separação continuava, retraíam-se ainda mais, recusando contato com qualquer um e permanecendo quietos na cama.

Tanto nas atitudes corporais como no comportamento, esses bebês mostravam as mesmas características que vemos nos adultos deprimidos. Em outras palavras, sofriam do que Spitz denominou "depressão analítica", para distingui-la da depressão mais complexas dos adultos. As observações de Spitz sobre o efeito da separação prematura da mãe foram confirmadas por outros estudos desse fenômeno. O dr. John Bowlby observou o efeito da separação em bebês e crianças que tinham entre 6 e 30 meses de idade quando ocorreu a separação. Em todos os casos em que esta foi prolongada, a criança entrou numa reação depressiva caracterizada por retraimento, falta de reações e apatia.

O mesmo padrão tem sido observado em macacos *rhesus* separados da mãe. Isso foi feito experimentalmente no Centro de Pesquisa Regional de Primatas da Universidade de Wisconsin. Segue-se um relato da experiência: "Em nossas instalações criamos macacos com suas mães, e depois os separamos. Os filhotes de macaco seguiram quase identicamente os padrões que Bowlby observou em crianças deprimidas. No início protestaram — andando agitados pela jaula. Depois de 48 horas a agitação passou; eles ficaram quietos e se recolheram num canto. Seu desespero continuou por três semanas até que foram reunidos às mães"[17].

Na depressão adulta somos colocados diante de três perguntas: 1) O que aconteceu no presente do indivíduo para desencadear a reação depressiva?; 2) O que aconteceu no passado que o predispôs à depressão?; 3) Qual é a relação entre o passado e o presente?

Tentei encontrar uma resposta para a primeira pergunta nos capítulos anteriores. Vou repetir aqui para que haja continuidade. A reação depressiva ocorre quando uma ilusão desmorona perante a realidade. O acontecimento que predispôs no passado é a perda de um objeto amado. A perda é sempre o amor da mãe e, às vezes, também o do pai. Mas a maneira como os dois estão relacionados não encontra uma resposta concreta no pensamento analítico. A afirmação de Freud de que o ego se identificou com o objeto perdido é uma interpretação psicológica que não esclarece a questão do mecanismo — isto é, como. A resposta deve ser buscada no nível corporal ou biológico.

Estudos mostram que tanto os bebês humanos como os filhotes de macacos precisam do contato físico com o corpo da mãe para agir normalmente. Esse contato excita o corpo do bebê, estimula sua respiração e carrega a pele e os órgãos periféricos de sensações. O contato olho no olho de tipo amoroso entre mãe e bebê é importante para o desenvolvimento da relação visual da criança com o mundo. Estando em contato com o corpo da mãe, a criança se mantém em contato com o próprio corpo e com seu *self* corporal. Na ausência desse contato, sua energia é retirada da periferia do corpo e do mundo à sua volta. A depressão infantil que resulta da separação não é uma reação psicológica, e sim a consequência física direta da perda desse contato essencial. O efeito que a perda do amor da mãe tem sobre a criança é a perda do funcionamento completo de seu corpo ou a perda de sua vitalidade.

O mesmo acontece com o adulto que perde um objeto de amor importante, exceto que o retraimento do mundo e da periferia do corpo é apenas temporário. O funcionamento normal do corpo está demasiado estabelecido para desistir do que Freud chamou de "a satisfação narcisista de viver". O corpo se defende desafogando sua dor em tristeza e, assim, recupera a vitalidade. A realidade informa a pessoa que outros objetos de amor estão disponíveis se ela conseguir se libertar de sua ligação com o amor perdido. Mas há tão pouco disso disponível para um bebê! Podemos esperar que um bebê seja capaz de desafogar sua dor em tristeza na esperança de encontrar outra mãe? Uma canção caribenha diz isso diretamente: "Há apenas uma mãe em minha vida, mas sempre posso encontrar outra esposa".

Para o bebê, a perda da mãe é a perda do seu mundo, do seu *self* — e, se definitiva, da sua vida. Se ele sobrevive é porque a perda não foi definitiva; afeto e cuidado suficientes foram dados para manter um funcionamento mínimo ou certamente menor do que o ideal. Os fatores aqui são quantitativos. Quanto é perdido depende do grau de privação do contato amoroso. Nessa situação, na qual parte do *self* é perdida, o ego em desenvolvimento se esforça para alcançar a completude e a plenitude no nível mental. Para tanto, deve negar a perda da mãe e do *self* e considerar normal o estado mutilado em que seu corpo está funcionando. Essa mutilação é então compensada pelo uso da força de vontade, que permite ao indivíduo seguir em frente. Mas essa forma de funcionamento não substitui os sentimentos e a vitalidade. A negação da perda obriga o indivíduo a agir de modo que esta não seja reconhecida. Ele deve, portanto, criar a ilusão de que nem tudo foi perdido e de que o amor perdido poderá ser recuperado se houver esforço suficiente.

Para uma criança, não há alternativa disponível. Na ausência do amor completo da mãe, ela não é capaz de manter plenamente a vitalidade nem o funcionamento do seu corpo. Em seu estado de desamparo e desespero, o luto não tem sentido. Terá sentido mais tarde, quando esses sentimentos diminuírem — isto é, quando ela crescer e adquirir certa independência. Mas chorar a perda do amor materno não devolverá ao adulto o funcionamento de seu corpo. Uma vez que a perda é irrecuperável — isto é, não se pode encontrar outra mãe —, pode-se chorá-la eternamente. O importante é reconstruir o *self,* desenvolver o funcionamento total do corpo e firmar-se na realidade presente. O que um adulto pode chorar é a perda de sua potencialidade total como ser humano.

Toda terapia que se proponha ser mais do que temporariamente eficaz no tratamento da depressão deve almejar a superação do efeito incapacitante da perda do amor. Não pode fazer isso trocando a mãe perdida por uma substituta na forma do terapeuta. Ações como segurar o paciente, confortá-lo e assegurar-lhe apoio têm benefícios tangíveis, mas temporários. O paciente já passou da infância, e tratá-lo como criança seria ignorar a realidade do seu ser. A criança carente dentro dele deve ser reconhecida, mas suas demandas não podem ser satisfeitas. A ênfase deve ser na mutilação do funcionamento do seu corpo, pois essa é a realidade do seu ser. A fim de superá-la, muitas modalidades de intervenção terapêutica podem ser empregadas — análise de sonhos, fantasias, movimentação do corpo e assim por diante —, mas o objetivo do tratamento não deve ser confundido. Acima de tudo, é importante compreender a forma de mutilação em cada caso específico, pois só assim seus efeitos serão mitigados.

No capítulo anterior, descrevi as perturbações corporais que debilitavam o funcionamento de Joan como pessoa e eram a causa subjacente de seu transtorno depressivo. Agora, discutirei os aspectos específicos da mutilação que resulta da perda de uma relação emocional satisfatória com a mãe. Eles se tornaram muito claros para mim no tratamento de outro paciente, James.

UM QUADRO SOMBRIO

James era um homem de 30 trinta anos que me consultou por causa de uma depressão. Não era grave a ponto de impedi-lo de trabalhar, mas além do trabalho havia pouca coisa mais que ele conseguia realizar. Achava doloroso estar com outras pessoas socialmente. Seus sentimentos sexuais haviam diminuído e ele se sentia péssimo. Essa situação vinha se arrastando havia muito tempo. Na verdade, certa vez James mencionou que se sentia mal de dois terços a três quartos de cada mês de sua vida. Ele era engenheiro, mas mesmo no trabalho sofria. Levantar-se pela manhã era difícil e ele sempre perdia a hora. Sua queixa constante durante a terapia era a de que ele não sabia o que queria fazer. Sentia como se não fosse capaz de agir.

James acreditava, no início, que estava paralisado em virtude da depressão. Só depois de algumas experiências com a terapia bioenergética percebeu que era exatamente o contrário; ele estava deprimido porque não conseguia se mover. Seu corpo tinha uma característica pesada e maciça, que poderia ser confundida com força física em vista de sua musculatura hiperdesenvolvida; mas sua força aparente foi adquirida à custa de sua mobilidade — portanto, não era uma vantagem. Todos os seus movimentos eram executados de maneira mecânica, e ele fazia poucos gestos espontâneos. Queria sentir desesperadamente, mas nada o mobilizava — nem para lágrimas, nem para acessos de raiva. Era difícil mover seu corpo compacto, que era quase como um tronco de árvore. Em algum lugar dentro de James havia uma corrente de vida (a seiva ainda fluía), mas esta não conseguia abrir caminho pela forte musculatura que aprisionava seu espírito como uma grossa casca.

E uma sensação de tristeza o envolvia, manifestando-se em sua pele escurecida, em seu rosto enevoado, em seus olhos tristes que não choravam e na constituição pesada de seu corpo. James parecia triste e se sentia triste. Falava em ter "uma grande bola de câncer" dentro dos tecidos, da qual queria se ver livre. Mas as possibilidades pareciam sombrias.

Levando em conta sua história pessoal, James tinha todas as razões para estar triste. Não se lembrava de ter estado perto da mãe e sua relação com o pai fora marcada por uma sensação de inadequação e de constante rejeição. De vez em quando seu pai fazia um gesto de compartilhar suas habilidades e interesses com o filho — por exemplo, mostrando como usar certas ferramentas. Mas quando James dava o primeiro sinal de não ser um mestre na atividade, era tachado de incompetente. Ele cresceu com uma sensação de solidão e incapacidade e uma falta de experiências felizes.

James acreditava que a conduta terapêutica física dos seus problemas o ajudaria. Já tentara outras formas de terapia, com pouco sucesso. Descobriu a bioenergética num grupo de encontro em Esalen e me procurou para se submeter ao tratamento. Sendo jovem, sentia-se desajeitado quando andava e era autoconsciente de seu corpo. Sentia que seu corpo pesado aprisionava seu espírito numa cela escura e triste e que teria de romper as barreiras da rigidez muscular que bloqueava seu caminho para a liberdade da autoexpressão. A mobilização de seu corpo através da respiração e de movimentos melhorou temporariamente seu estado de ânimo e lhe deu a tão almejada esperança de que conseguiria sair da tristeza.

Nas sessões, James trabalhava nos exercícios com afinco. Quando se inclinou no banquinho bioenergético, fez todo o esforço possível para respirar profundamente, gritar alto e permanecer na posição tanto quanto pudesse. Um efeito imediato foi a indução de uma vibração em suas pernas quando se inclinava para a frente. Esse movimento involuntário o levou a compreender que *havia* uma força vital dentro de si que poderia mobilizá--lo se ele conseguisse alcançá-la. Essa, porém, não se mostrou uma tarefa fácil. Ele chutava o divã e dizia "Não", mas por muito tempo isso foi feito sem sentimento. Esmurrava o divã com os punhos, mas a única raiva que conseguia sentir era contra si mesmo por estar deprimido. A tensão maciça em seu corpo era um obstáculo formidável aos sentimentos e exigia um trabalho físico intensivo. Felizmente, apesar da falta de sentimentos, James persistiu em todos os exercícios porque o *faziam* sentir-se melhor. Sua persistência foi tanta que ele inclusive mandou fazer um banquinho portátil, que levava nas viagens de negócios e usava nos quartos de hotel.

Em certas ocasiões, conseguimos evocar algum sentimento. Muitas vezes, depois de um trabalho intensivo ele era capaz de chorar, o que dispersava sua névoa por um tempo. Uma técnica que quase sempre produzia algum sentimento era uma manobra destinada a evocar medo simulando uma expressão de susto. Com James deitado de barriga para cima, eu pedia que ele arregalasse os olhos, soltasse a mandíbula e segurasse as mãos na frente do rosto enquanto eu o olhava nos olhos. Então, com os polegares, eu pressionava firmemente o seu rosto de ambos os lados do nariz, e uma sensação percorreria a frente do seu corpo até o ventre. Era uma sensação de medo, mas James não a percebia assim. Ele não se permitia sentir medo, mas aceitava a sensação física em si mesma, pois o fazia sentir-se mais vivo.

Durante um ano, houve momentos em que James se sentiu melhor e outros em que ficou deprimido. Era desanimador, pois qualquer progresso que parecíamos fazer se perdia em uma nova reação depressiva. Então as velhas queixas retornavam: "Parece que não estou chegando a lugar algum" e "Não sei o que quero fazer". Contudo, seu corpo estava ficando mais flexível e sua respiração, mais livre e profunda. Uma mudança significativa aconteceu quando James percebeu meu desânimo. Nada fiz para negá-lo. Por mais que eu salientasse que sua falta de mobilidade poderia ser interpretada como uma recusa estruturada a fazê-lo, ele não conseguia entender isso. Só estava consciente de que queria se mover, mas que alguma força estranha o deixava imóvel. Embora essa força fosse parte de sua personalidade, James a havia dissociado de sua mente consciente, e assim tal força se tornara uma entidade desconhecida e estranha dentro dele.

Meu desânimo pareceu ter um efeito positivo. Ele parou de se queixar e começou a ouvir. Enquanto eu o incentivava, ele conseguia pôr para fora sua negatividade inconsciente recusando-se a aceitar minhas interpretações. James tinha todo o direito de ser negativo, mas devia a si mesmo expressar isso de forma aberta. Negando sua negatividade, James não se deixava impressionar pelo que eu dizia ou exprimir o que sentia.

Em vez de autoexpressão, a energia de James se desviava para a autonegação, que tomava a forma de tensões musculares crônicas. Sua musculatura espástica superdesenvolvida era uma espécie de couraça interna destinada ostensivamente a protegê-lo de um ambiente hostil, mas servia também para controlar sua energia e reduzir suas agressões hostis. Em todo indivíduo, é possível medir a quantidade de sentimentos negativos suprimidos pelo nível de sua couraça. No caso de James, isso era substancial. Cada músculo contraído cronicamente inibe o movimento e, assim, diz não. Enquanto a tensão permanece inconsciente, o paciente a experimenta como "não consigo". Ele se sente justificado em sua queixa. No entanto, ao tornar a tensão consciente e fazer o paciente se identificar com ela, transformamos esse "não consigo" em "não quero". Isso abre a porta para a autoexpressão, mas nada de importante ocorre até que o terapeuta se recuse a aceitar a expressão de boas intenções do paciente. Apenas pela insistência do terapeuta na realidade da atitude negativa subjacente um paciente depressivo pode ser levado a aceitar a realidade.

Meu desencorajamento teve esse efeito. James se abriu o bastante para aceitar essa interpretação, e depois dessa sessão toda a sua vida mudou para melhor. Uma relação que ele iniciara com uma moça começou a se aprofundar. Suas respostas sexuais, que aos poucos vinham melhorando, tornaram-se significativamente mais cheias de prazer. Ele se apegou a essa moça e, até onde era capaz, sentia uma afeição verdadeira por ela. O que poderia ter sido um relacionamento casual se transformou em algo mais sério. James sentiu certo ciúme. A jovem correspondeu e, assim, a relação se fortaleceu. Alguns meses depois, se casaram.

Pouco depois do casamento, James voltou a ficar deprimido depois de ter estado relativamente livre da depressão por algum tempo. Tinha ficado gripado e permanecido em casa por uns dias. Isso o fez sentir-se fraco e irritado. Ele disse: "Estou me distanciado de tudo — emprego, casamento, sexo etc. Estou deprimido, mas isso não parece ter tanta força sobre mim como antigamente". Significativamente, emagrecera cinco quilos e meio e seu corpo perdera parte da robustez.

Eu sabia que palavras não alcançariam James, então começamos a trabalhar fisicamente com a respiração e os gritos. Meu foco, dessa vez, era na tensão da mandíbula. Eu só poderia descrevê-la como um tronco de árvore, duro, rígido e imóvel. Talvez ele a estivesse usando para se agarrar à vida. Com os punhos, fiz pressão nas laterais da sua mandíbula e, à medida que James gritava, percebi um tom de tristeza em sua voz. James disse que estava triste porque estava deprimido. Em seguida, fiz certa pressão nos músculos escalenos anteriores de ambos os lados de seu pescoço e, ainda gritando, ele começou a soluçar levemente. Continuou a soluçar cada vez que abria a garganta para fazer um som. De alguma forma, esse choro era diferente. Ele disse que sentia como se fosse o choro de um bebê de um ano que está triste por algum motivo. Repetiu um exercício que já havia feito muitas vezes sem nenhum efeito. Ergueu os braços e disse "Mamãe". Desta vez, porém, começou a chorar de verdade e compreendeu que o choro estava relacionado à sua perda.

Nessa experiência, James conseguiu um leve contato com a criança dentro dele, uma parte de sua personalidade que ele havia enterrado e mantido escondida todos esses anos, tanto dos outros como de si mesmo. Estava protegida pelas paredes grossas e maciças de sua musculatura pesada; inatingível, mas também incapaz de sair. Enterrados com a criança estavam todos os sentimentos que tornam a vida significativa e rica, mas também dolorosa. James havia sido profundamente machucado e estava determinado — de forma inconsciente, é claro — a não ser ferido outra vez. Seria invulnerável, como de fato quase foi.

No fim da sessão, James parecia outra pessoa. Havia nele um brilho e uma alegria característicos de um homem libertado da prisão. Era a primeira vez que eu via essas características nele.

Duas semanas depois eu o revi. Ele não perdera o efeito da sessão anterior. Observou que não se sentia triste nem achava que fosse chorar outra vez. Mas havia tocado apenas a superfície da sua tristeza e aflição. Era preciso liberar mais profundamente esses sentimentos.

Ele começou com a respiração (sobre o banquinho) para mobilizar o corpo. Então surgiram as vibrações nas pernas. James estava recarregado quando se deitou no divã. Pedi para que erguesse os braços e movesse a boca como se fosse um bebê querendo mamar. Como foi difícil para ele fazer isso! Seus lábios quase não se moveram para a frente. Fiz certa pressão em sua mandíbula, e quando ele disse "Mamãe", caiu em prantos. Para sua surpresa, isso aconteceu bem rapidamente e se repetiu cada vez que ele fazia um esforço para alcançar algo com a boca. Um bebê também estica a língua para mamar. Por isso, coloquei a mão sobre a boca de James e pedi que a tocasse com a língua. Isso produziu um choro ainda mais profundo. Agora ele tinha consciência de quão desesperadamente queria alcançar o mundo, e do quanto era difícil. Notou um sentimento de raiva, que suspendeu seu choro, e pela primeira vez foi capaz de esmurrar o divã e dizer "Por quê" com convicção. Seu luto tinha começado e ele entrara em contato com a raiva que sua perda lhe provocava.

O que ele havia perdido? O prazer e a satisfação que o amor de uma mãe poderia ter propiciado, mas, mais importante, a capacidade de procurar e se abrir para o prazer. Havia perdido a capacidade de ter prazer, e esse poderia ser motivo de tristeza e de raiva no presente. Isso é o que perde todo aquele que é privado de satisfação quando criança. Não é uma perda à qual consigamos nos ajustar ou que possamos aceitar, pois rouba todo o sentido da vida. Não pode ser compensada, e todas as tentativas de compensação acabam em fracasso e depressão. Somente se a terapia restaurar a capacidade do paciente de encontrar prazer ela será eficaz na superação da tendência depressiva.

Acho que podemos entender agora por que a depressão atinge tantas pessoas exatamente quando elas parecem alcançar seus objetivos. Tendo se empenhado tanto para atingir as condições que, segundo acreditavam, lhes trariam o prazer de volta, de repente descobrem que isso não é possível. O prazer não está lá para elas, uma vez que elas não têm a capacidade de encontrá-lo e aproveitá-lo. Na verdade, o prazer está na busca e na abertura, como assinalei em livro anterior[18]. E isso, é preciso compreender, não é apenas uma atitude mental. A busca é feita pelo corpo, e o corpo é bloqueado pela tensão muscular que limita esses movimentos.

Há dois movimentos específicos de procura: um é com a boca e representa o impulso infantil de procura do seio; o outro é com os braços e expressa o desejo da criança de ser pega no colo pela mãe e mantida perto do corpo materno. Na vida adulta, essas ações são transformadas no beijo e no abraço afetuoso. Esses dois movimentos estão gravemente restringidos nos pacientes deprimidos. Os braços podem se mover para a frente, mas os ombros estão retraídos e as mãos pendem flacidamente dos punhos como flores murchas. A procura costuma ter uma característica apática que o paciente sente como "Para quê?" ou "Ela não estava lá", referindo-se à mãe. Há uma ausência de sensações nos braços devido à contração dos músculos na articulação dos ombros. De maneira similar, o movimento dos lábios para a frente é inibido por espasticidades nos músculos faciais. A maioria dos pacientes tem o lábio superior contraído, que reconhecemos como um sinal da repressão de sentimentos. Uma mandíbula presa e rígida, que também expressa uma atitude negativa, bloqueia o lábio inferior, não permitindo que ele vá para a frente livremente.

Se a pessoa não é capaz de buscar, deve manipular seu ambiente para que o prazer lhe seja oferecido. Mas, mesmo assim, não consegue recebê-lo. Não há saída para esse dilema, exceto eliminar ou reduzir a tensão muscular. No entanto, isso não pode ser feito de forma mecânica. A repressão é um "não quero" inconsciente que, de um lado, é uma defesa contra a possibilidade de ser desapontado e machucado, mas, de outro, é também uma reação de ressentimento: "Como você não veio quando eu quis, não quero você agora". Até que essa atitude negativa se torne consciente e seja expressa, a procura permanecerá como uma tentativa incompleta. Mas como o paciente está desesperado, sozinho e com necessidade de aceitação e aprovação, perde a segurança para expressar abertamente sua negatividade. Essa era a situação de James. Ele precisava de mais *grounding*.

Conforme fui ajudando James a se abrir e trabalhando seus sentimentos negativos, ele melhorou de forma considerável, permanecendo sem reações depressivas por vários meses. O prazer na relação com a esposa aumentou bastante. Mas começaram a aparecer problemas no trabalho que o tornaram muito ansioso. Um dia ele veio à consulta sentindo-se profundamente deprimido, tão mal como antes, com a sensação de "Não sei se quero viver". Realisticamente, a situação em seu trabalho não justificava esse sentimento. Estudando-o, percebi que ele havia sido incapaz de consolidar seu progresso porque lhe faltavam sensações suficientes nos pés para se manter no chão diante de alguma adversidade.

Eu estava atento a esse problema da personalidade de James havia muito tempo. Tínhamos trabalhado com suas pernas e pés durante toda a terapia, mas nunca resolvemos essa área problemática. Restaurar num paciente a sensação de estar firmado na terra através dos pés é o último passo da terapia. Isso permite que ele recupere sua posição como pessoa. Proporciona a mobilidade completa de seu corpo. Ele pode se mover livremente na vida. Devo ainda dizer que James tinha os pés chatos, sobretudo o esquerdo. Fomos obrigados a nos deter nesse problema.

Há diversos exercícios bioenergéticos que mobilizam a sensação nos pés. Um deles, por exemplo, é colocar o arco do pé sobre o cabo de uma raquete de tênis e pressioná-lo até que doa. Também fiz James se conscientizar de que ele não usava totalmente os pés quando andava. Obtinha muito pouco impulso deles. Em certo sentido, ele não conseguia se impulsionar para longe de sua tristeza.

James não aceitou de imediato minha interpretação de suas dificuldades. Só depois de desenvolver alguma sensação nos pés, em consequência dos exercícios, foi que ele percebeu a falta de sensações anterior. Quando há falta de sensações em determinada parte do corpo, a pessoa não sente aquela parte e portanto não percebe sua falta. Esse é o principal problema na terapia. James trabalhou com esses exercícios religiosamente em casa e nas sessões terapêuticas. Saiu rápido da sua última reação depressiva e permaneceu livre dela desde então. Aprendeu que precisava manter os pés no chão de maneira sensível se quisesse estar certo de onde estava pisando enquanto pessoa.

O significado da mãe para a criança está no fato de que todas as funções de prazer da criança dependem de sua resposta. Se sua reação é negativa, essas funções murcham e se esvaem. Um berçário pode fornecer o cuidado físico que uma criança necessita, mas só uma mãe ou alguém que preencha esse papel pode responder à criança que procura prazer com a boca com o prazer equivalente de satisfazer o desejo infantil. A criança que é preenchida nesse nível tem a convicção interna de que pode procurar prazer e aproveitar qualquer prazer que seja disponível. O gosto doce do leite materno na boca do bebê alimenta seu espírito como o próprio leite alimenta seu corpo. E a segurança do contato amoroso com a mãe se traduzirá em um sentimento de segurança de que a terra está aí para ele e de que ele pode se apoiar nela com confiança.

AS REAÇÕES À PERDA

Estudos têm mostrado que, quando acontece a perda da mãe, no início a criança reage violentamente à privação. Luta com todas as suas forças para recuperar a mãe, gritando, chorando, tendo acessos de raiva ou usando qualquer outro meio possível. Apenas quando a luta se mostra inútil e sua energia se exaure é que ela entra lentamente em estado depressivo. A perda nunca é aceita, é simplesmente suportada.

John Bowlby, que estudou a reação das crianças à separação, observou que elas passam por três fases. Na primeira, protestam contra a perda: "Com lágrimas e raiva, pede[m] a mãe de volta e parece[m] ter esperança de consegui-lo"[19]. Depois tornam-se mais quietas, sua esperança se transformando em desespero. Mas nessa segunda fase de desespero, a esperança ainda surge de tempos em tempos. Finalmente, elas parecem perder o interesse pela mãe. Podem até esquecê-la e não a reconhecer quando ela voltar. Essa terceira fase é de desapego. A criança se retrai e fica deprimida. Mas mesmo no terceiro estágio há episódios ocasionais de comportamento irado, muitas vezes de "um tipo alarmantemente violento".

Bowlby sustenta que quando uma criança ou um adulto reage com raiva a uma perda, é uma resposta totalmente normal. Escreve: "Longe de ser patológica, as evidências sugerem que a expressão aberta dessa forte necessidade, por mais irreal ou desesperada que seja, é uma condição necessária para que o luto siga seu curso normal. Apenas depois que todos os esforços forem feitos para recuperar o objeto perdido, segundo parece, o indivíduo terá disposição para admitir o fracasso e se voltar novamente para um mundo no qual o objeto amado é aceito como irremediavelmente perdido". Na criança pequena, a raiva é dirigida primeiro contra o objeto amado, a mãe, que a criança sente que a abandonou. Bowlby acredita que é uma condenação à mãe pelo abandono e também uma manobra para evitar que ela volte a fazer isso.

Em termos bioenergéticos, a raiva é a resposta natural do organismo à dor. A criança está com raiva da mãe porque ela lhe causou dor e tenta, por meio da raiva, evitar a dor ou superar seus efeitos sobre o corpo. A dor, nesse caso produzida pela perda do prazer, faz que o corpo se contraia. As sensações e a energia se retraem da superfície corporal (as zonas erógenas) e se concentram no aparato muscular. Só podem ser liberadas desse sistema por uma ação violenta. Seguindo-se à descarga de raiva, uma liberação posterior ocorre através do choro e dos soluços. Apenas depois que essas reações acontecem é que a energia fica disponível para as funções de prazer do corpo. Se não ocorre uma liberação completa, o organismo é biologicamente impedido de encontrar prazer no mundo.

Contudo, há diferenças importantes entre a perda da mãe ou do seu amor pela criança e a perda de um objeto amado pelo adulto. Este tem objetividade para compreender que a perda não foi deliberadamente causada pelo objeto e, portanto, sua raiva não é dirigida contra ele. Uma exceção são as situações de divórcio em que, sendo a separação deliberada, com frequência provoca em quem sofre a perda uma raiva violenta contra quem terminou a relação. Outra diferença se deve ao fato de que o adulto pode substituir um objeto amado (pode encontrar outro parceiro), mas uma criança não consegue substituir a mãe. Se fosse possível encontrar uma substituição satisfatória para a perda do amor materno, o trauma não seria grave. Mas como pedir a uma criança que perdeu esse amor que aceite seu fracasso e se volte para o mundo? Sem a mãe, todas as funções de prazer (busca) da criança são paralisadas e sua dor é contínua. Para anestesiar a dor, ela precisa anestesiar seu corpo, e é por isso que tantos dos nossos pacientes com depressão crônica têm um corpo relativamente sem vida.

A intensidade da raiva deve ser proporcional à dor experimentada, que também está diretamente relacionada com a quantidade de prazer perdido. Assim, a criança que tem uma relação satisfatória com a mãe reagirá com mais violência diante da perda. É por isso que os bebês amamentados no seio toleram menos frustração do que os amamentados com mamadeiras. Embora isso possa ser um problema para alguns pais, só posso dizer: "Parabéns para os bebês". Pois é não aceitando as frustrações e separações que a criança obtém a saúde emocional necessária para viver em nossos tempos atribulados. Todos os meus pacientes deprimidos tentaram se ajustar a uma privação que não deveriam ter experimentado, e em todos os casos o ajustamento subsequentemente falhou.

Os psicanalistas também estão conscientes de que por trás da tendência depressiva há um conflito de amor e ódio pelo objeto amado, sempre a mãe, mas também o pai. Karl Abraham acreditava que a paralisia dos sentimentos na pessoa deprimida se devia a sentimentos de amor e ódio que bloqueavam qualquer movimento. O ódio é reprimido e voltado para dentro contra o *self*, e nesse processo forma uma camada negativa sobre o sentimento de amor, que então não pode ser expresso. No suicídio, o ódio contra si mesmo é expresso, mas essa ação também contém o desejo inconsciente de destruir a pessoa responsável por esses sentimentos.

O ódio de uma criança pela mãe deve ser visto como uma resposta natural à separação, rejeição ou retirada do amor. Quando a mãe retira seu amor, seja intencionalmente ou não, ela está, na verdade, sendo destrutiva com o filho, uma vez que o bem-estar emocional da criança depende quase inteiramente do seu amor. A primeira reação da criança a essa retirada é de raiva ou rancor. Mas a maioria das mães pensa que suas ações surgem da necessidade — isto é, de fatores que estão fora do seu controle — e reagem à raiva infantil com ameaças e punições. Sándor Lorand mostrou que um dos fatores responsáveis pela depressão era a "atitude ameaçadora, frustrante e punitiva da mãe"[20].

A hostilidade de alguns pais, sobretudo algumas mães, contra os filhos pequenos é inacreditável. Joseph Rheingold estudou a violência a que algumas crianças são submetidas e se surpreendeu com o quanto as mães descarregam nos filhos o ódio reprimido contra as próprias progenitoras. Ele diz: "Estamos simplesmente observando a transmissão da destrutividade de uma geração a outra; a menina e a mulher são uma só pessoa, e o que a mãe fez com ela, ela faz com a filha"[21]. Ou com o filho. Rheingold vê essa destrutividade como uma reação ao medo da mãe de ser mulher. Esse medo faz que ela rejeite sua feminilidade (ou, melhor, seus atributos de fêmea) e rejeite o filho, que é sua manifestação. A rejeição ocorre apesar das intenções conscientes de amar e aceitar o filho. A mãe se torna abertamente hostil toda vez que a criança lhe faz uma exigência que ela não consegue suprir e que, portanto, provoca culpa. O choro da criança pode levá-la ao desespero e até mesmo a sentimentos assassinos. Não é raro o comentário: "Vou esganar esse bebê se ele não parar de chorar".

Assim, somado a todos os outros fatores determinantes da reação depressiva, há o temor da criança ao potencial destrutivo de sua mãe. Quem dá a vida também pode tirá-la, e toda criança é profundamente consciente de que sua sobrevivência depende de manter um vínculo positivo com a mãe. Assim, na medida em que sente a hostilidade materna, reage com demonstrações de amor. O ódio está presente, mas é suprimido por ser muito ameaçador. É a única explicação que encontro para a observação recorrente de que a criança mais rejeitada e maltratada numa família se torna o adulto mais devotado à mãe. Essa é a criança que se sente menos digna, mais culpada e mais cheia de ódio contra si mesma.

Em toda mãe há uma semente de amor que pode tanto germinar e florescer como tornar-se estéril. Em toda criança recém-nascida, o amor pela mãe (visto como um desejo de proximidade) está totalmente desabrochado, mas diante da rejeição e da hostilidade, murcha. Contudo, nunca morrerá. Isso não pode acontecer, pois significaria também a morte da criança. Não estamos, portanto, lidando com valores absolutos, mas com ambivalências nas quais as proporções relativas de amor e de ódio indicam a quantidade de prazer ou de dor num relacionamento. De maneira similar, a raiva que surge da perda do prazer na mãe é misturada ao medo. E a tristeza associada à perda é entremeada de esperança. A perda nunca é experienciada como absoluta; a criança sente que sempre existe a possibilidade de sua mãe voltar à razão e compreender que a ama e que seu prazer está biologicamente ligado ao dela. Nenhuma criança consegue sobreviver sem alguma fé na natureza humana.

Além disso, nenhuma criança pode aceitar e lamentar uma perda que é equivalente ao seu próprio falecimento. Sua sanidade e sobrevivência exigem que ela veja a mãe sob uma luz favorável. Assim, ela dissocia de sua personalidade o comportamento claramente destrutivo, que então é projetado sobre uma "mãe má". Mais tarde, quando a realidade provar que não há duas mães, a criança absorve o aspecto negativo da mãe em si mesma. Ela se vê como um vilão ou monstro que, por um capricho do destino, se comporta assim para merecer a dor que vivenciou. Pode-se afirmar, como regra geral, que a criança não amada se sente indigna de amor. Mas nenhuma criança consegue fazer essa ligação de modo consciente. Não consegue compreender a situação insana na qual a mãe se volta contra o próprio filho negando-lhe prazer ou causando-lhe dor. Só pode concluir que a culpa deve ser sua e então assume a culpa e a responsabilidade.

Toda pessoa deprimida carrega uma enorme carga de culpa. *Mea culpa* é seu refrão constante. Sente-se culpada porque está deprimida. Não age eficazmente, é um fardo para os outros e um obstáculo para eles. Assim, parece ter todas as razões para se sentir culpada. Sua depressão é o sinal de seu fracasso definitivo. Ela não percebe que o transtorno resulta da culpa que sentiu quando o fardo se tornou pesado demais para carregar. Sentindo-se culpada por sua depressão, cava o buraco onde se afunda ainda mais, tornando difícil sua recuperação. Mas todo deprimido é incapaz de enxergar a dinâmica psicológica de seu estado, sendo necessária uma intervenção terapêutica para libertá-lo do ciclo vicioso que o aprisiona.

O círculo pode ser quebrado temporariamente por qualquer forma de psicoterapia. Ver a reação depressiva como uma doença retira dela seu estigma de fracasso e libera o paciente da culpa superficial por estar deprimido. O interesse e o incentivo do terapeuta agem momentaneamente como um substituto para a perda de afeto que minou sua vontade de viver. Com esse novo salva-vidas, o paciente pode, aos poucos, sair da escuridão e ir para a luz. A terapia analítica também oferece ao paciente a oportunidade de tomar consciência de algumas das emoções suprimidas associadas com as muitas perdas que experimentou na vida. Nessas pessoas, a perda original é sempre agravada por outras decepções amorosas mais recentes. Se a terapia é eficaz, pode permitir ao paciente revivenciar a perda original e agora, como adulto, liberar sua dor por meio de um luto apropriado.

O LUTO NATURAL

Na seção anterior, vimos que o bebê reage à perda da mãe com raiva e explosões violentas, com gritos e choro. A perda não é aceita pacificamente.

Entre os povos primitivos, o luto também tem aspectos violentos. Se o objeto amado é importante, sua perda não é aceita sem a expressão de raiva e protesto. Elias Canetti[22] aborda o luto entre os aborígenes da Austrália Central, revelando várias características incomuns. Logo que a notícia de que um homem está morrendo chega a uma aldeia, homens e mulheres correm até o moribundo e se atiram sobre ele formando uma pilha humana. Ao mesmo tempo, enchem o ar com lamentos ruidosos e se flagelam. Por fim, quando a morte acaba com o sofrimento da pessoa, eles se retiram e continuam suas lamentações em um novo local. O significado da pilha para Canetti é que os nativos não aceitam a perda: "Ele ainda lhes pertence; eles o retêm entre si". A automutilação durante o luto é bem conhecida entre os povos originários. Canetti a vê como uma expressão de raiva. "Há muita raiva nessa automutilação, raiva da impotência diante da morte".

Às vezes a raiva é dirigida para fora. Esther Warner[23] descreve a reação de mulheres indígenas diante da morte de uma jovem durante o parto. Um dos meninos nativos lhe contou: "Pouco antes de o sol nascer, as mulheres da aldeia proferem uma "Maldição contra os homens". Se pegarem um deles, agridem-no quase que até a morte. As mulheres se vingam porque são elas que sofrem e morrem para ter bebês". A autora continua: "As mulheres não interrompem as maldições até o amanhecer do dia seguinte. Logo as ouvimos golpeando as portas com paus, gritando com vozes roucas e desesperadas de raiva". Na manhã seguinte, estão contidas e quietas. "Sua fúria diante da dor e da morte foi liberada; estão prontas outra vez para aceitar docilmente os intermináveis afazeres da vida."

Quando não se sente raiva diante da perda, não se pode experimentar uma tristeza real e o luto natural não se instala. É da natureza dos seres humanos protestar contra sua dor e não sufocar o protesto em uma atitude masoquista. Logo, parece estranho que nossa cultura admire tanto um indivíduo que consegue encarar a morte estoicamente, sem mostrar nenhuma emoção. Que grande virtude há na supressão das emoções? Esse comportamento pode revelar que o ego do indivíduo domina e controla o corpo, mas também indica que falta um aspecto importante de sua humanidade.

O indivíduo deprimido perdeu a capacidade de protestar contra seu destino. Descobri, tratando desses pacientes, que eles não conseguem dizer "Por quê" com voz alta e convincente. A incapacidade é facilmente racionalizada. "De que adianta perguntar por quê? Nada vai mudar". É verdade, nada vai mudar no exterior. Todo nativo enlutado sabe disso, tenho certeza, sabe que seus choros e lamentos não trarão de volta o morto. O luto não tem esse propósito. É uma expressão de sentimento e permite que a vida continue. Quando a expressão é inibida, o fluxo de vida é limitado. Isso acaba levando a futuras supressões de sentimentos e inclusive à morte em vida. A depressão é uma morte viva.

A etiologia da depressão é dupla. Primeiro, há uma significativa perda de prazer, durante a infância, em relação à mãe. Se pudermos aceitar a hipótese de que a gratificação oral completa exige cerca de três anos de amamentação satisfatória no seio, é fácil entender por que a vulnerabilidade à depressão é tão comum. Segundo, à criança é negado o direito de protestar contra sua privação, sendo sua expressão de raiva e rancor punida. O resultado é uma séria perda na capacidade de buscar e lutar por aquilo que se quer. Basta observar o comportamento submisso das massas para perceber que a tendência à depressão é endêmica em nossa cultura.

Por outro lado, os protestos de massa que estão se tornando parte do cotidiano constituem uma reação contra a submissão emocional que atrelou o homem à máquina. Na verdade, essas duas tendências, uma para a depressão e a outra para o protesto, pertencem ao mesmo quadro. Como o significado da vida está constantemente em erosão pela perda do prazer em viver, as pessoas se tornarão cada vez mais deprimidas. Ao mesmo tempo, se engajarão em protestos maiores e mais frequentes, esperando encontrar na ação social o significado que lhes falta no nível pessoal. Como uma liberação momentânea, a participação num protesto de massa serve para evitar que se fique deprimido. Isso significa, porém, que essa pessoa, o estudante militante, por exemplo, precisaria viver num estado de protesto contínuo para evitar a depressão. Como esta é uma forma de vida impossível, podemos prever que cada vez mais pessoas ficarão deprimidas e com tendência ao suicídio.

Não sou contra o protesto social por uma causa legítima. O problema básico, contudo, é a perda de prazer. Muitos dos que protestam não procuram restaurar sua capacidade de sentir prazer; em vez disso, visam conquistar poder. Se de fato o fizerem, verão que ele não tem valor no que se refere ao prazer. A antítese entre poder e prazer é amplamente discutida em meu livro *Prazer: uma abordagem criativa à vida*. Se não conseguirem alcançar seu objetivo, que é a alternativa mais provável, uma vez que as forças que moldam a situação social quase sempre estão além do controle dos indivíduos, o caminho para a depressão está aberto.

Para ser eficaz para o indivíduo, o protesto deve exprimir sua sensação pessoal de perda. Quando alguém pergunta "Por que isso aconteceu comigo?", implica que está consciente de uma perda pessoal. Quando o paciente diz "Por quê" com sentimento, quase sempre cai em lágrimas ao ser tomado pela sensação de perda e pelo sentimento de tristeza. Recordo um exemplo de um *workshop* de bioenergética para residentes de Esalen em Big Sur, na Califórnia. Uma jovem estava fazendo os exercícios respiratórios descritos no capítulo anterior. Então ela se deitou no divã e eu pedi que ela chutasse e gritasse "Por quê". Ela começou sem esforço, mas logo foi tomada pelos sentimentos. Seus chutes se tornaram mais fortes, seus gritos mais altos e de repente ela começou a chorar. Quando sua crise de choro passou, virou-se para mim e disse: "Como você sabia que era isso o que eu queria dizer?" Além do fato de eu ter intuído sua necessidade, só pude responder: "É algo que todo mundo quer dizer, mas alguns não se atrevem ou e outros não conseguem". Todos sofremos perdas e dores que nossa mente consegue aceitar, mas nosso corpo, não. O corpo não pode liberar a dor a não ser por meio de uma catarse violenta.

Entre as várias técnicas usadas para trazer uma pessoa deprimida ao ponto em que ela consegue sentir sua perda como uma experiência imediata e liberar a raiva associada a ela é a prática de um exercício simples envolvendo o uso de uma toalha enrolada. Deitado no divã, o paciente pega a toalha com ambas as mãos e torce-a com toda a força. Então, com a mandíbula levada para a frente e mostrando os dentes, ele grita: "Me dá isso". Se não solta a toalha e continua gritando, seus braços começam a tremer e ele sente como se estivesse tentando tirar a toalha de alguém. Esse mesmo exercício pode ser feito com as expressões "Dane-se", "Eu te odeio", "Vou te matar", e quase sempre se transforma em uma experiência emocional intensa.

Eu já disse antes que a tendência depressiva é superada quando o paciente adquire a capacidade de encontrar prazer. Isso envolve mais do que uma atitude psicológica. Os músculos da garganta, mandíbula e boca devem estar relaxados para que aconteça um movimento significativo. Os braços devem estar livres e não restringidos por tensões musculares crônicas. Essas tensões se desenvolvem por causa do medo de expressar a raiva e o rancor que a perda provoca. Portanto, até que o rancor e a raiva sejam liberados, os músculos não estarão livres para o amor.

A terapia bioenergética não pretende ajudar o paciente a se ajustar a uma vida mutilada por uma perda. Pelo contrário, ela o ajuda a superar os efeitos da perda restaurando seu corpo ao estado natural de amorosidade. No processo da terapia, ele revivencia as privações e as dores de sua infância e juventude. A estas, reage com raiva e tristeza. Protesta contra as iniquidades vividas. Mas também ganha coragem e a capacidade de se abrir novamente para a vida, sem medo da dor que pode acompanhar a abertura de um ser para o amor.

Poderíamos perguntar: como alguém que foi gravemente magoado quando criança consegue coragem para se arriscar a mais sofrimento? Minha resposta é que a vida é corajosa. A coragem de um ser humano é uma medida de sua força vital. Enquanto seu corpo estiver paralisado ou preso na dor da perda, sua respiração estará restrita, sua mobilidade reduzida e sua força vital diminuída. O luto natural é a melhor maneira de superar o choque e libertar o espírito. A tarefa terapêutica é proporcionar ao paciente a compreensão e os meios para que realize sua liberação.

6. Iludir e iludir-se

FAZENDO O JOGO

A maioria dos pacientes adultos que sofre de depressão não vivenciou a perda da mãe. O que eles de fato *vivenciaram* foram perturbações e conflitos na relação entre mãe e filho que, no entanto, parecem não ser percebidos como a causa de seu transtorno. Esses conflitos são, com tanta frequência, considerados parte dos padrões normais da criação de filhos que o paciente não sente que foi privado de amor materno. Devemos lembrar também que a reação depressiva em um adulto é separada da experiência infantil por um período longo de comportamento aparentemente normal. Isso não significa que o paciente tivesse um funcionamento saudável, como já assinalei antes, ou não teria ficado deprimido. Mas ele não está consciente da diferença entre o funcionamento aparentemente normal e o saudável, como também não está consciente da relação entre seu transtorno e os acontecimentos de sua infância.

Essa falta de consciência chega a uma ingenuidade que caracteriza a atitude da pessoa deprimida e constitui sua predisposição para o transtorno. A ingenuidade se origina de uma negação inconsciente dos fatos da vida, em particular dos fatos da sua vida, de suas privações e decepções. O efeito da negação é deixar o indivíduo exposto a desapontamentos semelhantes na fase adulta. Mas a ingenuidade não o impede de ter certa perspicácia. Na verdade, essas duas coisas costumam andar juntas: a ingenuidade se manifesta nas áreas em que a negação atua, enquanto a perspicácia é vista em outras esferas da vida.

Ingenuidade não deve ser confundida com inocência. O inocente carece de experiência para julgar atitudes ou ações. Está exposta a ilusões, mas aprenderá rapidamente com elas. O indivíduo ingênuo teve a experiência de ser machucado por uma ilusão, mas nega sua significância. Ele também está exposto a ilusões, porque é incapaz de reconhecer sua natureza. A ingenuidade é uma forma de autoengano à qual somos forçados quando estamos sendo iludidos e não conseguimos ou não ousamos encarar a verdade. Numa situação como essa, somos obrigados a nos conformarmos, pois não temos alternativa. Mas, muitas vezes, essa resignação leva-nos a acreditar que a vida é assim, que essas são as regras do jogo, e que ganhar ou perder fornece o significado de uma existência.

O jogo em que estou interessado aqui se chama "criar um filho". Alguns leitores poderão não concordar com a minha ideia de chamar de jogo um assunto tão sério. Contudo, a seriedade com que alguém se engaja em uma atividade não é critério para saber se se trata ou não de um jogo. As pessoas levam o jogo a sério quando as apostas são altas. O que faz da criação de filhos um jogo é a disputa entre pais e filhos. Nessa disputa, a criança luta para manter sua natureza animal, enquanto os pais lutam para civilizá-la. É um jogo em que não há barreiras.

Antes de iniciar essa discussão, devo dizer que nem todos os pais fazem da criação dos filhos um jogo. Isso acontece quando os resultados são julgados em termos de vitórias ou derrotas. O objetivo desse jogo é educar a criança para que ela seja aceita socialmente. No mundo moderno, esse resultado é incerto, tem um elemento de acaso. Os pais que jogam usam de toda sua astúcia para dominar a situação, esperando poder "fazer a jogada certa" e vencer. Há apostas aqui que nada têm que ver com a situação real. Vencer, para esses pais, significa obter um ganho extrínseco, um prêmio ou aclamação que confirmaria sua vitória. Ou, ainda, quando os pais sentem que perder diminuiria sua autoestima, tratam a educação do filho como se fosse um jogo.

O nome completo do jogo executado pelos pais é "como criar um filho sem estragá-lo". As recompensas parecem altas. Aqueles que conseguem educar uma criança boa, obediente, bem-comportada são elogiados e reconhecidos por amigos, professores e outros representantes da sociedade. Já os que falham são vistos como fracos, pessoas sem firmeza ou autoridade na própria casa. A frase "Você deixa seu filho fazer o que quiser de você" demonstra desprezo pelos pobres pais, que, aos olhos de muitos, são tolos e impotentes. Há também outra recompensa não mencionada e frequentemente não reconhecida que os pais esperam ganhar: que o bom filho seja devotado aos progenitores, sobretudo na velhice. Ele se sentirá obrigado a cuidar dos pais em suas doenças e invalidez.

No início, o jogo se dá sem que a criança tenha a menor ideia do que está acontecendo. Contudo, é um jogo, como outros, no qual a criança tem de ser manipulada para que se obtenham os resultados desejados. Os pais supõem, corretamente, que o filho resistirá e que pelo uso apropriado de recompensas e castigos sua resistência será superada. As recompensas são aprovação, brinquedos, gratificações, entre outros. Os castigos são ameaças de retirada de amor, desaprovação, restrições, reprimendas e abusos físicos.

Os pais que usam essas táticas não pensam que estão participando um jogo. Para eles, as questões são reais e verdadeiramente sérias. A criança que tem permissão para fazer o que quer será um fracasso na vida, um rebelde e um desajustado. E os pais que temem essa situação sentem que têm a responsabilidade moral de prevenir que ela aconteça. Sentem-se justificados em suas atitudes e podem inclusive identificar isso com amor. Certamente resistiriam a qualquer insinuação de que essas atitudes revelam uma falta de amor pela criança. Do mesmo modo, consideram que a criança obediente é amorosa, e a rebelde, hostil.

Fazer esse jogo denota falta de fé na natureza humana e no próprio filho. Se acreditamos que uma criança é inerentemente um monstro, um animal selvagem que deve ser domado e colocado na linha para se tornar um ser civilizado, então devemos depositar nossa confiança na autoridade e na disciplina como as únicas forças capazes de conduzir a uma vida ordeira. Se acreditamos que os seres humanos são criaturas naturalmente más, egoístas, desonestas e destrutivas, então nosso único recurso é o poder da polícia ou do exército para controlar o comportamento. Essas atitudes podem parecer extremas, mas somos levados a tomá-las se não tivermos fé na vida. A fé implica confiar na própria natureza e, por extensão, confiar na natureza dos outros. Uma pessoa com fé confia em si mesma para fazer o que é certo e confia que outros, incluindo seus filhos, farão o mesmo. Já quem não tem fé não confia em ninguém.

Se os pais não têm fé na criança, dificilmente ela desenvolverá fé em si mesma ou nos progenitores. A relação entre pais e filhos degenera de amor e respeito mútuo em conflito e tensão. Cada um vê o outro como um adversário, ao qual, no entanto, está atado. Surge o ressentimento, que aliena ainda mais duas pessoas cujos interesses deveriam ser comuns. Os pais querem ver a criança alegre e contente e ela quer que seus pais sintam prazer em sua alegria. Esse sentimento está presente em muitas relações familiares que são baseadas no amor e na fé. Infelizmente, está ausente nos relacionamentos em que os pais jogam com as atitudes dos filhos.

Sem fé, não há amor verdadeiro. Na falta da fé, o amor que os pais dão à criança está condicionado ao seu comportamento. O amor condicional, implicado na frase "A mamãe te ama quando você é boazinha", não só traz a ameaça da retirada do amor, como de fato equivale a uma rejeição à criança. Na verdade, a mãe está dizendo que não pode amar o filho como ele é, mas apenas se ele desistir de suas reações espontâneas e se tornar submisso e obediente. Um vez que as crianças saudáveis manifestam certa dose de teimosia e assertividade como parte do seu processo de crescimento e autopercepção, uma atitude materna como essa constitui uma barreira para o amor. Mas há muitos casos em que o amor é realmente retirado da criança, quando a mãe torna-se fria ou hostil a fim de refrear a assertividade do filho. Esse jogo não é fácil ou leve de se jogar; é sempre mortalmente sério.

A observação do cotidiano nos mostra que há poucos pais que não usam esses métodos para educar seus filhos na linha — alinhados com a educação que eles próprios receberam — e poucos que não justifiquem suas ações com base nas necessidades da própria vida. Os pais não podem ceder a uma criança o tempo todo, não podem deixar que ela tome conta da casa. Os pais também são pessoas, com necessidades que precisam ser satisfeitas. Infelizmente, estas muitas vezes entram em conflito com desejos ou necessidades infantis, e nesse conflito as necessidades da criança acabam sendo reduzidas ao mínimo. Então, quando ela chora, fica agitada ou faz birra, os pais se impõem e reagem com raiva e hostilidade.

Os pais que fazem o jogo sempre encaram esse assunto como uma questão de princípio, e não de circunstância. É uma questão de princípio não deixar a criança fazer as coisas do seu jeito. Ela sente esse antagonismo e reage com muita agressividade. Uma vez que o conflito se instala, o resultado só pode ser desastroso. Se os pais cedem por se sentir culpados ou simplesmente para aquietar a criança, a estão estragando. Sentindo sua fraqueza, tentam ser mais firmes na próxima ocasião. Mas a criança, tendo aprendido que pode conseguir o que quer criando tumulto, contra-ataca com mais vigor. Nessas situações, as batalhas são intermináveis, com os pais vencendo a resistência do filho em algumas ocasiões e cedendo em outras. Para a criança também a questão se torna de princípio — o de que ela deve se opor a todas as exigências dos pais.

Crescendo num lar como esse, a criança nunca desenvolve fé na vida. Ela aprendeu que só consegue o que quer manejando e vencendo a oposição. Seus oponentes, entretanto, são aqueles de cujo amor ela necessita, e incluirão todas as pessoas com quem deseja intimidade. Ela também aprendeu a manipular as pessoas jogando com suas culpas, e usará essa tática quando suas fanfarronices não alcançarem seus objetivos. O caráter que se forma com essas experiências tem um forte traço sadomasoquista, o que faz que todo esforço para conseguir amor fracasse. Todo fracasso leva a uma reação depressiva da qual o indivíduo só consegue se levantar quando recupera sua determinação para contra-atacar e vencer. Em geral, as reações depressivas dessa personalidade não são tão graves como as descritas nos dois capítulos anteriores. Têm uma característica intermitente que mascara a natureza crônica do problema.

A severidade é a única forma de se obter uma disciplina eficaz. Mas podemos perguntar até que ponto a disciplina é necessária com as crianças. O conceito de disciplina usado aqui envolve punição se a autoridade dos pais for desafiada. Quando pensamos na disciplina como autodisciplina, ela perde essa conotação. Há uma diferença importante entre as duas. O estudo de qualquer ramo do conhecimento é uma disciplina porque a pessoa que se dedica a seu estudo se submete à autoridade do professor. Torna-se um discípulo — isto é, alguém que segue e aprende com um mestre. Mas o discípulo não é punido se desafia a autoridade do mestre. Pode ser dispensado ou simplesmente repreendido. A punição deve ser usada quando se está tentando treinar um animal ou uma ser humano para que obedeça a ordens. Treinamento e educação são dois procedimentos completamente diferentes. Nós treinamos em vez de educar quando não temos fé de que o que oferecemos está de acordo com a natureza do estudante e é desejado por ele.

O filho naturalmente seguirá as atitudes de seus pais se estas contiverem amor, aceitação e prazer. Respeitará seus valores e conscientemente se identificará com eles. Mas também afirmará sua individualidade e exigirá a liberdade de descobrir as coisas por si. Então aprenderá sobre a vida e crescerá para ser uma pessoa madura e independente, capaz de caminhar com as próprias pernas. Sua maneira não será muito diferente da de seus pais. Por que seria? Uma vez que o exemplo deles foi uma fonte de prazer para o filho, ele não tem motivação para fazer mudanças radicais. É assim que a fé funciona.

A criança também pode ser treinada através de uma disciplina eficaz para aderir à maneira dos pais. Pela combinação apropriada de força e sedução, sua personalidade pode ser estruturada no modelo que eles quiserem. Evidentemente, se as recompensas forem insuficientes ou o castigo muito severo, o esquema poderá falhar. No entanto, muitas vezes funciona, e a criança aprende a fazer o jogo. Ela sabe qual comportamento receberá a aprovação de seus pais e qual provocará seu desagrado. Portanto, fará todos os esforços conscientes para ser o que eles querem. Inconscientemente, se ressentirá ao máximo da falta de fé em si e da falta de aceitação, mas esses ressentimentos devem permanecer inconscientes se ela quiser fazer o jogo. Terá de suprimir todos os sentimentos de hostilidade ou rebeldia.

A criança que aprende a fazer o jogo parecerá bem ajustada para o observador comum, que aprendeu a olhar os aspectos superficiais do comportamento — e não a ver a qualidade da reação corporal que o acompanha. Ele não notará se a pessoa está em contato com suas pernas ou seu corpo. Apenas achará que a criança ou jovem parece se dar bem com os pais e com outras figuras de autoridade, que seu trabalho escolar é excelente e que ela não questiona o direcionamento de sua vida.

Essa criança aparentemente bem ajustada pode continuar por anos fazendo o jogo de ser e fazer o que é esperado dela. Sua conduta receberá a aprovação da maioria das pessoas, o que ela valorizará como um sinal de amor. Mais cedo ou mais tarde, contudo, algum acontecimento provocará sua desilusão. O jogo, de repente, perderá o sentido, apesar de ela não perceber isso. Ela sentirá que perdeu o interesse e a motivação para continuar a jogar. Ficará deprimida, mas não saberá por quê. Essa experiência bastante comum é ilustrada pelo caso de Marta.

A MULHER NO PEDESTAL

A primeira vez que vi Marta foi num *workshop* de treinamento para análise bioenergética. Ela acompanhara o marido, que era psicólogo clínico, para ver como esse novo tipo de terapia poderia ajudá-la. Nesses *workshops* de treinamento para profissionais, meus colaboradores e eu explicamos a relação entre a atitude corporal e a personalidade. Assinalamos que se pode fazer um diagnóstico dos problemas de personalidade pela forma como a pessoa movimenta e sustenta seu corpo. Depois submetemos os participantes a alguns dos exercícios bioenergéticos descritos nos capítulos anteriores para lhes mostrar como seus problemas podem ser resolvidos pela liberação de tensões musculares crônicas, que são o aspecto físico desses problemas.

O que mais me impressionou no corpo de Marta foi a maneira como ela se sustentava. Ela puxava a parte superior do corpo para cima como se num esforço consciente; seus ombros eram levantados, seu peito era alto e inflado, enquanto as áreas abdominais e pélvicas mostravam-se comprimidas e também erguidas. Suas pernas eram rígidas e finas; os músculos da região estavam tão contraídos que elas pareciam tacos. Percebi que ela não estava em suas pernas e que estas funcionavam como suportes mecânicos. A parte inferior (dos quadris para baixo) me surpreendeu pela sua semelhança com um pedestal sobre o qual a parte superior se apoiava.

A figura seguinte ilustra a ideia do pedestal no corpo humano. É, obviamente, esquemática.

FIGURA 1 – A estátua no pedestal

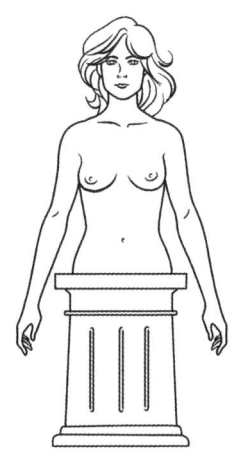

Quando mostrei isso a Marta, toquei num ponto sensível. Ela sentia que sempre havia sido colocada em um pedestal, primeiro pelos pais e mais tarde pelo marido. Ele concordou, dizendo que idealizara Marta como a esposa perfeita. Ambos ficaram extremamente impressionados com como eu havia sido capaz de ver isso em seu corpo. A participação de Marta nos exercícios concebidos para aprofundar a respiração e colocar o indivíduo em contato com suas pernas a fez compreender que seu problema deveria ser tratado tanto pelo lado psicológico como pelo físico.

A história que Marta me contou em nossa primeira sessão particular foi a seguinte: ela havia funcionado bem como esposa e mãe até os últimos dez anos. Então, ficou deprimida e se viu incapaz de cuidar dos trabalhos domésticos. "Antes disso", comentou, "lembro que as pessoas falavam que eu sempre parecia feliz. Até então, eu sempre me senti animada, embora tivesse sentimentos depressivos ocasionalmente.

"Aconteceu um dia quando o meu marido voltou para casa e eu tinha enfrentado um problema com meus pais. Eu queria conversar com ele sobre isso, mas ele estava ocupado com suas coisas. Tínhamos um acordo de que sempre estaríamos prontos um para o outro. Eu sempre ouvia suas dificuldades. Então fiquei pedindo que ele me ouvisse. Por fim, ele disse: 'Não quero te ouvir'. Respondi que não poderia ser o que ele queria que eu fosse. Tinha de ser eu mesma. E ele replicou: 'Cadê minha mulher? Você não é a mulher que eu conheço'.

"Até esse momento, meu marido havia me idealizado, acreditando que eu era perfeita. Sentiu-se traído e eu também me senti traída. Ele ficou zangado, e eu fui me retirando cada vez mais para dentro de mim. Ele se sentia desapontado comigo porque eu não estava cuidando da casa. Eu não era a pessoa responsável que ele admirava. Eu estava com raiva e furiosa, com sentimentos ruins que não podia expressar. Minha depressão piorou e me senti sem esperanças. A primeira mudança aconteceu há alguns meses, em outro *workshop*. Meu marido e eu fomos encorajados a brigar, o que fizemos. Depois dessa experiência, me senti libertada por certo tempo, e isso me deu um fio de esperança."

Era óbvio, vendo seu corpo, que Marta não conseguiria descer facilmente do pedestal. Primeiro porque ela não tinha a sensação de ser capaz de caminhar com as próprias pernas. E segundo porque ela estava conscientemente comprometida com o papel que interpretava. Isso se tornou claro em um incidente que ocorreu logo depois que começamos a terapia. Marta me contou o que havia acontecido.

"Ontem eu estava num *workshop* e o organizador ficou implicando comigo e me criticando sem nenhuma razão aparente. Comecei a ficar deprimida. Sentia-me machucada e à beira das lágrimas, mas não consegui ficar brava. Mesmo hoje não consigo ficar zangada com isso. Compreendi que foi isso o que minha mãe fez comigo a vida toda. Na mesma oficina, outra participante estava me colocando em um pedestal. Ela me descreveu repetidas vezes como o seu ideal. Isso me irritou e entristeceu, mas também me agradou. Percebi que gostava de ser vista assim, embora sentisse que na verdade não merecia."

Para libertar Marta do pedestal, o procedimento terapêutico correto seria evocar sensações na parte inferior do seu corpo, que era relativamente imóvel, como um pedestal. Para tanto, era preciso aprofundar sua respiração, que era gravemente restrita no nível do diafragma, e fazê-la usar as pernas em movimentos expressivos, como chutar para protestar contra o que lhe fizeram. Também era necessário que ela tomasse plena consciência do trauma vivenciado. Tinha de sentir a perda daquela parte de sua personalidade que era representada pela imobilidade da parte inferior do seu corpo, e encarar a dor e a tristeza dessa perda.

Os distúrbios da personalidade são caracterizados não só por algum prejuízo na função, como também por uma perda da percepção associada à função. Por exemplo, os míopes não têm apenas uma deficiência visual, mas também dificuldade em ver relações. A função visual e a função perceptiva não podem ser dissociadas.

Marta apresentava outro aspecto desse fenômeno. Estando num pedestal, ela não tinha os pés no chão. Disso podemos inferir que ela não tinha compreensão do seu problema. A compreensão implica uma sensação que vem do âmago ou das raízes do ser. Significa conhecer uma coisa por completo. Por outro lado, pode-se ter um entendimento intelectual bastante bom dos fatores psicológicos envolvidos na reação depressiva colocando-se acima da situação e examinando-a de forma objetiva. Infelizmente, conhecer algo intelectualmente não é o mesmo que "conhecê-lo" visceralmente. Marta estava presa nessa cisão em sua personalidade. Ela podia saber por que se tornava deprimida, mas não conseguia vivenciar emocionalmente seu estado.

Para compreender verdadeiramente seu problema, Marta teria de se envolver ou entrar em contato com a parte inferior de seu corpo. Agindo assim, vivenciaria ou compreenderia sua natureza animal. Entraria em contato com suas paixões, sentiria sua sexualidade e perceberia sua feminilidade. Tudo isso se perdeu para ela quando foi colocada num pedestal. Tornou-se o modelo de uma pessoa (a criança perfeita, a esposa perfeita e a mãe perfeita), mas foi forçada a sacrificar sua humanidade e sua realidade. É um preço alto a se pagar pela "aceitação social". Joan, que foi obrigada a aceitar o papel de estátua, suprimiu ainda mais de si mesma no chamado processo civilizatório.

No Capítulo 2, vimos que a parte superior do corpo é identificada com a consciência e o ego; já a inferior, com o inconsciente e a sexualidade. Na mitologia[24], o diafragma é identificado com a superfície da Terra. Abaixo dele estão as regiões inferiores, a morada das forças obscuras, das paixões não totalmente sujeitas ao controle racional da mente. Os sentimentos da parte superior do corpo estão mais perto da consciência e, portanto, mais sujeitos à autoridade do ego. Essas ideias mitológicas ou primitivas podem parecer estranhas para o sofisticado pensamento moderno, mas temos de reconhecer que se baseavam em dados subjetivos — isto é, sentimentos e autopercepção. Ao deixar de lado esses dados, a ciência promoveu uma separação entre pensamento e sentimento, entre o ego e o corpo, entre o homem e a natureza.

Uma visão holística da vida exige a integração de dados objetivos e subjetivos, de fenômenos conscientes e inconscientes, de conhecimento e compreensão. Uma terapia abrangente lida ao mesmo tempo com o psíquico e com o soma. Para abarcar o indivíduo, atua em duas direções: do chão para cima e da cabeça para baixo, análise por cima e análise por baixo, como Sándor Ferenczi a descreveu. Vejamos agora os fatos da vida de Marta que vieram à luz na terapia.

Marta foi filha única, o que suscitou aos olhos da mãe o espectro de uma criança mimada. A mãe sempre dizia que não teria uma filha mimada e se orgulhava do fato de Marta não ser assim. Marta me disse que a mãe deixava perfeitamente claro que seu amor e sua aprovação estavam condicionados a que Marta fosse e se comportasse da maneira que a mãe queria e que ela não toleraria qualquer outro comportamento.

Muitas lembranças antigas nos mostram como a atitude da mãe era colocada em prática. Marta lembrou-se: "Minhas primeiras lembranças são de uma boneca à qual aconteceu alguma coisa. Havia caído na areia e estava muito suja. Minha mãe a jogou fora. Lembro-me da cena em que eu chorava por causa da boneca, mas minha mãe estava firme. Mesmo quando minha avó se ofereceu para buscar no lixo, ela não permitiu.

"Outra lembrança também era de uma boneca que foi para o conserto quando seu rosto se estragou. Quando voltou, foi colocada em cima da geladeira e me disseram que eu só a teria de novo se comesse meus ovos. Eu não consegui comer os ovos e não me lembro de ter recuperado a boneca. Meu pai apoiou minha mãe nessa atitude. Ela sempre acreditou que podia controlar meu pai secretamente. Lembro de me sentir obstinada e não chorar. Essa memória é posterior à primeira."

Eu me pergunto como é que uma criança seria mimada por ser poupada das dores dessas perdas. Não havia nem mesmo um problema real antes de os pais criarem um, forçando a criança a uma posição de desafio ou rebeldia. Uma vez criado o problema, contudo, tornou-se uma guerra de vontades. Antes, era simplesmente uma questão de quanto prazer os pais poderiam permitir à criança e quanta dor necessariamente causariam a ela. Parece-me que a primeira consideração dos pais não neuróticos é ver a criança feliz. Esse não era o ponto de vista da mãe de Marta, que começou a fazer o jogo logo no início da vida da filha.

Marta conta uma história reveladora de quando tinha 2 meses de idade: "Eu soube que elas [mãe e avó] me embalavam e me ninavam até eu pegar no sono. Uma vez, quando eu tinha 2 meses, minha mãe decidiu me deixar chorando. Chorei por horas — minha avó estava ficando louca, mas minha mãe se recusava a deixá-la entrar no meu quarto. Finalmente parei de chorar e minha mãe disse: "Viu?". Elas abriram a porta e viram. Eu estava azul. Havia vomitado e estava me sufocando no vômito. Minha mãe também disse que punha babosa amarga nos meus dedos para evitar que eu os chupasse ou roesse as unhas, e também ouvi a história, contada por ela, de que ela enfiava uma colher de farinha de aveia na minha boca e, antes que eu pudesse cuspir, enfiava o seio na minha boca para tapá-la. Minha mãe conta essas histórias com orgulho".

Os primeiros anos de Marta foram cheios de conflitos e tormentos. Ela vomitava muito quando criança e ficava enjoada andando de carro. Tinha acessos de raiva, gritava e puxava os cabelos. Ela disse: "Eu era vista como louca. Eles me puniam me trancando no quarto, tirando as coisas de mim ou me proibindo de jantar. Minha mãe estava decidida a não ter uma criança mimada na família".

A mãe de Marta tentou controlar todos os aspectos da vida dela, sempre na ilusão de que fazia isso pela filha. Nem mesmo as funções excretoras da criança escaparam à sua atenção. "Se eu defecava, tinha que chamá-la. Se não a chamasse, era repreendida. Lembro-me de um enema quando tinha 5 ou 6 anos. Tive de ser segurada por três adultos. Lutei, arranhei e gritei. Fui colocada nos joelhos de meu pai e me administraram o enema, mas foi o primeiro e único".

Pouco depois dos 6 anos, a resistência de Marta aos pais acabou. A mudança coincidiu com o começo da fase de latência, quando o fluxo da sexualidade infantil se retrai. Isso se relacionava, de certa forma, com sua incapacidade de resolver o conflito edipiano. Seu recurso foi eliminar os sentimentos sexuais (não as sensações genitais) que tinha pelo pai, o que imobilizou a parte inferior de seu corpo. Outro fator de sua submissão foi o início da escola, que introduziu Marta em um novo mundo, com novas exigências. Ela se tornou uma criança obediente; tentou, então, ser e fazer o que seus pais queriam. Era, por exemplo, a mais inteligente da classe. "Esperavam isso de mim", ela disse. "Lembro-me de ter tirado 9,5 numa prova no ensino médio e minha mãe me dizer que, se eu conseguia ir tão bem, podia ter tirado 10."

Seria lógico pensar que, conhecendo esses traumas, Marta reagiria emocionalmente a eles e se libertaria do seu estado depressivo. Mas devemos lembrar que ela estava deprimida porque sua capacidade para reagir emocionalmente estava bloqueada. Nas primeiras sessões de terapia, nossos esforços foram dirigidos para a mobilização de sentimentos por meio de exercícios respiratórios, indução de vibrações nas pernas, chutes, gritos de "Não" etc. Embora Marta tentasse com empenho, o progresso era muito lento. Em certa ocasião, usei uma terapia de choque para sacudi-la: golpeei a parte superior de suas costas com meus punhos. Sua respiração ficou espasmódica, mas nenhuma reação ocorreu. Repeti as batidas e Marta caiu no choro.

Depois de soluçar por algum tempo, Marta foi para o divã. Chutou-o e gritou "Por quê?" O que sentia era: "Por que você me machucou? Por que eu tenho de ser machucada?" Mas aquela foi a primeira vez em que sua voz chegou a ser um grito. Porém, quando pedi que batesse no divã com uma raquete de tênis, ela não conseguiu evocar nenhum sentimento de raiva por ter sido magoada. Então, apliquei certa pressão nos músculos escalenos anteriores de ambos os lados de seu pescoço. Ela recomeçou a gritar e continuou depois que a pressão cessou. Disse que conseguia sentir o terror em seu corpo, mas que mentalmente estava separada dele. O terror era tão grande que ela não podia se permitir percebê-lo de forma subjetiva. Contudo, ao fim da sessão, ela se sentia pura e, de certa forma, em contato com a realidade. Todo o seu corpo estava num estado de vibração.

Nas sessões seguintes, Marta entendeu que estava diante de um intenso conflito entre "desabar" ou desistir, que ela considerava uma autocomplacência, e fazer o que se esperava dela, isto é, manter-se em pé. Conseguiu relacionar o sentimentos de autocomplacência ao pai, que "é autoindulgente, vai para a cama ao menor sinal de doença e fica deprimido". "Minha mãe", comentou, "acredita que não se deve desistir nunca. Ela poderia estar morrendo, mas continuaria indo trabalhar". Mostrei a Marta que a parte superior de seu corpo representava os valores da mãe — controle, realização e orgulho — enquanto a parte inferior, com sua orientação sexual, correspondia ao pai. Assim como a mãe secretamente dominava seu pai, o ego de Marta, associado à parte superior de seu corpo, negava e controlava sua sexualidade.

A intensidade desse conflito pode ser notada nos seguintes comentários: "Tenho a sensação de que quero desistir, mas receio que é o que eu sempre faria — eu me tornaria um vegetal. Preciso de uma desculpa para ir para a cama, como estar doente, ou me sinto culpada. Tenho medo de me tornar catatônica se me render. Preciso lutar contra essa tendência". "Desistir" se referia aos valores de sua mãe. Ela não via alternativa entre o impulso agressivo do ego da mãe e a passividade sexual do pai.

Depois dessas sessões, Marta voltou a ficar deprimida. Ela disse: "Sinto-me entrando em colapso. Tudo parece um grande fardo, mas não tenho desculpa para não executar minhas tarefas. Parece que estou em um estado de animação suspensa — sem pensamentos. Posso me forçar, mas é deprimente". Marta estava fisicamente cansada; seu corpo precisava descansar, recuperar a energia e restaurar as forças. Muitos pacientes, porém, relutam em aceitar essa necessidade do corpo. Esperam que a terapia magicamente libere uma reserva extra de energia. Não compreendem que foram gastando suas reservas durante anos e que a depressão aparece quando estas foram exauridas. Se queria ficar bem, Marta precisava se render ao próprio corpo.

Na sessão seguinte, Marta foi capaz de conseguir alguma vibração nas pernas através da respiração profunda. Então, quando novamente fiz pressão nos músculos do seu pescoço, ela começou a chorar e a gritar "Mamãe". O grito acabou em uma sensação de frustração e desesperança. "Isso não ajuda em nada", dizia ela. "Mamãe nunca virá. Você pode se acabar de gritar, não faz a menor diferença. Na verdade, podia acontecer o contrário. Ela se afastaria ainda mais. Não ia querer uma filha mimada, embora eu seja filha única. Minha mãe costumava dizer: "Não se dá alguma coisa a uma criança só porque ela quer: ela tem de merecer". Mas, por mais que eu me esforçasse, nunca parecia conseguir o que queria." O que ela realmente queria era amor e aceitação, e isso não se pode conseguir tentando.

Marta, então, começou a dizer "Eu te odeio". Ao dizer isso, observou: "No início senti terror, mas isso se transformou dentro de mim em um sentimento de fúria". Podemos desconfiar que Marta estava aterrorizada pela mãe e também furiosa com ela. O bloqueio desses sentimentos fazia parte da sua predisposição à depressão.

Algumas sessões mais tarde, Marta disse: "Todo o meu desejo está reprimido dentro de mim. Sou incapaz de pedir ou tomar. Minha mãe disse que eu não devia ser egoísta como uma amiga minha que queria e exigia coisas. Eu só recebia as coisas se as merecia.

"A maneira de minha mãe rejeitar era ficar calma e gelada, distante. Lembro de ficar apavorada com isso, imaginando o que aconteceria. Uma vez, quando eu era pequena e quis fugir, ela disse: 'Tudo bem, vou te ajudar a fazer as malas'. Eu saí e me sentei à porta, sentindo-me perdida, como se não pudesse voltar. 'Se é para ser uma criança estúpida, não queremos você', minha mãe me disse".

Por dois meses Marta lutou com uma sensação de futilidade. Ela não podia mais ser uma figura ideal — na verdade, não queria mais isso —, mas também não conseguia afirmar seus desejos. Trabalhamos continuamente com sua respiração, chutes, socos e gritos. Apesar da sensação de futilidade, as forças vitais em seu corpo começavam a se mobilizar para se libertar da couraça.

"Faz duas semanas", disse Marta, "que tenho me sentido muito mal. Tive problemas de estômago, diarreia e náuseas. Depois, minha garganta ficou inflamada e meu peito, congestionado. Dois dias atrás senti um acesso de fúria: eu queria arranhar, torcer o pescoço de alguém, morder, e outras coisas assim, mas não podia me permitir isso. A fúria tinha de ir para algum lugar, então fiquei deprimida. Sinto o corpo inchado e dolorido. Sinto-me letárgica". Os sintomas físicos indicavam que o corpo de Marta estava começando a reagir, embora sua cabeça continuasse desconectada.

Nas sessões seguintes notei que sua respiração melhorava quando ela estava no banquinho. A onda respiratória era capaz de entrar um pouco em seu ventre, causando uma pequena vibração involuntária pélvica. Era o início de sentimentos sexuais, diferentes das sensações genitais. Ela também sentiu vibrações mais intensas nas pernas. Numa sessão, sentou-se no chão e observou: "O que continua passando pela minha mente é: *Eu não quero*". Ela não queria fazer nenhum esforço. Estava cansada de tentar. Era o que sua depressão estava dizendo numa linguagem corporal, mas ela não sabia disso porque estava sem contato com seu corpo. Queria ser abraçada, ajudada, até mesmo que cuidassem dela, mas ainda não conseguia pedir isso. E não podia ficar brava com a mãe porque ainda pensava precisar de sua aprovação. Desaprovação significava morte.

Os temas de morte, terror e sexualidade estavam contidos em um sonho recorrente. "Eu tinha cerca de 14 anos e estava dormindo num sofá de onde podia ver um longo corredor. No sonho, ouvi passos vindo por ele. Estavam cada vez mais perto, até que vi que era um velho com um casaco comprido e barba. Fiquei muito assustada. Quando ele chegou à minha porta, compreendi que não havia como escapar e que a única coisa que eu podia fazer era ficar deitada como se estivesse morta, na esperança de não ser vista. Estava paralisada de terror." Ela associou a figura do velho de casaco comprido e barba com os judeus ortodoxos que encontramos nos cemitérios e que entoam preces para os mortos.

O significado sexual do sonho pode ser deduzido do fato de que ocorreu quando ela tinha 14 anos, numa situação em que poderia ter se permitido um sentimento ou desejo de se masturbar. É significativo que o terror fosse tão grande que ela não conseguisse emitir um som. Embora o medo seja projetado numa figura masculina, tem origem na mãe, pois ela disse: "Minha mãe me deixaria morrer antes de ceder à minha necessidade". Sua necessidade era se aproximar do pai.

Depois da liberação de medo, os pacientes sempre reagem com bons sentimentos. Pouco depois de Marta ter contado esse sonho, ela relatou: "Tenho me sentido agitada, não deprimida. Minhas pernas têm doído a ponto de eu ter de tomar analgésicos.

"Um dia tive um sentimento intenso, como havia anos não tinha. Identifiquei-me com um paciente em um grupo que disse: 'Quero ser um bebê de 2 meses de idade que não tem de dar de si, apenas receber amor e cuidado. Quando contei isso a meu marido, ele me garantiu que ficaria tudo bem e que ele me amaria. Dessa vez acreditei nele e me senti muito bem. Também tive uma forte vontade de destruir as coisas — bater a porta, quebrar a mobília. Bater no divã com a raquete parece que não ajuda."

Nos dois meses seguintes, Marta fez progressos significativos. Sua respiração estava ficando mais profunda e mais fácil. Ela se conscientizou de que seu medo inibia uma respiração completa. Então disse: "Sinto agora que estou paralisada pelo medo, um medo tão grande que eu não conseguia encarar. Mas também me sinto inquieta, querendo fazer alguma coisa, mas incapaz de fazer por mim mesma".

Marta tinha uma grave contração na garganta, exatamente abaixo do ângulo da mandíbula. Lembrava um elástico de borracha bem preso ao redor do bico de um balão inflado. Era responsável por sua incapacidade de gritar e por sua dificuldade de liberar o choro. Também representava uma forte inibição do ato de sugar. Em sessões anteriores, a pressão nos músculos escalenos, que em seu estado contraído contribuíam para a constrição, fez que ela chorasse e gritasse. Sob pressão constante, um músculo contraído geralmente cede. A tensão torna-se insuportável e ele relaxa. Dessa vez, como apliquei pressão embaixo do ângulo da mandíbula, surgiram movimentos de sucção e sons com sua respiração.

Seguindo esse caminho, pedi a Marta que erguesse os braços e esticasse os lábios para a frente. Ela foi capaz de fazer isso com certo sentimento, e vi seu corpo voltar a ter vida. "Foi bom", disse, "e eu queria ir além, mas relaxei e o sentimento se perdeu. Então perguntou: "Será que eu estava com medo de me entregar mais profundamente? Sinto que sou um bebê de 2 meses de idade que quer que cuidem dele".

Uma semana depois, o terror ressurgiu. Com minha ajuda, ela conseguiu abrir a garganta, e, quando fez isso, irrompeu em gritos apavorados. Em seguida, sua respiração tornou-se profunda e forte. "Quando estava gritando e sentindo o pavor, ouvi o som de passos", ela me contou. "Eu os associei com o sonho recorrente que lhe contei tempos atrás." Mas dessa vez ela foi capaz de reagir ao terror. Suas pernas, entretanto, estavam paralisadas. Então a fiz chutar e gritar novamente. O pavor a abandonou e ela relatou sensações de formigamento percorrendo todo o corpo.

Essas sessões marcaram uma virada na terapia de Marta. Sua disposição melhorou rapidamente e sua depressão desapareceu. A terapia continuou semanalmente por mais seis meses. Os avanços anteriores haviam levado sessenta sessões. Durante esses seis meses, trabalhamos para aumentar sua capacidade de buscar, de dizer "Não" e de ter raiva. Dedi-quei mais tempo à sua relação com o pai, que abriu um poço de sentimentos sexuais ocultos. Em todas as sessões ela usava o banquinho para aprofundar a respiração, depois se curvava para a frente para levar a carga energética para as pernas e os pés. Estava cada vez mais assentada no chão.

Para se ter uma ideia de quanto Marta era inibida em relação a senti-mentos sexuais durante todo o casamento, ela nunca havia se permitido sentir-se sexualmente excitada por outro homem. Quando percebia que ti-nha atração sexual por outro homem, furtava-se a qualquer contato social com ele. De fato, Marta era uma mulher num pedestal.

Antes de acabar o relato de seu caso, eu gostaria de descrever um dos exercícios que teve um efeito notável em seu estado de ânimo. Esse exercício é um balanço da pelve, realizado em pé, com os joelhos flexionados e as mãos nos quadris. A pelve é balançada para a frente e para trás por um mo-vimento que começa nos pés e flui para cima através das pernas. Quando feito corretamente, o corpo se arqueia levemente para trás quando a pelve vai para a frente. É importante que o movimento surja da ação dos pés e não envolva um empurrão deliberado da pelve ou a flexão do corpo[25]. Marta havia feito vários outros exercícios concebidos para ativar seus movimentos sexuais, mas a sensação nunca acontecia. Quando fez o exercício em questão, conseguiu realizá-lo corretamente e, no processo, sentir os próprios pés.

O resultado foi surpreendente, mas não imediato. Ela saiu da sessão sentindo contato com os pés. Mas, quando a recebi na semana seguinte, Marta me contou que logo depois de chegar em casa se sentiu muito alerta e animada, mas não eufórica. Esse sentimento maravilhoso, exatamente o oposto do seu estado depressivo, durou o dia todo. Ela tentou o mesmo exer-cício sozinha em casa e teve a mesma sensação de alerta e animação, mas por um curto período. É claro que repetimos o exercício em meu consultório, mas o resultado não foi o mesmo. Quando ela fez esse exercício pela primei-ra vez, liberou sentimentos sexuais profundos que não conhecia antes. Po-rém, não estava pronta, sem mais análise, para integrar tais sentimentos à sua vida cotidiana.

Quando a terapia acabou, Marta não era mais uma menina num pedes-tal. Não que seu problema tenha sido totalmente resolvido. Esses problemas de personalidade nunca o são. A parte inferior do seu corpo ainda mostrava um grau de rigidez e tensão que remetia a um pedestal. Mas a mudança geral foi de tal ordem que não se tinha mais essa impressão olhando para ela. Seus ombros baixaram consideravelmente, seu peito desceu, seu ventre e sua pelve estavam mais cheios e relaxados e suas pernas, mais flexíveis. Havia um brilho nela que refletia seu novo entusiasmo pela vida. Ela sabia, porém, que não havia terminado. Encerramos a terapia porque ela decidiu continuar sozinha. Havia feito muitos dos exercícios em casa e ia continuar com eles. Sabia que tinha de manter os pés no chão e que só conseguiria isso permanecendo em contato com seu corpo, suas pernas e sua sexualidade.

A terapia de Marta terminou vários anos atrás. Desde então, eu a encontrei algumas vezes para discutir certos aspectos de sua vida. Ela nunca voltou a se sentir deprimida, embora em alguns momentos se sentisse cansada e tivesse vontade de desistir. Quando isso acontecia, ela se permitia chorar, sentindo novamente a tristeza da criança que queria ser cuidada, mas não era. Marta nunca perderá totalmente sua tristeza, que é parte de sua vida, mas conhecerá o profundo prazer de estar completamente viva em seu corpo.

AMOR *VERSUS* DISCIPLINA

Apresentei o caso de Marta com certo detalhamento porque ele ilustra os problemas que surgem quando os pais fazem o jogo de tentar educar uma criança sem mimá-la. Marta não foi mimada, mas também não amadureceu; não tinha maturidade emocional e era ingênua em relação aos aspectos sexuais da vida. Sua mãe acreditava amar a filha e ser devotada a ela, embora suas tentativas de disciplinar e controlar Marta fizessem a pequena sofrer. A mãe de Portnoy também acreditava amar e ser devotada ao filho, mas as consequências foram igualmente desastrosas[26]. Não tenho dúvidas de que essas mães amavam seus filhos de todo coração e estou certo de que eles sabiam disso. Infelizmente, suas ações não expressavam amor, mas sim hostilidade. Fingindo que suas ações disciplinares e controladoras representavam um interesse amoroso, enganavam a si mesmas e aos filhos.

O amor não pode ser separado da liberdade e do prazer. Ninguém ama verdadeiramente alguém se limita a liberdade de a pessoa ser ela mesma, de se expressar e de agir por si mesma. Do mesmo modo, não se deve falar de amor e causar dor. Os dois são irreconciliáveis. Se amamos alguém, queremos vê-lo feliz e alegre, não triste e sofrendo. Outro ponto importante é que as ações amorosas são ditadas pelo coração, e não pela cabeça.

É difícil ver como o amor e a disciplina podem andar juntos. Sei que isso soa como uma ideia radical. A disciplina é parte tão arraigada da nossa maneira de viver e de pensar que não conseguimos enxergar seus perigos. "Quem poupa a vara não ama seu filho" é uma antiga tradição na cultura ocidental, tradição que também iguala a obediência e o dever ao amor. Parte dessa tradição vê o prazer como pecado, enquanto o trabalho e a produtividade são as maiores virtudes. Outra parte considera o corpo um aspecto inferior da natureza humana. Em *O corpo traído*, mostrei que essa tradição, quando levada ao extremo, acaba criando um estado esquizoide.

Meu principal argumento contra a disciplina em casa vem da relação que ela impõe entre pais e filhos. Uma disciplina sem punições não teria sentido; portanto, na realidade é a questão da punição que nos interessa. Quando os pais assumem o direito de punir, colocam-se no lugar de juízes. Devem julgar o comportamento da criança para decidir se e até que ponto ela merece ser punida. O próprio ato de julgar perturba uma relação baseada no amor. O amor exige compreensão, enquanto o julgamento exige onisciência. O juiz não está no mesmo nível que o réu. Ele ocupa uma posição superior, e a pessoa julgada uma inferior. Ela não consegue evitar sentir-se ressentida diante da negação do seu status como um igual na família.

A criança está em igualdade com seus pais? Em conhecimento, maturidade e responsabilidade, obviamente não. Mas no sentido de que seus sentimentos são tão importantes quanto os dos adultos, ela é igual. É característico de uma relação de amor que os sentimentos da pessoa amada sejam tão importantes para nós quanto são para ela. Se o sentimento de igualdade não está presente, a relação toma-se de senhor e servo. Relações como essa podem conter fortes sentimentos de amor, mas não são amorosas.

Outra relação que degenerou numa situação de *status* superior e inferior é aquele entre professor e aluno. Por definição, educar significa orientar ou guiar alguém. O professor deveria orientar seus alunos para o caminho do aprendizado e do conhecimento, e não forçá-los ou dirigi-los com ameaças e punições. Uma vez que não temos fé real em nosso sistema educacional, temos de nos basear num sistema de recompensas e castigos para motivá-los. Isso obriga o professor a julgar as reações dos estudantes e transforma uma relação que deveria ser de amizade em uma relação de poder. Não precisamos olhar muito longe para entender por que quase todos os estudantes odeiam a escola.

Estamos começando a entender que as escolas não precisam ser conduzidas como instituições penais. Seguindo o exemplo da Inglaterra, nos Estados Unidos estamos explorando a possibilidade de salas de aula abertas, onde as crianças são livres para ir de uma atividade ou mesa para outra de acordo com seu interesse. Como não há um currículo rígido, a disciplina não é necessária. E como as crianças livres têm interesse em aprender o que querem saber, todo o sistema de recompensas e castigos é desnecessário. Estudos já mostraram claramente que as salas de aula abertas são um recurso educativo mais eficaz que a situação da sala de aula rígida, controlada e disciplinada. Mas também importante é o fato de que esse novo procedimento restabelece a relação natural entre professor e alunos como iguais e amigos na aventura compartilhada de aprender.

Se o ato de julgar aliena quem está sendo julgado, tem efeito similar sobre o juiz. Se quiser estabelecer regras, este precisa deixar de lado sua compreensão empática, que o identificaria com quem está sendo julgado. Tem de se basear em leis já formuladas para tomar sua decisão. Teoricamente, não deveria permitir que sentimentos pessoais afetassem essa decisão. Gostamos de pensar que um juiz, num tribunal, é capaz de assumir uma atitude objetiva; mas não se deve esperar essa mesma objetividade dos pais. Pais objetivos são impessoais e distantes; deixam de ser pais de verdade. A criança, como Marta observou, se sente perdida. Por outro lado, se os sentimentos pessoais entram no julgamento, o procedimento é uma farsa e uma ilusão.

A grande ilusão no jogo que os pais fazem com as crianças é querer ser amorosos e objetivos ou envolvidos e distantes ao mesmo tempo. Essa pretensão lhes permite negar os próprios sentimentos quando poderia ser inconveniente admiti-los. Então acusam a criança de não seguir as regras quando as ações dela são uma reação à hostilidade dos pais. Ou podem ser teimosos e não condescendentes com o choro da criança porque este os irrita e justificar seu comportamento como disciplina e firmeza. Negarão o prazer de uma criança por inveja (passaram por isso quando crianças) e se orgulharão de não estar mimando o filho.

Os pais enganam a si mesmos nesse jogo, pois muitos de fato acreditam que estão fazendo o melhor para a criança. Creem na disciplina e na punição como a única forma de criar um filho, embora possam ter certas dúvidas quanto ao seu valor. Contudo, acreditar que impor um castigo doloroso a uma criança terá um efeito positivo em sua personalidade é uma forma de autoengano. Uma punição eficaz produz medo, o que pode fazer que a criança se torne submissa, mas nunca mais amorosa. Os pais também já foram crianças e estiveram sujeitos a essas manipulações. Por que esqueceram? Para responder a essa pergunta, precisamos examinar o que acontece à criança tratada dessa maneira.

As crianças não têm a escolha de aceitar ou rejeitar as ilusões impostas pelos pais. Não são agentes independentes. O amor e a aprovação parentais são uma questão de vida ou morte para elas. A maioria das crianças passa por um período de rebeldia, como Marta fez, lutando pela compreensão de que tão desesperadamente necessitava. Infelizmente, suas lutas só servem para distanciar seus pais ainda mais. Passam a ser vistas como monstros ou loucas ou selvagens. São forçadas a consentir, o que significa que finalmente aceitarão a ideia de que é preciso merecer o amor e o prazer. Passarão a acreditar que não foram amadas porque não mereciam.

"Se é assim que se joga o jogo da vida", a criança pensa, "vou me sujeitar às regras e jogar". A criança observa que o mesmo jogo acontece em outras famílias. Inclusive adota a linguagem dos pais como parte do próprio jogo. Pode-se ouvir uma criança dizer a outra: "Você é uma menina malvada. A mamãe não gosta de você". Ou "Você é desobediente e tem de ir pro castigo". Quando toma a decisão de fazer o jogo, a criança deve suprimir seus sentimentos negativos e hostis. A supressão nunca é cem por cento eficaz, e até mesmo na criança mais obediente há explosões ocasionais de ressentimento. Isso corrobora a visão dos pais de que toda criança tem um lado mau que deve ser refreado.

A criança que foi obrigada a renunciar ao seu direito inato e participar do jogo foi levada a fazer um mau negócio. Não importa o que faça, não poderá vencer. Não importa quanto se esforce, nunca conseguirá o amor e a aceitação de que necessita. Recordemos que a mãe de Marta não ficou satisfeita quando sua filha tirou 9,5. Ela exigia perfeição. Os pais que fazem o jogo exigem o impossível. Sua motivação inconsciente é transferir a culpa que têm por não serem pais amorosos. E a criança aceitará a culpa para alimentar a ilusão de que ainda é possível obter o amor deles.

Toda pessoa deprimida está num dilema. Parte dela diz: "Lute, aguente, é sua única chance". A outra diz: "Desista, você não tem a menor chance". Contudo, como é que ela pode desistir quando o resultado parece ser o abandono e a morte? Mas, se não desistir, gastará suas energias numa luta que já estava perdida antes de começar — e o resultado inevitável é a depressão e a morte.

O oposto de disciplina não é permissividade. Quando essa palavra é usada em relação à educação das crianças, me causa aversão. Pais permissivos são confusos; têm dúvidas quanto ao uso da disciplina, mas não conhecem nada para substituí-la. Ainda se mantêm como figuras de autoridade, visto que estão sendo permissivos. Se o disciplinador severo pode ser visto como um tirano, o permissivo é um déspota benevolente. Pode, de fato, ser um governante fraco cuja permissividade é um reflexo de sua incompetência. Seu filho entenderá o verdadeiro estado das coisas e reagirá de acordo. Os pais confusos ou fracos serão testados e desafiados, pois a criança quer saber exatamente onde se encontra.

A permissividade nega a verdade básica de que a criança nasceu com certos direitos naturais ou dados por Deus: o direito de ser amada pelo que é e por ser quem é, o direito de procurar prazer onde possa encontrá-lo, pois o prazer é a faísca que mantém funcionando o motor da vida, e o direito de expressar seus sentimentos. Todos desejamos os mesmos direitos para nós mesmos, mas se os negamos a nós mesmos, os negaremos aos nossos filhos. Não compete aos pais outorgar ou retirar esses direitos. Permitir a uma criança que seja ela mesma e expresse seus sentimentos implica que se pode retirar essa permissão. É possível privá-la desses direitos, mas isso só pode ser feito usando o poder que os pais têm diante do estado indefeso do bebê ou da dependência da criança pequena.

Permissividade não equivale a amor. Uma criança criada num lar permissivo pode ser tão carente quanto a de um lar autoritário e disciplinador. Pode sofrer as mesmas inseguranças e ter de lutar contra a mesma falta de compreensão dos pais. Contudo, terá mais dificuldade para fazer o jogo, pois suas regras são vagas e confusas. Apesar do liberalismo expressado pelos pais, ainda se espera que ela vá bem na escola, que se comporte bem e que escute. Ela não terá de fazer tanto esforço para conseguir esses objetivos como a criança disciplinada, e seu fracasso provocará a desaprovação dos pais, aberta ou velada. Pode-se prever que ela tirará vantagem da atitude permissiva em casa para se engajar em movimentos de protesto e rebeldia. Talvez seja facilmente atraída para as drogas. Esse caminho também não leva a parte alguma, e, ao não encontrar em nenhum lugar a fé de que precisa para viver, ela ficará deprimida.

O problema com a permissividade é que não se trata de uma atitude positiva, mas negativa. Pais e professores permissivos rejeitaram a conduta da disciplina severa tanto em sua vida pessoal como em suas relações com os outros, mas não a substituíram por uma moralidade interna que forneceria a segurança e a ordem necessárias para a verdadeira liberdade. Adotaram a filosofia do "vale tudo", que na prática transforma-se em "nada funciona". O pai permissivo está tão confuso sobre si mesmo como sobre sua relação com o filho. Em sua rebeldia contra a rigidez do moralismo vitoriano, com sua aceitação de um padrão duplo, abandonou toda moralidade. Não é de surpreender, portanto, que seu mundo desabe.

Nem a permissividade nem a disciplina rígida são respostas para os difíceis tempos atuais. Uma vez que a ênfase da psicologia moderna é no indivíduo, a responsabilidade pela ordem e moralidade também deve recair sobre cada um de nós. A autodisciplina precisa substituir a antiga disciplina autoritária. Isso está de acordo com a autopercepção e a autoexpressão que necessariamente incluem conceitos como autocontrole e domínio de si. Os pais que exercitam a autodisciplina encorajam os filhos a desenvolver essa mesma função, permitindo que a criança tenha cada vez mais responsabilidade pela satisfação de suas necessidades. O conceito subjacente é o de autorregulação, que começa na primeiríssima infância com a chamada amamentação por demanda. A criança que é autorregulada ganha confiança no próprio corpo e em suas funções corporais. Torna-se uma pessoa introdirigida e capaz de autodisciplina.

A autodisciplina difere da permissividade em importantes aspectos. Não representa um abandono das responsabilidades parentais, o que geralmente acontece com pais permissivos. Ao contrário, aqueles que acreditam na autorregulação têm a responsabilidade de estar "lá" para a criança sempre que ela precisar. Isso é especialmente verdade quando a mãe a amamenta no seio. Um comportamento responsável como esse é de realização, e não de permissividade. Outra diferença reside na natureza das funções envolvidas. A autorregulação está primordialmente relacionada com as funções do corpo: à criança é permitido determinar quando e o que comer dentro dos limites do alimento disponível. Ela determina quando e por quanto tempo ficará no colo dentro do tempo disponível da mãe; não é forçada a desenvolver o controle do esfíncter sobre suas funções excretoras até que esteja física e fisiologicamente preparada, o que acontece entre os 2 anos e meio e os 3. A autorregulação aceita uma criança como ela é, um organismo animal novo; permite que ela seja o que é, um indivíduo único; não endossa a filosofia do "vale tudo".

Autorregulação não significa que os pais não devam colocar certas regras ou estabelecer limites para as ações da criança. Uma postura como essa levaria ao caos. A criança procura nos pais liderança e direção. As regras e os limites são necessários para que ela saiba onde está pisando. Mas as regras não devem ser rígidas nem os limites inflexíveis, uma vez que se destinam a lhe fornecer segurança, e não a negar sua liberdade. Acima de tudo, as regras não podem ser arbitrárias; devem manter uma relação direta com a maneira como seus pais vivem — isto é, estes devem seguir as mesmas regras básicas que impõem aos filhos. É impossível que haja uma medida para os pais, que têm poder, e outra para os filhos, que não têm.

Se os pais têm fé na sua forma de vida e se esta se baseia na fé, suas regras e limites refletirão essa fé. Isso nos leva á definição de fé, que discutirei no próximo capítulo. Aqui, direi simplesmente que todo ato baseado na fé é uma manifestação de amor e que todo ato de amor é uma expressão de fé. As crianças são conscientes desses importantes valores e os respeitam, uma vez que são essenciais para seu crescimento emocional.

Os pais amorosos não são nem permissivos nem disciplinadores. Poderiam ser descritos como compreensivos. Compreendem a necessidade da criança de aceitação e amor incondicional. Também compreendem que não é uma questão de palavras, mas de sentimentos expressados em ação. A criança precisa de intimidade física com ambos os pais. Precisa de contato corporal, sobretudo na primeira infância — necessita ser segurada, abraçada e que brinquem com ela. Essa necessidade deve ser suprida primeiramente pela mãe, mas o papel do pai em proporcionar contato corporal, embora secundário, não deve ser negligenciado.

Uma mãe amorosa é aquela que dá de si mesma, seu tempo, sua atenção, seu interesse. Por causa de seu amor, não reclama do tempo gasto com a criança nem se ressente de que ela exija sua atenção. Quando um paciente diz: "De que adianta procurar? Minha mãe nunca estava lá", quer dizer que ela não estava lá *para ele*. Sua atenção e seu interesse residiam em outro lugar. Para saber quanto amor a mãe tem pelo filho, basta saber quanto tempo ela gasta com ele e quanto prazer isso lhe dá. O prazer que a mãe tem com o filho é exatamente igual ao prazer que o filho tem com a mãe.

Esse princípio de reciprocidade é a base de todas as relações amorosas verdadeiras. O amor se baseia no prazer compartilhado. O prazer de um aumenta o prazer do outro até que o sentimento entre elas seja de alegria. É assim que uma relação entre mãe e filho deve ser. Perde essa alegria quando a mãe manipula a criança para seus próprios fins egoístas e egoicos.

Pais amorosos querem ver seus filhos felizes. Isso é o mais importante para eles. Querem que seus filhos aproveitem a vida, e com o melhor de si mesmos tentarão propiciar os prazeres que eles procuram. Essa atitude e os sentimentos que a acompanham dão à criança fé na vida — primeiro, fé em seus pais; depois, fé em si mesma e, finalmente, fé no mundo. Os pais podem fazer isso pelos filhos se eles próprios tiverem fé. Mas poucas pessoas têm: nossa cultura a enfraquece. Falamos de amor, mas veneramos o poder. Nem sequer temos fé no poder do amor.

7. Fé

A IMPORTÂNCIA DA FÉ

Até que ponto a fé é importante? O ser humano consegue viver e sobreviver sem ela? Estas são perguntas que merecem grande atenção, uma vez que a sobrevivência do ser humano é permeada de dúvidas e sua vida não está livre do desespero. Mas o que é fé? Como todas as palavras, ela pode ser usada sem peso. É tão fácil dizer: "Você deve ter fé". É como dizer: "Você deve amar". Contudo, um momento de reflexão nos faz compreender que nem as palavras nem as afirmações podem trazer essas características essenciais à nossa vida.

Em diversas ocasiões, eu disse a pacientes meus que eles não tinham fé. Era uma observação impulsiva, quase sempre feita quando a reação deles ao esforço terapêutico parecia irracionalmente negativa. Mas, tendo feito a observação, eu imediatamente desconfiava dela. O que eu queria dizer? Fé em mim? Fé na minha capacidade de ajudar? Fé em que o trabalho terapêutico seria bem-sucedido? Isso, eu sabia, eu não tinha o direito de esperar. Então, fé em quê? Eu não tinha resposta. Os psiquiatras geralmente não pensam em termos religiosos e eu, em especial, relutava muito em fazê-lo. Teria evitado a palavra se ela não tivesse surgido espontaneamente durante meu estudo da natureza da depressão.

Minhas ideias sobre a depressão tomaram corpo no meu trabalho com os pacientes deprimidos. Seu principal interesse, claro, era superar o problema que havia paralisado sua vida. Para ajudá-los a recuperar a capacidade de prazer, que é gravemente diminuída no estado depressivo, a questão da fé ou a sua falta parecia irrelevante. Eu precisava compreender, e os pacientes precisavam enxergar, os conflitos emocionais que estavam bloqueando o fluxo de seus sentimentos. Precisavam sentir e liberar as tensões musculares crônicas em seu corpo que restringiam sua respiração e limitavam sua mobilidade. Geralmente, o trabalho terapêutico consistente nessa linha, que ajudava a acessar as fontes emocionais da vida, tirava o paciente de seu estado depressivo. E, na maioria dos casos, também criava uma defesa bastante estável contra a tendência comum de recaídas. Meus pacientes recuperados nunca falaram de ter encontrado uma fé com a qual viver. Olhando para trás, contudo, era bastante claro que eles haviam feito isso.

Quanto mais eu pensava no problema da depressão, mais eu me convencia de que a questão da fé era importante para compreendê-lo. No início, eu não tinha uma concepção definida do que seria fé. As pessoas parecem ter várias fés diferentes; mas, apesar das diferenças, aquele que tem fé não fica deprimido. Enquanto sua fé for forte e ativa, o manterá avançando na vida, que é o que o indivíduo deprimido não consegue fazer. Fui forçado a concluir que o paciente deprimido é uma pessoa sem fé. Ele não pensa em si mesmo dessa maneira e eu não o vejo por esse prisma. Como psiquiatra, eu o vejo como alguém que padece um transtorno, alguém cujo funcionamento como ser humano está perturbado tanto no nível psicológico como no físico. No entanto, continua sendo verdade que há uma íntima relação entre seu transtorno e a perda da fé.

A importância dessa relação torna-se evidente quando percebemos que estamos testemunhando, por um lado, um aumento da incidência da depressão e, por outro, uma correspondente desilusão e perda de fé. Não acredito que seja necessário documentar o nível crescente de transtornos depressivos. Todo psiquiatra, médico ou terapeuta sabe como eles são comuns. Quando compreendemos que a ansiedade e a depressão fazem parte de uma mesma síndrome e quando pensamos nas drogas tão amplamente usadas para combater esses estados (tranquilizantes, antidepressivos, sedativos e remédios para dormir), temos uma ideia de sua ubiquidade. A busca frenética de diversão e as constantes demandas de estímulos que vemos na população em geral corroboram essa observação.

Quanto à desilusão e à perda de fé, basta conversar com as pessoas para compreender quanto o desencantamento com o mundo está difundido. Quem mais o expressa são os jovens. Nos seus escritos, nos seus protestos e no seu uso de drogas, eles nos revelam a pouca fé que têm no futuro desta cultura. Mas os mais velhos partilham de muitas das mesmas apreensões. Veem uma deterioração constante dos valores morais, um enfraquecimento progressivo dos vínculos religiosos e comunitários que unem um ser humano ao bem-estar de outro, um declínio da espiritualidade, que acompanha uma ênfase cada vez maior no dinheiro ou no poder, e se perguntam: "Onde esse mundo vai parar?" O senso comum nos mostraria que a maioria das pessoas sente que estes são tempos deprimentes. E, de fato, são.

São deprimentes não por serem difíceis, mas porque nossa fé vem sendo minada aos poucos. As pessoas já viveram tempos mais difíceis sem ficar deprimidas. Os pioneiros que aportaram nas praias desertas da Nova Inglaterra há mais de três séculos enfrentaram dificuldades muito maiores que as atuais, mas não ficavam deprimidos. Se você disser: "Sua fé os sustentava", é o que estou tentando mostrar. Os pioneiros norte-americanos que atravessaram o país em carroças cobertas de lona não ficavam deprimidos. Os judeus que lutaram e sobreviveram nos guetos do Leste Europeu tinham uma fé que os sustentava mesmo nos *pogroms* e na perseguição. Os gregos sob a dominação turca estavam oprimidos, mas não deprimidos. Eles, também, não haviam perdido sua fé no futuro.

Quando perdem a fé, as pessoas parecem perder também o desejo e o impulso de se lançar na vida, de crescer e de lutar. Sentem que não há nada para buscar, nada por que lutar. E, como os meus pacientes deprimidos, sua atitude extrema é: "Para quê?" Essa perda foi experimentada por muitos povos originários cuja cultura foi minada pela civilização branca. À medida que sua fé em sua forma de vida enfraquecia, eles pareciam desistir, se retrair e, não raro, entregar-se ao álcool. O sentimento de entusiasmo se extinguia de sua vida, a chama vital em seu corpo diminuía. Para sobreviver, tinham de encontrar uma nova fé, o que muitos fizeram. Portanto, em certo sentido foi uma sorte que os conquistadores tenham trazido missionários. Pois aqueles sem fé se arruinaram.

Acredito que pouco importa que deus as pessoas veneram, que crenças têm, contanto que sua fé seja profunda. O poder sustentador da fé não está no seu conteúdo, mas na própria natureza da fé. Isso fica claro quando examinamos alguns exemplos simples.

Uma brincadeira comum entre pais e filhos envolve a questão da fé ou confiança. O pai coloca a criança em um lugar alto e lhe diz que pule em seus braços abertos. A criança salta e é pega, então grita com prazer e pede para brincar de novo. Se a brincadeira for feita por muito tempo, perde parte da excitação para a criança, que então já sabe que seu pai estará lá para segurá-la. No início, porém, não há um conhecimento seguro, e a criança salta com fé. Há, claramente, um momento de pânico quando ela renuncia à sua segurança e se sente caindo. O medo da queda é uma das ansiedades mais profundas da humanidade. Mas o pânico é momentâneo, pois a criança logo está sã e salva nos braços do pai. A liberação do pânico implica uma sensação de alegria — além de confirmar que sua fé é justificada, o que fortalece esse sentimento. Imagine as consequências catastróficas para a criança se o pai deliberadamente a deixasse cair e se machucar.

Um jogo parecido também é feito em grupos com o claro propósito de ensinar alguém a confiar nos outros. Pede-se a cada participante, alternadamente, para fechar os olhos e se deixar cair para trás com a certeza de que a pessoa que está atrás dele vai segurá-lo antes de ele cair. Isso evidentemente acontece, e muitas pessoas ganham certa segurança com essa experiência. No entanto, duvido que contribua de fato para promover a fé de alguém. Os participantes sabem que serão segurados, uma vez que a regra do jogo é não deixar ninguém cair. Nele, o conhecimento precede o acontecimento e, assim, tira do exercício grande parte de seu valor como teste de fé. Não se aprende a confiar na sinceridade do outro, mas sim nas regras do jogo. Seguir as regras é um caminho seguro e certo para não se machucar; não é, no entanto, o caminho para o prazer ou a fé na vida.

Os psiquiatras achariam mais fácil aceitar a palavra "confiança" em vez de "fé" para descrever a relação entre as pessoas nesses jogos. Embora esses dois termos sejam usados quase como sinônimos, a palavra "fé" tem uma implicação religiosa que não está associada com o conceito de confiança. Para muitos psiquiatras, essa implicação religiosa parece introduzir um fator místico que não pode ser estudado, controlado por meios objetivos ou explicado por princípios racionais e científicos. Sua relutância em empregar o termo é, portanto, compreensível. Mas essa relutância, tão evidente em Freud e em outros autores psicanalistas, não deve nos impedir de examinar o papel exercido pela fé na vida dos seres humanos.

Se tentarmos compreender a condição humana em termos de conceitos científicos e objetivos, deixaremos de considerar todo um campo da experiência humana que, por sua significação subjetiva, afeta profundamente o comportamento. A relação de um ser humano com outro, de um ser humano com seu ambiente e do ser humano com o universo pertence a esse campo. A religião surgiu da necessidade de compreender essas relações, e não podemos ignorá-las só porque têm uma conotação religiosa. Não precisamos ter medo de tal conotação se não nos obrigarmos a aceitar os dogmas de uma religião específica. Para tentar compreender a relação do ser humano consigo mesmo e com seu mundo, não devemos deixar de lado o conceito de fé.

A fé pertence a um tipo de experiência diferente do conhecimento. É mais profunda que este, já que costuma precedê-lo como base para a ação e continua a afetar o comportamento mesmo quando seu conteúdo é negado pelo conhecimento objetivo. A oração é um bom exemplo. Muitas pessoas rezaram para que a guerra no Vietnã acabasse logo ou para que alguém querido voltasse vivo ou se recuperasse de alguma doença ou ferimento. Mas a maioria dos que rezavam sabiam que a oração seria ineficaz para alcançar o objetivo desejado. Porém, esse conhecimento não os detinha, pois a oração era uma expressão de sua fé. Sentiam que essa expressão tinha um efeito positivo e que através dela eram mais capazes de seguir em frente. Rezar não é necessariamente acreditar numa divindade onipotente. O poder da oração está na fé daquele que reza. Costuma-se dizer que a fé move montanhas. Veremos que há boas razões para essa crença.

A oração não é a única forma de exprimir fé. Um ato de amor é uma expressão de fé, talvez a mais sincera que se pode fazer. No ato de amor, abre-se o coração para o outro e para o mundo. Uma ação como essa, preenchendo a pessoa com uma alegria indescritível, também a torna vulnerável a uma dor profunda. Isso, portanto, só pode ser feito se ela tiver fé na humanidade comum a todo ser humano e na natureza comum a todas as coisas vivas. Aquele que não tem fé não pode amar e aquele que não pode amar não tem fé.

Na verdade, quando examinamos as condições da vida, percebemos que a fé está envolvida em quase todas as nossas ações cotidianas. Vejamos o caso do agricultor que cultiva a terra e semeia seu campo. Ele não tem o conhecimento absoluto de que isso produzirá uma colheita. Muitas vezes, toda uma semeadura é perdida. Ele age tanto com fé quanto com conhecimento, e isso é ainda mais verdadeiro em relação ao homem primitivo, cujo domínio da agricultura era extremamente limitado. Pode-se dizer que sua fé se baseava na experiência — na sua experiência pessoal e na de outros agricultores ao longo do tempo. A experiência é um fator importante; ela pode aumentar ou diminuir a fé. Contudo, não acredito que ela explique a natureza do fenômenos, a menos que se pense na experiência em termos que transcendem a existência individual.

Ao contemplarmos as complexidades da vida social e a interdependência das pessoas, chegaremos à conclusão de que a ordem social seria impossível sem fé. A mãe tem fé em que seu filho pequeno ficará bem na escola, o trabalhador tem fé em que o dinheiro que ganha comprará os produtos de que necessita, o paciente tem fé em que seu médico fará o melhor para ele. Nas ocasiões em que isso não acontece, ficamos profundamente chocados. Os seres humanos têm vivido em comunidades sociais por milênios, e com essa longa experiência da espécie adquiriram fé no esforço cooperativo. Se ela desaparecer, rumaremos para o caos. Apesar destes tempos conturbados, a maioria das pessoas tem uma fé interior em que as coisas ficarão bem no final. Acredito que é essa fé nos processos ordenados da vida que mantém as pessoas em suas atividades cotidianas.

Sem alguma fé em que o esforço será recompensado, não haveria motivação para agir. A necessidade não basta como incentivo. Meus pacientes depressivos têm a mesma necessidade de viver que os demais, mas isso não consegue mobilizá-los. Eles desistiram; na verdade, perderam a fé e se resignaram a morrer.

A íntima relação entre a perda da fé e a morte torna-se clara em situações de crise. Em questões de vida ou morte a força da fé pode ser o fator decisivo que faz que um ser humano sobreviva e outro morra. Um extraordinário teste de fé aconteceu nos campos de concentração na Alemanha nazista. Para quem não esteve lá, pareceu um milagre que alguém tenha sobrevivido àquele horror. Entretanto, muitos sobreviveram, e entre eles estava o psiquiatra austríaco Victor Frankel. Observando seus companheiros, ele chegou à conclusão de que os únicos que sobreviveram foram aqueles para quem a vida tinha um significado. Os que não tinham essa crença desistiram e morreram. Perderam a vontade de lutar diante da tortura, crueldade, traição, privação e degradação.

Quando li o livro de Frankel pela primeira vez, achei essa explicação insuficiente. Pode-se facilmente argumentar que os mais fortes sobreviveram e os mais fracos morreram. Eram mais fortes porque sentiam que a vida tinha um significado para eles ou encontraram um significado *porque* eram fortes? Hoje penso que é desnecessário discutir isso. As duas posições são igualmente válidas. As pessoas fortes têm fé e as pessoas que têm fé são fortes. Essa dualidade não *pode* ser separada, pois uma é o reflexo da outra. A fé de um indivíduo é uma expressão de sua vitalidade intrínseca como ser humano, assim como sua vitalidade é uma medida de sua fé na vida. Ambas dependem da operação de processos biológicos dentro do organismo. Antoine de Saint-Exupéry descreveu uma situação semelhante de crise no seu delicioso livro *Wind, sand and stars*[27]. Seu avião caiu no deserto durante uma batalha noturna na qual havia sido atingido. Ele e seu mecânico estavam perdidos e a queda destruiu praticamente toda sua água e mantimentos. Tinham para dividir um quarto de litro de vinho, meio litro de café, algumas uvas e duas laranjas. Durante três dias exploraram o deserto perto do avião esperando ser resgatados. No quarto dia, "açoitados pela sede", abandonaram o avião e partiram, sabendo que poderiam sobreviver no máximo dezenove horas sem água no deserto.

Partiram sem esperança de ser resgatados e, de fato, não tinham motivos para tê-la. Mas nos dois dias seguintes, embora estivessem totalmente queimados pelo sol, conseguiram andar quase duzentos quilômetros. O que os sustentou, disse Saint-Exupéry, foi o pensamento de que, em casa, as pessoas que amavam estavam sofrendo ainda mais do que eles. Grande parte do tempo estavam anestesiados demais para sentir alguma coisa, mas uma força vinda de uma fonte mais profunda que não saberiam descrever os fez continuar enquanto conseguissem respirar e dar mais um passo. Eu descreveria tal fonte como fé na vida. Enquanto essa fé persiste, não se desiste. Ao ler a história de Saint-Exupéry, senti que essa fé caracteriza esse homem. Está sempre presente em sua escrita.

Tanto para o indivíduo como para a sociedade, a fé é a força que sustenta a vida e permite continuar avançando e crescendo. Assim, é a força que relaciona o ser humano com o futuro. A fé nos permite ter certa confiança no futuro, mesmo que às vezes esta pareça não manter a promessa de que nossas aspirações, esperanças ou sonhos serão realizados. Contudo, o essencial para a fé não é o vínculo com um futuro pessoal. A história está repleta de exemplos de pessoas que sacrificaram seu futuro individual para apoiar sua fé. Homens morreram em vez de negá-la. Isso só pode indicar que, para eles, a sobrevivência em uma vida sem fé não teria valor.

PODER *VERSUS* FÉ

Como a fé pode ter um valor maior que a vida? Essa aparente contradição só pode ser resolvida se aceitarmos a ideia de que uma vida individual não está em questão. Um indivíduo pode escolher sacrificar sua vida pelo bem de outros ou pela humanidade. Se temos fé, é a vida em geral que considerações preciosa. Por causa dessa reverência à vida, lutaremos sem descanso para salvar a vida de um indivíduo, inclusive a de um animal. Se perdemos o sentido de que toda vida é preciosa, renunciamos à nossa humanidade, com o resultado inevitável de que nossa vida fica vazia e sem sentido.

Contudo, em nome da fé (religiosa, nacional ou política) as pessoas travaram guerras, destruindo vidas e violando a natureza. Um comportamento tão estranho requer uma explicação que devemos procurar na própria estrutura da fé. O fato é que ela tem dois aspectos, um consciente e outro inconsciente. O aspecto consciente é conceituado como uma série de crenças ou dogmas. O aspecto inconsciente implica uma sensação de confiança ou fé na vida que está por trás dos dogmas, dando à imagem vitalidade e significado. Sem entender essa relação, as pessoas consideram o dogma a fonte de sua fé. Sentem-se impelidas a defendê-lo de qualquer crítica.

Todos os dogmas têm um caráter provinciano, isto é, surgem da experiência particular da história de um povo. Representam a tentativa da mente inquisitiva do ser humano de dar significado às suas experiências e, no processo, estruturar as futuras experiências das pessoas de acordo com esse significado. Uma vez que o desenvolvimento histórico de todos os povos em sua evolução do estado animal para o estado humano de cultura, independentemente do nível em que se encontra, seguiu um caminho parecido — isto é, a elaboração da linguagem, o uso do fogo na cozinha, o emprego de ferramentas e armas e assim por diante —, seus dogmas, mitos e crenças têm muito em comum. Têm também diversos pontos divergentes que refletem a história particular do grupo e seu estágio de desenvolvimento cultural. Infelizmente, cada povo identifica sua fé com seu dogma particular, quase sempre dando ênfase excessiva às diferenças. Aqueles que têm outros dogmas são considerados seres sem uma fé verdadeira e, portanto, vistos como menos humanos. Uma atitude como essa parece justificar a destrutividade de certos povos contra outros.

Mas, embora as diferenças de fé possam ser usadas como justificativa e racionalização para guerras e conquistas, não acredito que essa seja a motivação real. Esta deve ser buscada na luta pelo poder. Poucas pessoas depositam toda a sua confiança na fé, como faz, por exemplo, um animal. Todo animal selvagem vive com a fé de que amanhã suprirá as necessidades para sua sobrevivência. Vai dormir toda noite sem ansiedade sobre o futuro. Um animal, claro, não sabe que o futuro pode trazer um desastre. Ele vive sobretudo no tempo presente. Sua consciência não abrange o passado ou o futuro, exceto em nível muito limitado. Sua fé também não é consciente, mas uma expressão das forças vitais. Nós, seres humanos, com nossa compreensão do tempo, da mortalidade, da doença e da insegurança, não podemos depender apenas da fé para assegurar nossa sobrevivência. Devemos fazer provisões para o futuro. Não são para nós as palavras de Jesus: "Os lírios do campo não trabalham; e, no entanto, eu cuido deles". Nós exigimos a afirmação da segurança, que, acreditamos, pode ser encontrada no poder. Quanto mais poder temos, mais seguros parecemos nos sentir.

Aqueles que depositam sua confiança no poder nunca parecem ter o suficiente para estar cem por cento seguros. Isso porque não existe segurança completa. E nosso poder sobre a natureza ou sobre nosso corpo é limitado ao extremo. Hitler procurou dominar o mundo com seu poder e criar um Terceiro Reich, que duraria mil anos. Seu sonho veio abaixo em doze. A confiança no poder para garantir segurança é uma ilusão que corrói a verdadeira fé na vida e inevitavelmente leva à destruição. Além do fato de que jamais se pode ter poder suficiente, há também a possibilidade de perdê-lo. Ao contrário da fé, o poder é uma força impessoal, e não uma parte do próprio ser. Está sujeito à apropriação por outros indivíduos ou nações. Uma vez que as pessoas cobiçam o poder, aquele que o possui é invejado. Entre outras coisas, ele não pode descansar em paz, porque sabe que os outros estarão eternamente tramando ou manipulando para usurpá-lo. Assim, o poder cria uma estranha contradição: enquanto parece propiciar um grau de segurança externa, também cria um estado de insegurança tanto no interior do indivíduo como na sua relação com os outros.

Se examinarmos o curso da história, o desenvolvimento óbvio de um povo ou nação começa com a fé, passa pelo poder e termina com o declínio. Vejamos o caso dos antigos hebreus, por exemplo. Quando deixaram o Egito, eram um povo pobre e sem poder, mas rico em fé. Essa fé lhes deu uma força que os sustentou através de suas peregrinações e das lutas contra as tribos que encontraram no deserto. Eles queriam o poder e a glória da nacionalidade, e sua fé permitiu que o conseguissem. Sua história depois de se instalarem na Palestina foi cheia de conflitos entre os apelos à fé e a cobiça do poder. À medida que seu poder aumentava, sua fé se corroía lentamente. Eles brigaram entre si e com seus vizinhos mais ou menos poderosos.

Esses vizinhos também se mostravam sedentos de poder. Era inevitável, portanto, que mais cedo ou mais tarde fossem vencidos por um novo poder ascendente baseado numa fé nova e mais forte. O fim surpreendente da história dos hebreus é que quando novamente ficaram sem poder e se espalharam pela Terra, sua fé ganhou um vigor renovado que os sustentou outra vez, em face de toda a adversidade, nos dois mil anos seguintes.

A história dos gregos antigos não é diferente. As cidades-estados nasceram da fé que os gregos tinham em si mesmos e em seu destino — uma fé claramente refletida em sua mitologia e nas lendas de Homero. Quando cresceram, adquiriram poder, o que permitiu que crescessem ainda mais. Mas enquanto a fé une, o poder divide. A luta pelo poder entre as grandes cidades-estados de Atenas e Esparta, que marcou a guerra do Peloponeso por mais de quarenta anos, destruiu a fé que anteriormente unia um grego a outro em ajuda mútua. Seu destino foi similar ao dos outros poderes, ser vencidos por um povo mais jovem — no sentido de que tinham uma fé não contaminada pelo longo exercício do poder.

Arnold Toynbee fez um estudo abrangente da ascensão e queda das civilizações levando em conta as forças complexas que agem nessas grandes aventuras do espírito humano. Quando se lê Toynbee, fica-se continuamente impressionado com sua ênfase no papel dos fatores espirituais no crescimento e no declínio das civilizações. No resumo de D. C. Somervell, encontra-se a seguinte frase: "Eles perderam a fé nas tradições de sua civilização". E, falando de nossa civilização, ele diz: "O declínio não é técnico, mas espiritual". Ao mesmo tempo, sentimos em Toynbee o reconhecimento implícito de que o poder de um povo contribui para a perda do seu potencial criativo. Essa interpretação é possível diante da seguinte frase:

> Temos visto, de fato, que quando, na história de uma sociedade, uma minoria criativa degenera em minoria dominante que tenta manter à força uma posição que deixou de merecer, essa mudança no caráter do elemento governante provoca, por outro lado, a secessão de um proletariado que não mais admira e imita seus governantes e se revolta contra sua servidão.

Toynbee mostra-a se claramente ciente de que a história não pode ser dissociada do estudo dos seres humanos, cuja história se examina. É a natureza humana que determina a história, e não o contrário. Se é verdade que o orgulho arrogante surge antes da queda de um indivíduo, também é verdade, como Toynbee assinala, que a autoidolatria de um povo é uma das causas de sua queda espiritual coletiva. Em termos psicológicos, isso significa que um ego inflado, seja pessoal ou nacional, precede e é responsável pela quebra da estrutura social tanto quanto da personalidade individual. É possível examinar os seres humanos do ponto de vista de sua história como povo ou examinar a história do ponto de vista da psicologia individual.

Em um livro anterior, mostrei que a busca do poder limita a experiência do prazer, que fornece a motivação e a energia para uma abordagem criativa da vida. O poder expande o ego, uma vez que engrandece o senso de controle, que é uma função normal do ego. Mas em indivíduos mais fracos a sensação de poder pode facilmente inflar o ego em excesso, dissociando dele os valores espirituais inerentes ao corpo. Estes incluem a sensação de união com outros seres humanos e com a natureza, o prazer da reação espontânea — base da atividade criativa — e a fé em si mesmo e na vida. Como esses valores são inerentes aos processos vitais, pertencem à esfera do corpo, e não à do ego.

Há uma antítese entre esses valores e os que pertencem à função do ego. Os valores do ego são individualidade, controle e conhecimento. Pelo conhecimento obtemos mais controle e nos tornamos mais individuais. Mas quando esses valores são aliados ao poder e dominam a personalidade, tornam-se dissociados dos valores espirituais do corpo. Isso transforma o que seria uma posição de ego saudável em patológica.

A antítese entre os valores do ego e os valores do corpo não precisa se tornar um antagonismo que culmine em cisão da personalidade. Por sua relação polarizada, os dois conjuntos de valores podem estimular e enriquecer a personalidade. Portanto, o ser humano que verdadeiramente é um indivíduo pode ser bem consciente da sua irmandade com seus semelhantes e da sua dependência da natureza e do universo. Seu controle refletirá seu domínio de si. Ele tem autocontrole; não é controlado como acontece com o indivíduo dominado pela neurose. E seus conhecimentos servem para fortalecer sua fé na vida, não para miná-la ou negá-la.

Em contato com seu corpo e seguro de sua fé, O indivíduo verdadeiro pode ter poder. Este não lhe subirá à cabeça, pois não tem um papel significante na sua vida pessoal. O indivíduo pode tê-lo ou não. Ele o usará sem abuso. Por outro lado, aquele que acredita no poder e se apoia nele se transformará num demagogo (ou semideus), que agirá apenas de maneira destrutiva, não criativa.

Hoje, o mundo está num estado perigoso e desesperado porque temos muito poder e pouca fé. Tal situação só poderá resultar em duas coisas. Muitas pessoas ficam deprimidas porque se sentem impotentes para realizar seus sonhos. Outras se tornam rebeldes e revolucionárias usando a violência para conseguir mais poder e endireitar o que consideram injustiças sociais. Sua violência é um antídoto para suas tendências depressivas. Elas ficariam deprimidas se abandonassem sua maneira violenta. Violência e depressão são duas reações à impotência. Uma terceira consequência é o uso de drogas e álcool. Quem usa drogas também combate a sensação de impotência com os efeitos narcóticos ou alucinógenos. No entanto, nenhum desses meios funciona. Nossa única salvação está na fé.

A PSICOLOGIA DA FÉ

O homem é considerado um animal que faz história. Isso significa que ele é consciente de seu passado e pensa sobre seu futuro. Sabe que é mortal (nenhum outro animal carrega esse fardo), mas também que tem raízes profundas na herança ou tradição de seu povo. Também está ligado ao futuro, que é a sua imortalidade, por saber que, através dele, essa herança será levada adiante. Ninguém pode viver apenas para si mesmo. Deve sentir que, o que quer que faça, por ínfimo que seja, contribuirá de alguma forma para o futuro de seu povo.

Todos os estudos de povos originários mostram que eles são extremamente conscientes de estar ligados à grande corrente da vida tribal. O conhecimento e as habilidades da tribo, que fornecem as ferramentas para sua sobrevivência, e suas tradições e mitos, que determinam seu lugar no esquema das coisas, são solenemente passados de geração a geração. Cada membro é uma ponte viva que liga o passado ao futuro. Enquanto essas duas bases estão seguras, a vida flui facilmente através e por sobre a ponte, dotando cada indivíduo de uma fé que dá significado à sua existência. Quando as ligações vitais da pessoa com o passado e com o futuro são cortadas, ela perde a fé em si mesma e no seu destino. Vimos que povos originários ficam deprimidos quando sua cultura é destruída. Como qualquer outra pessoa deprimida, esses indivíduos podem então começar a beber ou perder seu interesse e desejo de continuar.

Muitos aspectos de nossa cultura atual sugerem um paralelo com esse fenômeno. As tradições e costumes segundo os quais os ocidentais viveram durante séculos vêm perdendo influência. Em quase todas as áreas da vida, estão ocorrendo mudanças que fazem o passado parecer irrelevante. Hoje em dia, ninguém pode levar a vida que seus avós levavam. Com as facilidades dos tecnológicas e a rapidez das viagens a jato, isso é fisicamente impossível. Mas as mudanças também afetaram as relações humanas. Há uma dissolução dos laços familiares e uma moralidade sexual radicalmente nova. Até as formas de ganhar a vida são diferentes; por exemplo, houve uma grande diminuição no número de pessoas diretamente envolvidas na agricultura, há mais indivíduos trabalhando em serviços para a indústria do que em manufaturas, e surgiram novas profissões como assistente social, psicólogo e programador de computadores. Assim, os problemas que surgem para a nova geração são diferentes daqueles que seus antepassados enfrentaram — e, em consequência disso, a sabedoria do passado, cuidadosamente reunida ao longo dos anos, parece ou é inaplicável.

E quanto ao futuro? Obviamente, num mundo em que a mudança é a ordem do dia, o futuro mostra-se mais incerto que nunca. Os cientistas falam inclusive da questão da sobrevivência humana. René Dubos, do Instituto Rockefeller, acredita que talvez tenhamos não muito mais do que cem anos antes que se esgote nosso tempo na terra. Essa possibilidade não leva em conta o perigo de uma guerra nuclear, que carrega a ameaça de que a Terra se torne desabitada até mesmo antes disso.

O surpreendente nessa situação é que não haja mais indivíduos deprimidos. Uma das razões é que muitas pessoas, especialmente os mais velhos, têm uma forte fé pessoal derivada de suas experiências pessoais com a mãe e a família. Outras estão sustentadas por um otimismo baseado na crença no poder e na capacidade tecnológica da sociedade moderna. Seria lógico pensar que, se somos capazes de mandar um homem à lua, seremos capazes de qualquer coisa. Os acontecimentos futuros determinarão se esse otimismo é justificável. Já assinalei que a confiança no poder não equivale à fé na vida. O perigo na situação presente é que estamos perdendo nossa fé.

O mesmo processo que afundou nossa cultura no caos e corroeu toda a fé do passado também deu ao ser humano moderno uma nova visão de si mesmo: a ideia da sua onipotência. Até o século 20, sempre nos sentimos sujeitos a uma força mais elevada, fosse um Deus ou vários. Nunca tivemos a audácia ou os meios de desafiar a autoridade superior de uma Providência divina. Isso está mudando ou mudou para muitas de nós. Se Deus está morto ou não, não importa; ele está morto no pensamento moderno. Hoje, não mais se reconhece mais uma autoridade suprema. Acredita-se que a natureza é governada por leis físicas, e que se estas leis forem decifradas poderão ser controladas. É uma visão audaciosa, e a ciência parece continuar a fornecer ao ser humano meios para tanto. Essa visão não está limitada aos cientistas. A comunicação de massa alimenta o público com notícias de cada avanço em nossa busca de conhecimento. E muitas pessoas já pensam que estamos no caminho de eliminar a velhice e a morte.

Pode-se dizer, então, que o homem ganhou uma nova fé — na ciência ou na capacidade da mente pensante e inquisitiva para revelar todos os mistérios e superar todos os obstáculos? O fato é que muitos de fato acreditam na ciência e nessa possibilidade. Mas acreditar não é ter fé; uma crença está sujeita à verificação; a fé não a exige. Uma crença é produto da mente consciente, a verdadeira fé é um assunto do coração. Pode-se discutir as crenças de um indivíduo, mas não há como discutir a fé. As crenças por vezes constituem o conteúdo da fé, mas não são sua essência. Pode-se ter fé contra todas as crenças e essa fé sustentará a pessoa em seus momentos de crise.

Outro aspecto da nossa cultura mutável é o crescente isolamento e individualização das pessoas. Individualização e isolamento não são a mesma coisa, mas seguem caminhos paralelos. Na medida em que o ser humano se torna mais consciente de si mesmo como um ser único, desliga-se dos laços que o uniam à comunidade. Ele age assim quando tem mais poder à sua disposição: poder para se deslocar mais facilmente, para se comunicar a distâncias mais longas, para contratar serviços ou comprar o que necessita e assim por diante. Continua sendo tão dependente de sua comunidade quanto era o homem primitivo, mas não sente essa dependência. Não pensa em si mesmo como parte de uma ordem maior da qual depende a sua sobrevivência. Sabe que a comunidade está lá, mas a vê apenas como uma matriz para sua realização pessoal. Fomos ensinados a não matar a galinha dos ovos de ouro, mas também nos dizem que os ovos de ouro estão aí para ser apanhados. Em uma sociedade que promove a filosofia de cada um por si, o senso de comunidade não se configura como uma força potente.

Se cada indivíduo é um mundo em si mesmo, então ele tem o direito de acreditar que no seu mundo ele é deus. Ninguém pode lhe dizer o que pensar ou no que acreditar. Mas esses mundos pessoais têm pouquíssimo contato entre si. Comunicam formalidades e trivialidades, mas não sentimentos reais. Como ovos de galinha numa incubadora, cada um vive dentro da própria concha, sujeito a perigos comuns e partilhando das mesmas preocupações, mas sem relação uns com os outros. Não há isolamento maior do que o produzido pela sociedade de massa com sua confiança na tecnologia.

As condições da vida moderna criaram uma cultura de massa, uma sociedade de massa e um indivíduo de massa[28]. As pessoas são como feijões em um saco; só contam como quantidade. E, embora cada pessoa seja diferente numa sociedade de massa (assim como cada grão de feijão dentro do saco), não é verdadeiramente um indivíduo, porque não tem voz ativa sobre seu destino nem pode se responsabilizar por sua vida. Desde o momento do nascimento em um hospital de massa, sua vida é processada por um sistema estruturado nas instalações da educação de massa, da comunicação de massa, da viagem em massa e assim por diante. Os mecanismos desse sistema não permitem o exercício do juízo ou do gosto pessoal. Até a escolha dos bens produzidos em massa está condicionada à propaganda de massa.

A individualidade é uma função da autoexpressão; isto é, depende da capacidade de responder aos desafios da vida de maneira livre e plena. Entre os seres humanos, a autoexpressão não opera no vácuo. Cada ato de autoexpressão visa criar uma impressão e evocar uma resposta. Mas responsividade e responsabilidade pessoal não têm lugar numa sociedade de massa. Um recém-nascido chorando no berçário de um hospital não obtém resposta da mãe que está isolada em outro quarto. Um estudante se debatendo com um currículo que para ele é sem sentido obtém pouca resposta do sistema educacional. Os sistemas não têm a capacidade de responder às necessidades humanas, e é essa falta de responsividade que leva as pessoas a se engajarem em protestos de massa. Toda passeata ou manifestação de massa, independentemente de objetivo declarado, é, na verdade, um protesto contra as condições da vida de massa. É a única forma de expressão aberta a um indivíduo de massa em uma sociedade de massa.

A verdadeira individualidade só pode existir em uma comunidade em que cada membro é responsável pelo bem-estar do grupo e em que este é responsivo às necessidades de cada um de seus membros. Na comunidade, a individualidade de um ser humano é determinada pelo seu valor pessoal para o grupo. Na sociedade de massa, pelo poder de sua posição. Assim, a verdadeira individualidade é uma medida da participação da pessoa, e não um reflexo de seu isolamento. Na sociedade de massa, apenas o sistema é importante, já que qualquer pessoa pode ser substituída. E o indivíduo de massa, esteja ele na base ou no topo da pirâmide social, só é importante para si mesmo. Esse sistema força as pessoas a se tornarem egotistas, e seu principal esforço é dirigido para ganhar reconhecimento.

Afirmei que através da fé o passado se liga ao futuro, e o indivíduo, à comunidade. As comunidades foram formadas por pessoas com uma fé comum e se desintegraram quando esta se perdeu. Você consegue imaginar um grupo de egotistas tentando formar uma comunidade, com cada pessoa interessada apenas na sua importância e na própria imagem? Nenhuma comunidade jamais foi fundada com base no princípio de que sua única função era a promoção do bem-estar do indivíduo. A força que une as pessoas umas às outras não pode ser um interesse egoísta. Para ser eficaz, deve ser uma força que transcenda o *self* — ou ao menos esse aspecto estreito do *self* que é chamado de ego.

O apelo de toda religião é o sentimento de comunidade que ela cria. A pessoa religiosa se sente parte da comunidade humana, pertencente à comunidade da natureza e participante da comunidade de Deus ou do universo. E toda pessoa que se sente assim é religiosa, seja ou não membro de um grupo religioso. A força de todas as religiões está em quanto elas alimentam uma sensação de responsividade e responsabilidade em seus seguidores. Todas as religiões enfatizaram esse fator pessoal nas relações do indivíduo com outros indivíduos, com a natureza e com Deus. O resultado é que o espírito de comunidade é alimentado ao mesmo tempo que o senso de individualidade cresce. Da mesma forma, todo indivíduo que tem uma compreensão de sua responsividade e responsabilidade pessoal pode ser considerado religioso.

As instituições religiosas perdem a eficácia quando deixam de atender as necessidades de pertencer e de se expressar do ser humano. Nessa situação, surgem novos sistemas de pensamento com o objetivo de satisfazer tais necessidades. Podem não ser chamados de religiões, mas são como elas para aqueles que encontram ali um sentimento de comunidade e um senso de responsividade e responsabilidade. Para muitas pessoas, a experiência em grupo em terapia, sobretudo na análise bioenergética, que promove os valores espirituais do corpo, satisfaz essas necessidades. Num recente *workshop* para profissionais sobre análise bioenergética, um participante disse que achava que a terapia seria a religião do futuro. Ele queria dizer que a terapia e a religião têm em comum o objetivo de dar ao indivíduo um senso de pertencimento, identidade, capacidade de se expressar e fé na vida.

O egotismo e a fé são diametralmente opostos. O egotista está interessado apenas em sua imagem; a pessoa de fé está preocupada com a vida. O primeiro está voltado para a busca de poder, pois quanto mais poder ele tiver, maior a imagem que poderá projetar; a segunda está voltada para o prazer de viver, e o prazer que ela obtém é compartilhado com aqueles à sua volta. O egotismo é uma crença na magia da imagem, especialmente na palavra. Para o egotista, a imagem é tudo, sua única realidade. Ele acredita profundamente no poder da mente consciente e identifica o próprio ser com esses processos. A fé verdadeira implica um comprometimento com a vida do espírito — o espírito que reside no nosso corpo, manifestando-se nos sentimentos e se expressando nos movimentos do corpo.

Poucas pessoas podem ser caracterizadas como totalmente egotistas, mas em nossa sociedade encontramos mais indivíduos do lado do ego que da fé. Nossa cultura, nossa educação e nossas instituições sociais favorecem a posição egotista. A tônica atrás da maioria dos anúncios é o apelo ao ego. A educação promove a posição egotista pela ênfase exagerada no pensamento abstrato. Este tende a dissociar o indivíduo de seu ambiente, tanto humano como natural. Por óbvio, deu ao ser humano o imenso poder que ele possui, mas o fez à custa da fé.

Os perigos que enfrentamos nessa redução insidiosa de nossa fé são de dois tipos: para o indivíduo, apresenta a ameaça da depressão; para a sociedade, leva à desintegração das forças espirituais e comunitárias que imbuem as instituições sociais de significado e relevância para a vida humana. Ambos são perigos reais do nosso tempo, e a probabilidade é que essa situação piore.

Não podemos legislar sobre a fé, não podemos manufaturá-la nem ensiná-la. Decretos e leis apoiados pela polícia de um Estado podem forçar a submissão a dogmas, mas cada ato de submissão alimenta o fogo interno da rebelião, que inevitavelmente explodirá num cataclismo. Que não podemos fabricar fé nem é necessário explicar, uma vez que ninguém espera fé de uma máquina. Por outro lado, minha afirmação de que ela não pode ser ensinada talvez seja chocante. Parecemos acreditar firmemente no poder da educação, mas esta não foi concebida para alcançar o coração das pessoas. Seu objetivo é instruir a mente e, desse modo, pode alterar as crenças de um indivíduo sem afetar nem um pouco a sua fé.

Apesar da diferença entre acreditar e ter fé, os dois muitas vezes estão relacionados. Embora as crenças sejam produto do pensamento e a fé seja um sentimento próximo do amor, a cabeça e o coração não precisam estar separados. O que pensamos por vezes reflete diretamente o que sentimos, mas nem sempre é assim. Podemos ser objetivos em nossos pensamentos dissociando-os deliberadamente do que sentimos. Da mesma forma, nossas crenças podem expressar nossa fé, mas não precisa ser assim. Alguém que proclama sua crença em Deus pode ter pouca fé, o que testemunhamos, por exemplo, pelo fato de que fica deprimido. Por outro lado, um ateu pode ser alguém com uma fé imensa. Ele não acredita em um Deus sobre-humano que dirige seu destino, mas sua fé está relacionada à sua identificação e ao um amor pelos companheiros e pela vida. Pessoas de fé podem ter crenças diversas e pessoas com crenças iguais podem variar muito em sua fé. Com demasiada frequência, as crenças são inculcadas por um processo educacional que, de modo equivocado, presume estar ensinando fé. Quando, contudo, uma crença surge da experiência pessoal, sem a influência de nenhum dogma, ela tem impacto sobre a fé. O efeito da experiência sobre a fé pode ser positivo ou negativo. Será positivo se abrir o coração e negativo se fechá-lo.

O CRESCIMENTO DA FÉ

A fé surge e cresce das experiências pessoais positivas. Toda vez que alguém é amado, sua fé aumenta, desde que responda ao amor. Aprendi isso com meus pacientes deprimidos cujas histórias pessoais mostravam uma falta de amor, sobretudo na infância. Muitos acreditavam que eram amados, mas com frequência essa crença fora inculcada na criança e não correspondia a seus sentimentos. Uma crença baseada no sentimento tem a mesma natureza da fé verdadeira.

Descrevi a fé como uma ponte que liga o passado ao futuro. Para cada indivíduo, o passado representa seus pais e avós; o futuro, seus filhos e netos. É a ponte através da qual a vida flui dos ancestrais para os descendentes de maneira natural. Essa analogia me lembra os estolões das plantações de morango. Quando um morangueiro está maduro, estende caules rastejantes que, em certos pontos do solo, se enraízam para dar origem a novas plantas.

Na verdade, surgem novas folhas antes que o enraizamento esteja completo. A planta filha é alimentada pela planta mãe através dos estolões até que a planta jovem esteja firmemente estabelecida. Depois que isso acontece, os estolões secam, como um cordão umbilical depois que a criança inicia sua respiração independente.

A fé começa na concepção. Uma chispa do pai acende o fogo da vida no óvulo, que em seguida é nutrido pelo sangue da mãe. Pensando metaforicamente, podemos dizer que a chama da vida é passada de uma geração a outra com a esperança (conscientemente, em seres humanos) de que ela seja perpétua e se torne cada vez mais luminosa a cada passagem sucessiva. Quando a chama arde em um organismo, irradia uma sensação de alegria.

Mas a vida não é um fogo comum, que precisa ser alimentado para manter sua chama. É um fogo que sustenta a si mesmo, uma vez que esteja totalmente estabelecido — um fogo consciente de sua existência, orgulhoso da luz que emite e, mais misteriosamente, desejoso e capaz de buscar a própria renovação. A fé é o aspecto dessa chama vital que mantém aquecido e vivo o espírito do homem contra os ventos frios da adversidade que ameaçam sua existência. O amor é outro aspecto dessa chama. Seu calor nos aproxima das pessoas, ao passo que uma pessoa fria ou de coração frio é um misantropo.

Todos os animais de sangue quente precisam do cuidado e da proteção dos pais para que o fogo ainda bruxuleante da nova vida possa queimar forte e quente em seu corpo jovem. Isso não é apenas uma metáfora. O bebê precisa do calor e da proximidade do corpo da mãe para estimular e aprofundar seus movimentos respiratórios. Em bebês que não têm esse contato, a respiração tende a tornar-se superficial e irregular. Uma boa respiração fornece um combustível forte para esse fogo e assegura um suprimento adequado de oxigênio para os processos da combustão metabólica.

Biologicamente, a fé de uma criança é acendida e alimentada pelo amor e devoção de seus pais. Essa devoção amorosa confirma as sensações da criança de que o mundo é um lugar para se viver com alegria e satisfação. Quando sua consciência em desenvolvimento se expande, ela devolve a devoção dos pais com sua própria devoção à maneira de viver e aos valores que esta representa. Então, no seu devido tempo, o filho, já adulto, transmitirá essa devoção aos próprios filhos, instilando neles a reverência pelo passado e a esperança no futuro.

A reciprocidade do amor exige uma reverência pelo passado para equilibrar as preocupações com o futuro. Não podemos apenas olhar para a frente; devemos olhar para trás, de onde viemos. Todo organismo começa sua existência individual retraçando os passos evolutivos que culminaram na sua espécie. Esse é o significado da frase "a ontogenia recapitula a filogenia". Assim, a devoção dos pais à criança é naturalmente igualada pelo respeito filial. O interesse de uma comunidade no bem-estar de seus jovens costuma ser retribuído pelo respeito dos jovens aos velhos. Essa é a lei básica da vida tribal, sem a qual a vida numa verdadeira comunidade se torna impossível. Nessas comunidades, o papel dos velhos sábios é agir como guias. Esther Warner escreve: "Um dos aspectos mais invejáveis da vida tribal é que os velhos não são negligenciados. São reverenciados, aqueles a quem se procura em cada aldeia"[29]. Respeitando os velhos, os jovens da tribo honram a fonte de seu ser e, dessa forma, afirmam sua fé e confirmam sua identidade.

Tenho certeza de que neste momento muitos pais questionarão minha hipótese. Não estamos testemunhando uma situação em que as crianças estão conscientemente rejeitando os valores dos pais, apesar da devoção e do amor que receberam? Eu diria que a situação atual surgiu porque os pais *não conseguiram* transmitir uma fé sustentadora para os filhos. Conheço pais que são mais devotados à sua forma de vida do que a seus filhos. Mas a razão básica para esse fracasso é que os próprios pais perderam a fé. Sem fé, seu amor era uma imagem, e não uma realidade; uma declaração na forma de palavras, não uma expressão de sentimento.

A fé é um atributo do ser: de estar em contato consigo mesmo, com a vida e com o universo. É uma sensação de pertencer a uma comunidade, a um país e à Terra. Acima de tudo, é a sensação de estar em contato com o próprio corpo, com a própria humanidade e com sua natureza animal. Ela pode ser todas essas coisas porque é uma manifestação da vida, uma expressão da força vital que une todos os seres. É um fenômeno biológico, não uma criação psíquica.

Em seu livro *Tocar — O significado humano da pele*[30], Ashley Montagu desenvolve a tese de que um contato agradável da pele entre mãe e filho é essencial para o desenvolvimento da personalidade da criança. O contato corporal reafirma a presença tangível da mãe. Fornece a segurança com a qual a criança pode construir relações objetais estáveis. A tangibilidade da mãe, que a criança experimenta quando a toca com as mãos, a boca e o corpo, é a "segurança absoluta". E Montagu observa: "Até mesmo a fé, em última instância, assenta na crença de uma *substância* de coisas que virão ou de acontecimentos passados"[31]. A pedra de toque da fé é o próprio toque.

Sobrepostas a essa base biológica estão as concomitâncias psicológicas da fé, as crenças específicas que estão na herança do povo que tentou compreender seu destino humano. Elas são como as roupas que vestimos. Distinguem um grupo de pessoas de outro, mas não são a essência das pessoas. Podemos facilmente perder de vista a essência e pensar que pessoas de cores diferentes e com crenças e formas de vida diferentes não têm dignidade, graça ou fé. Isso acontece quando perdemos de vista as bases de nossa própria fé, acreditando erroneamente que ela vem daquilo que nos ensinaram e é idêntica às nossas crenças. Também não conseguimos reconhecer que tais crenças podem se tornar instrumentos em nossa luta pelo poder tanto pessoal como político. As crenças podem ser facilmente manipuladas para servir aos desejos do ego.

Quando uma crença não tem raízes em uma fé verdadeira, não pode ser genuína. Não é uma mentira; a pessoa pode realmente acreditar nessa crença. Nesse caso, torna-se uma ilusão.

Em capítulos anteriores, dei exemplos ilustrativos das ilusões às quais meus pacientes deprimidos se agarravam com toda a força de sua mente. Contudo, seu coração não estava nessas crenças, e, apesar de todo o ar quente (palavras) assoprado nessas bolhas para mantê-las no ar, estouraram. As ilusões se desfizeram, como acontece com toda ilusão, e meus pacientes ficaram deprimidos.

Não podemos eliminar as ilusões de alguém oferecendo outra crença. Esta também se tornará ilusão, a menos que esteja imbuída de fé. Para dar um exemplo corriqueiro, consideremos as reações a todas as dietas que são propostas constantemente. Cada dieta nova evoca uma onda de entusiasmo e crença que dura até que a próxima entre em cena. Então, ela se desvanece e a multidão se apressa em aderir à nova moda. Enquanto dura o entusiasmo, a dieta parece fazer milagres. É estranho que as pessoas não percebam que o verdadeiro ingrediente miraculoso é o entusiasmo. Infelizmente, esse entusiasmo tem vida curta, como as últimas brasas de uma fogueira se apagando. Um entusiasmo consistente e duradouro tem o caráter de fé. E a fé pode fazer milagres porque a vida faz milagres.

Assim, a principal questão é como restaurar a fé perdida de um indivíduo ou de um povo. Isso não ocorre facilmente e não tenho soluções fáceis para essa questão. Não se pode ensinar fé. É como ensinar amor, que soa muito bonito, mas não passa de um murmúrio ao vento. Não se pode dar fé a alguém; pode-se partilhar a própria fé, na esperança de que uma faísca avive as brasas do outro espírito. E pode-se, como psiquiatra, ajudar alguém a recuperar a fé tentando descobrir como a perdeu. Isso, evidentemente, é o que tenho feito com meus pacientes deprimidos. Compartilhando minhas experiências aqui, também espero compartilhar com você minha fé na vida.

8. A perda da fé

A CORROSÃO DE NOSSAS RAÍZES

Estivemos até agora seguindo duas linhas paralelas de investigação. A primeira relacionou o problema da depressão do indivíduo à perda do contato amoroso com a mãe, com a resultante incapacidade de procurar no mundo a satisfação de suas necessidades. A segunda abordou a importância da fé como uma força de união e promoção da vida social e mostrou que, na ausência de fé, a sociedade fica estagnada. É preciso, agora, unir essas duas linhas de pensamento e mostrar que ambos os fenômenos, o individual e o social, refletem a ação das mesmas forças. Elas podem ser descritas como tecnologia, poder, egotismo e objetividade. Seu efeito tem sido o de alienar os seres humanos uns dos outros, da natureza e do próprio corpo — uma alienação que começa cedo na vida, no relacionamento da mãe com a criança. Mas voltemos ao problema da depressão.

Não se trata de um fenômeno novo na história humana. Freud, como vimos, estudou o problema da melancolia, uma forma grave de depressão, no fim do século 19. E podemos estar certos de que alguns indivíduos sofreram de depressão em épocas remotas. As condições que predispõem um indivíduo a ela não são exclusivas de nosso tempo. As crianças de antes também sofriam a perda do amor materno, embora fosse muito menos comum. A razão principal é que, no passado, quase todas as crianças eram amamentadas, e se um bebê perdia a mãe, suas chances de sobrevivência eram mínimas, a menos que se conseguisse uma ama de leite ou que uma nova mãe o criasse como se fosse seu. Além disso, havia mais contato corporal entre mãe e filho. Os bebês eram carregados pela mãe ou, se ela estivesse ocupada, por uma irmã mais velha. A cadeira de balanço e o berço de balanço exigiam um comprometimento mais ativo do que o berço com pés fixos ou o cercadinho.

Montagu assinala o mesmo em *Tocar – O significado humano da pele*:

As práticas impessoais de criação de filhos que têm se mantido em moda nos Estados Unidos nos últimos anos conduzem a uma ruptura precoce do elo de união entre mãe e filho, e a separação de mães e filhos pela interposição de mamadeiras, cobertores, roupas, carrinhos, berços [...] e outros objetos físicos produzirá indivíduos que são capazes de viver isoladas e solitárias dentro de aglomerados urbanos lotados, regidos por valores materialistas e viciados em coisas.[32]

Infelizmente, essas práticas estão se tornando comuns em outros países à medida que eles procuram imitar o estilo de vida americano.

Devemos encarar o fato de que houve uma mudança radical na forma de criar os filhos durante o século 20. O aspecto mais importante dessa mudança é o declínio na frequência e na duração da amamentação. A consequência imediata foi a redução da quantidade de contato corporal entre mãe e filho, que tem a importante função de estimular o sistema energético da criança. Outros valores também se perderam. A amamentação aprofunda a respiração da criança e aumenta seu metabolismo. Além disso, satisfaz suas necessidades eróticas orais proporcionando um profundo prazer sensual que se estende dos lábios e da boca para todo o corpo. A mãe que amamenta tem de estar ali para seu filho: não é uma função que possa ser relegada a babás ou outras pessoas. Por esse único ato, então, a mãe afirma a fé incipiente da criança em seu mundo, que nesse estágio da vida é a mãe, e em suas próprias funções naturais.

Erik H. Erikson diz, a respeito de amamentação:

A boca e o bico do seio parecem ser meros centros de uma aura geral de afeição e reciprocidade que é apreciada e provoca uma reação de relaxamento não só nesses órgãos focais, como em ambos os organismos como um todo. O relaxamento mútuo assim desenvolvido é de primordial importância para a primeira experiência de alteridade amistosa.[33]

Erikson reconhece, como eu, que a amamentação nem sempre proporciona todo o prazer e satisfação que promete. "A mãe pode tentar forçar as coisas, enfiando o bico do seio na boca do bebê, mudando horários e fórmulas nervosamente, ou sendo incapaz de relaxar durante o processo inicialmente doloroso da sucção"[34]. Mas a importância da amamentação o leva a concluir que, "se gastarmos uma fração de nossa energia curativa na ação preventiva" — isto é, promovendo a amamentação —, evitaremos grande parte do sofrimento e dos problemas oriundos de transtornos emocionais. O fundamental no relacionamento entre mãe e filho não é a amamentação, mas a fé e a confiança, embora os três estejam intimamente relacionados. Através desse relacionamento a criança adquire um sentimento básico de confiança em seu mundo, ou precisará enfrentar dúvidas, ansiedades e culpas sobre seu direito de obter o que quer ou necessita. No termo "obter" está implícito o direito de receber e o direito de buscar e pegar. Quando alguém não está seguro de que tem esse direito, sua busca no mundo é hesitante, cercada de prudência, e nunca um comprometimento absoluto. A ambivalência está sempre presente em suas ações; ela busca e se retrai ao mesmo tempo. Esse comportamento cria um problema para os outros, pois não se pode responder totalmente a uma atitude ambivalente. Infelizmente, o indivíduo não é consciente nem de sua ambivalência, nem de sua desconfiança. Seu retraimento se estruturou em tensões musculares crônicas que há muito se tornaram padrões inconscientes de movimento. Sua mente consciente sente o impulso de buscar. O que ela não sente é a restrição desse impulso no nível corporal.

Quando a criança perde a fé na mãe pela experiência de que esta não está sempre lá para ela, começa a perder a fé em si mesma. Passa a desconfiar de seus sentimentos, de seus impulsos e de seu corpo. Sentindo que alguma coisa está faltando, não confia mais em que suas funções naturais lhe proporcionarão a conexão e harmonia com o mundo que lhe assegurariam a satisfação contínua de suas necessidades e desejos. Mas isso é o que a nossa civilização ocidental parece exigir quando impõe regras rigorosas e artificiais das funções corporais da criança pequena. Volto a citar Erikson:

> As classes dominantes na civilização ocidental [...] têm se guiado pela convicção de que uma regulação sistemática das funções e dos impulsos na primeira infância é a melhor garantia de um futuro eficaz na sociedade. Elas implantam o metrônomo da rotina no bebê e na criança pequena para regular suas primeiras experiências com o corpo e com o ambiente físico imediato. Só depois dessa socialização mecânica a criança é encorajada a se desenvolver para se tornar um individualista vigoroso. Persegue ambições, lutas, mas continua compulsivamente nas carreiras padronizadas que, à

medida que a economia se torna mais complexa, tendem a substituir responsabilidades mais gerais. Esse tipo de especialização levou a civilização ocidental ao domínio da máquina, mas também a uma tendência a enorme descontentamento e desorientação individual.[35]

A atitude ocidental em relação às funções corporais tem sua origem e paralelos na atitude do homem ocidental em relação à vida em geral e ao seu ambiente em particular; trata-se de uma atitude de dominação e controle, em oposição a uma de reverência e respeito que é típica dos povos originários. E, infelizmente, fomos capazes de dominação e controle porque temos muito poder, uma quantidade inconcebível para os povos antigos ou mesmo para nossos ancestrais há duzentos anos. Digo infelizmente, porque seus efeitos sobre o indivíduo não são nem um pouco desejáveis, e seu efeito sobre o ambiente, que estamos começando a descobrir, tem sido desastroso.

O poder nos cegou para as realidades de nossa existência. Vemos o mundo como algo sujeito à nossa vontade e aos nossos esforços conscientes, ignorando completamente o fato de que dependemos desta terra para nosso bem-estar e a própria existência. E adotamos a mesma atitude em relação ao nosso corpo. Nós o vemos como sujeito à vontade e à mente, mais uma vez ignorando a realidade de que ambas dependem totalmente da saúde e do funcionamento natural do corpo. Quando essas ilusões desmoronam, como acontece nas pessoas deprimidas, a impotência da vontade e a dependência do corpo tornam-se uma realidade chocante.

O poder vem do conhecimento, que sempre é uma compreensão incompleta da ordem natural; afinal, estamos sempre adquirindo novos conhecimentos, que necessariamente mudam e até mesmo contradizem ideias anteriores. Em nenhum outro ponto essa verdade é mais clara do que nas teorias sobre a criação de filhos. Há uma geração, o behaviorismo estava em voga e os pediatras aconselhavam as mães a não pegarem os filhos no colo quando eles chorassem para que não ficassem mimados. Agora a permissividade parece ser a moda, mas esse conceito também está sendo alvo de críticas. Acredito que podemos esperar uma nova formulação a cada geração — concebida para resolver os problemas da geração anterior, mas inadequada para os problemas imprevistos que inevitavelmente produzirá. Lembram quando a remoção das amígdalas era prescrita rotineiramente, como hoje a circuncisão é prescrita para os meninos? Estremecemos ao pensar nos traumas que um conhecimento incompleto pode produzir com tanta facilidade, sobretudo quando proposto por autoridades.

Em mais de uma ocasião me pediram que escrevesse um livro sobre como criar um filho. É muito lisonjeiro que pensem que eu sei! Mas seria arrogante da minha parte acreditar nisso. Trabalhando com meus pacientes, posso dizer o que deu errado na vida deles. Uma mente indagadora talvez consiga explicar o passado, mas prever o futuro não está no domínio do homem, a menos que ele tente regular e controlar o fluxo natural das forças vitais. Nsse processo, corre o risco de exercer uma influência destrutiva sobre elas. Por outro lado, estamos, por nossa natureza, em sintonia com essas forças. Se não conseguimos predizer seu funcionamento, ao menos podemos compreendê-las e, com fé, aceitá-las.

Ninguém pode compreender uma criança tão bem como sua mãe. Antes do nascimento, ela foi parte do seu corpo, alimentada por seu sangue e sujeita aos fluxos e cargas que fluíam por seu corpo. A mãe pode compreendê-la tão bem quanto compreende o próprio corpo. Não conhecer, mas compreender. Pode sentir os sentimentos dela quase tão intensamente quanto os seus. Um problema verdadeiro surge, portanto, quando a mãe está sem contato com o próprio corpo e sentimentos. Essa é uma situação trágica para a criança. Se uma mulher não está "lá" para si mesma, não pode estar "lá" para o filho — e nenhuma quantidade de conhecimento ou informação consegue remediar essa falta. Dito de outra forma, se a mãe não tem fé nos próprios sentimentos, não terá fé nas respostas do filho. Ou, não tendo fé em si mesma, não terá fé para transmitir ao filho.

Em que momento a transmissão de fé se rompeu? Desde tempos imemoriais, as mulheres criaram filhos e a raça humana cresceu e prosperou. Ainda estamos crescendo, mas não prosperando. No passado, o laço entre mãe e filho era imediato, corpo a corpo. Dar à luz e cuidar da criança eram atividades sagradas, no sentido de que impunham o respeito e a ordem universal. Realizando essas funções, a mulher satisfazia sua necessidade de ser responsiva e responsável perante outro. Seu ego quase não se envolvia nessas atividades; seu corpo sentia o que tinha de ser feito e ela fazia. Seu amor pelo filho se derramava em seu leite. A mulher estava atada à sua natureza, mas também se realizava nela. Isso foi mostrado em um estudo feito pelo dr. Niles Newton[36], professor adjunto de Psiquiatria na Faculdade de Medicina da Universidade de Northwestern:

As mulheres que amamentam também tendem a ser responsivas em outras áreas sexuais. Sears e seus colegas descobriram que as mães que amamentavam eram significativamente mais tolerantes em questões sexuais, como a masturbação e o jogo sexual social. Masters e Johnson notam que nos três primeiros meses após o parto, o maior índice de interesse sexual foi relatado por mães que amamentavam.

De acordo com o dr. Newton, uma "relação entre mãe e filho sem uma lactação agradável está numa posição psíquico-fisiológica similar à de um casamento sem um coito agradável". Isso significa que uma mãe não pode estar totalmente "lá" para si mesma a menos que também esteja totalmente "lá" para seu filho.

Os efeitos mais nocivos da tecnologia, do poder, do egotismo e da objetividade se referem à perturbação da relação normal entre mãe e filho. Quando essas forças entram na cena social, as mulheres são instigadas a deixar de amamentar. Antes, apenas aquelas em posição social e econômica elevada podiam fazer isso, porque apenas elas dispunham de amas de leite. Hoje, com fórmulas pediátricas, mamadeiras e equipamentos de esterilização, muitas mulheres procura se ver livres do que consideram uma subserviência à criança. Mas não devemos subestimar o papel do egotismo nessa mudança. No Japão, embora o leite pasteurizado não seja fácil de obter, as mulheres estão se recusando a amamentar porque consideram isso um sinal de inferioridade social. Seu ideal é a mulher norte-americana liberada.

A mulher que não amamenta tem de se basear no conhecimento do pediatra para encontrar o leite com a fórmula certa. Com esse único ato, ela já perde a fé em si mesma. Tendo transferido a responsabilidade para o médico, passa a depender do conhecimento dele e não da sua sensibilidade inata para criar seu filho. Isso cria uma barreira entre a mãe e o filho, pois inibe sua reação espontânea, forçando-a a considerar se suas ações são aprovadas e corretas. Seguir os conselhos do médico pode lhe dar a ilusão de que ela sabe o que fazer, mas não substitui uma resposta amorosa, que é uma expressão de fé e compreensão.

Há tempos fico impressionado ao observar que a maioria das mães realmente "conhece" seus filhos. Conversando com elas, me admira quão bem cada uma delas conhece as fraquezas, os fracassos e os problemas dos filhos. Talvez isso não devesse surpreender, tendo em vista a longa e íntima relação entre eles. Mas, mesmo conhecendo as dificuldades dos filhos, elas raramente os compreendem. Muitas mães não têm a menor ideia de por que seus filhos sentem e agem de determinada maneira. Talvez lhes ocorra que de certo modo elas condicionaram as atitudes e os comportamentos deles; mas, não compreendendo a si próprias, não conseguem compreender as crianças. Pode-se inclusive dizer que a mãe conhece os problemas do filho porque ela, sem querer, os criou.

Estabeleço uma clara distinção entre conhecer e compreender, que já expliquei antes. Devo dizer, portanto, que ninguém conhece completamente uma criança ou sabe como criá-la. Pode-se compreender uma criança. Pode-se compreender seu desejo de ser aceita tal como é, ser amada por ser ela mesma, e ter sua individualidade respeitada. Compreendemos isso porque todos temos o mesmo desejo. Compreendemos sua necessidade de ser livre; todos queremos ser livres. Entendemos sua insistência na autorregulação; todos nos ressentimos quando nos dizem o que fazer, o que comer, quando ir ao banheiro, o que vestir e assim por diante. Conseguimos compreender uma criança quando compreendemos que, em nosso íntimo, também somos crianças — por fora, somos um pouco mais velhos, talvez um pouco mais sábios, mas por dentro não há nenhuma diferença significativa.

Isso significa que os livros sobre o desenvolvimento infantil são desnecessários e talvez perigosos? São perigosos se forem usados como manuais. Não há regras para criar uma criança de maneira saudável. Quando seguimos uma regra, ignoramos a individualidade da criança e a singularidade da sua vida. Por outro lado, um bom livro sobre o desenvolvimento infantil pode servir como guia para pais confusos. Não pode, evidentemente, dizer o que se deve fazer, mas, ao explicar a gama de comportamentos normais, alivia muita ansiedade. Acima de tudo, deve enfatizar que o prazer que os pais têm com a criança dá a ela o sentimento de que sua existência é importante para as pessoas em seu mundo. Também é verdade que o prazer que a criança tem com os pais causa o mesmo efeito neles.

Pode-se argumentar que toda cultura impõe alguns controles sobre o comportamento humano e os institui já na infância. As crianças têm de aprender as maneiras de uma cultura se quisermos que se adaptem a ela. Mas, e Erikson também frisa esse ponto, isso não pode ser feito à custa dos sentimentos e da vitalidade do corpo. Escrevendo sobre os *sioux*, ele diz: "Apenas depois de ter seu corpo forte e estar seguro de si mesmo ele é levado a se submeter à tradição de ser inexoravelmente humilhado pela opinião pública que foca no seu comportamento social, e não em suas fantasias ou funções corporais"[37]. Não se exige que ele se volte contra seu corpo, seus sentimentos ou seus impulsos. Estes são as fontes de sua força, a base de sua identidade e as raízes de sua fé. Os *sioux* inferem que a sociedade precisa impor algumas restrições às ações individuais, mas isso deve ser consciente e seu exercício voluntário é uma expressão do orgulho que os indivíduos sentem de pertencer à sua tribo. Entre os *sioux*, o treinamento nessas restrições não começa antes dos 5 anos nem está associado a punições.

Há uma antítese entre conhecimento ou informação e compreensão, assim como entre poder e prazer, entre ego e corpo e entre cultura e natureza. Essas relações antitéticas não necessariamente produzem um conflito. E não se deve concluir que, porque alguém tem conhecimento, carece de compreensão. Não necessariamente é verdadeiro que o poder destrói o prazer ou que o ego deve negar ao corpo seu papel. Nem todas as culturas estiveram tão distantes da natureza como a nossa. Quando essas forças opostas estão equilibradas harmoniosamente, formam uma polaridade em vez de um antagonismo. Numa relação polarizada, cada força oposta apoia e engrandece a outra. Um ego com raízes no corpo ganha força do corpo e, por sua vez, apoia e favorece os interesses do corpo. A polaridade mais evidente em nossa vida se dá entre consciência e inconsciência, ou entre vigília e sono. Sabemos muito bem que uma boa noite de sono promove o bom funcionamento durante o dia e que um dia de trabalho satisfatório (obviamente, agradável) facilita o sono e o prazer de dormir.

Mas essas polaridades se rompem quando a relação pende demais para um lado ou para outro. Se ficamos excessivamente cansados durante o dia ou muito preocupados com nossos problemas, o sono às vezes se torna difícil. A ênfase exagerada nos artefatos da cultura, como cada pessoa ter o próprio carro, tem um efeito deletério sobre a natureza. O preço da nossa civilização altamente técnica é a erosão dos recursos naturais e a destruição do meio ambiente. Da mesma forma, o excesso de poder reduz nossa capacidade de prazer. Passamos a perseguir o poder e perdemos de vista os prazeres simples de usar nosso corpo. Um envolvimento muito forte com o ego sempre resulta numa negação do corpo e de seus valores. Enfatizei esses perigos em livros anteriores. Entretanto, eu não havia expressado minhas preocupações com o que está acontecendo.

Sinto que o equilíbrio pendeu muito contra as forças vitais naturais: compreensão, prazer, corpo, natureza e o inconsciente. Estamos comprometidos com informações, sem quaisquer medidas que protejam nossa entendimento. Fazer pesquisa, que é meramente a coleta de informações e sua manipulação estatística, tornou-se o objetivo supremo de nossos programas de ensino superior. Felizmente, a maioria das teses de doutorado que são escritas jamais é lida. Mas o efeito insidioso do foco nos dados é uma perda progressiva da fé na capacidade natural do ser humano de compreender a si mesmo, os outros e o mundo. Não precisamos de estatísticas para saber que as coisas não estão certas. Percebemos o sofrimento à nossa volta, cheirarmos a poluição do ar, vemos a sujeira e a desintegração das grandes cidades. Podemos e devemos confiar em nossos sentidos se quisermos compreender a confusão de nossa existência.

No entanto, estamos comprometidos com mais poder, mais potência. Estudos mostram claramente que a potência exigida pela nossa civilização tecnológica dobrará na próxima década. As pessoas terão mais capacidade para se locomover mais rápido, ir mais longe e fazer mais coisas. A vida, agora frenética, será ainda mais apressada. As oportunidades e a capacidade para o prazer diminuirão progressivamente. Estamos nos tornando cada vez mais voltados para o ego, à medida que o indivíduo sofre uma contínua perda de identidade numa cultura mecanizada. A mecanização dissocia o ego do corpo, reduzindo a percepção corporal e enfraquecendo os sentimentos de identidade baseados nessa percepção.

À medida que a vida simples desaparece, também somem as funções naturais que fazem parte desse estilo de vida. Fazer pão e cozinhar em casa está sendo substituído por comidas e refeições prontas. Ao entrar em uma casa, já não se sentem os ricos aromas do pão assando no forno ou dos alimentos cozinhando. Cortar e empilhar lenha para a lareira, tricotar e costurar roupas ou alimentar porcos e galinhas são atividades que poucas de nossas crianças conhecem. Mas a perda mais importante é a maternal — a transmissão de fé e sentimento ao amamentar, balançar e ninar. O berço de balanço virou antiguidade; a cadeira de balanço, uma relíquia; e o seio se transformou num símbolo sexual.

A função natural da maternidade está sendo substituída pela mãe no papel de gerente. Sob os conselhos de um pediatra, com fórmulas e regras, seu papel mudou, deixando de ser o solo no qual o bebê estabelece suas primeiras raízes (o enraizamento descreve os movimentos da cabeça de um bebê quando ele procura o seio) para ser organizadora e administradora. Em certo sentido, ela está lá para o filho, mas não na sua natureza essencial como mulher. Todas as suas atividades poderiam ser facilmente executadas por outra pessoa: preparar a mamadeira, alimentar o bebê, trocar as fraldas ou dar banho. Não é de surpreender que ela se ressinta de estar sendo encarregada de tarefas que não preenchem sua natureza. E mesmo que ela se mostre uma gerente extremamente eficaz, não receberá do filho a apreciação e o amor que uma mãe quer e deveria ter.

Administrar uma casa reduz as crianças ao nível de objetos. Todos os meus pacientes deprimidos têm o sentimento, às vezes profundamente arraigado, de que eram objetos a ser cuidados e criados de forma que desse orgulho a seus pais ou pelo menos não lhes criasse problemas. Muito cedo, aprenderam que estavam lá para satisfazer as necessidades emocionais dos pais, e que seus desejos tinham de ser subordinados a essas necessidades. E isso se tornou o padrão em sua vida, resultando em uma passividade básica de comportamento e em uma necessidade de agradar. Nenhum dos meus pacientes deprimidos sentia que tinha o direito de fazer exigências, afirmar seus desejos e obter o prazer que queria; assim que esses padrões se estruturaram em seu corpo, a possibilidade física real para buscá-lo ficou limitada.

Nós, americanos, somos descritos como um povo alienado e sem raízes. A erosão de nossas raízes começa cedo. Ao nascer, o bebê é separado da mãe e colocado num berçário. Em casa, é alimentado segundo um horário, carregado ocasionalmente e atendido conforme a conveniência dos pais. Pela maneira como é tratado, pode ser comparado a uma planta de estufa. Não importa quanto floresça, suas raízes não conseguirão se aprofundar no solo da vida.

Muitos jovens se dão conta da situação que descrevi. Compreendem que mais poder, mais bens materiais e a maior urbanização e mecanização da vida ameaçam o próprio significado da existência. E estão mudando espontaneamente para formas de vida comunitárias e mais simples, com um interesse renovado por artesanato, comida caseira, amamentação e natureza. No sentido mais amplo de procurarmos restabelecer nossas raízes na natureza e na ordem natural, esse movimento não se limita aos jovens, embora eles estejam na linha de frente. Contudo, não terá sucesso como uma "volta à natureza" no sentido de Rousseau. Não podemos voltar atrás.

Temos de seguir em frente, rumo a uma compreensão mais profunda da natureza humana e a uma nova fé baseada na apreciação da força divina dentro do corpo vivo.

UMA EPIDEMIA DE DEPRESSÃO

Num artigo publicado em 1970, John J. Schwab notou que "os dados epidemiológicos indicam a probabilidade de que a depressão seja epidêmica na próxima década à medida que população reaja às forças sociais prevalecentes e o clima social molde essas reações em formas que sejam tão adaptativas e socialmente aceitáveis quanto possível"[38]. Schwab vê uma incidência crescente de reações depressivas em jovens, sendo que antes essas reações eram "consideradas um transtorno emocional da meia-idade ou da velhice" em decorrência do acúmulo de perdas e decepções. Ele relaciona esse fenômeno ao colapso da ética protestante, com sua ênfase na propriedade, na produtividade e no poder, e à ausência de uma filosofia de valores que atraia os jovens. Também acredita que as aspirações dos jovens são "muito altas, eles querem fazer muito, e consequentemente a decepção diante da ausência de conquistas nutre o solo em que a depressão floresce"[39].

Mas serão as aspirações dos jovens muito altas? Serão mesmo diferentes das aspirações de toda geração jovem que, por natureza, é idealista e quer um mundo no qual sejam possíveis a paz, a justiça, a autorrealização e o prazer? Cada nova geração tenta criar um mundo melhor e todas sofrem sua cota de decepções quando falham em alcançar seu objetivo. O desapontamento por não conseguir realizar algo não predispõe à depressão, embora possa suscitá-la ou desencadeá-la. Quem tem fé consegue tolerar a decepção; o indivíduo sem fé é vulnerável.

Devemos perguntar, portanto, como a fé dos jovens tem sido corroída, e procurar a resposta a essa pergunta tanto na família como na sociedade. A sociedade só influencia diretamente o indivíduo depois que ele já tem certa idade. Nos seus primeiros anos, essa influência ocorre através da família, que é a unidade imediata da sociedade. Precisamente porque a sociedade moderna tem tido um efeito tão desintegrador sobre a família, contribuiu enormemente para a perda da fé dos jovens.

A família e o lar eram valores equivalentes em gerações passadas. Como dizem os franceses, estar em casa é estar *en famille*. O lar familiar sempre representou estabilidade, segurança e uma sensação de permanência. Era um refúgio contra as pressões do mundo e um abrigo contra as tempestades que assolavam o mundo. Era o lugar onde a corrente da vida fluía calma e silenciosamente, sem ser perturbada pelos conflitos políticos ou religiosos que ocorriam do lado de fora. Evidentemente, nem todos os lares tinham essas características e nem toda família era uma unidade coesa. Havia conflitos, mas, apesar das discussões e das brigas, o lar e a família pareciam indestrutíveis.

Quantas dessas características do bom lar ou da família unida existem hoje em dia? Pode-se argumentar que estou descrevendo uma família ideal, que a família patriarcal da cultura ocidental foi responsável pelas neuroses e infelicidades de seus membros. Não pretendo minimizar os problemas da família patriarcal, mas a depressão entre os jovens não era típica dela. Talvez sua segurança fosse obtida à custa da perda da individualidade de seus membros, mas também devemos reconhecer que a segurança é essencial para o bom funcionamento da família. Será minha tese, nesta seção, que a ênfase exagerada na individualidade, sobretudo nos aspectos relacionados com o ego, é o fator responsável pela incapacidade da família moderna de fornecer a estabilidade e a segurança que as crianças necessitam.

O fator isolado mais responsável pela desagregação da família é o automóvel. É difícil mensurar seu efeito. Hoje, a vida, como sabemos, seria impossível sem sua onipresença. Ele rompeu a unidade da antiga família e da comunidade e promoveu a família nuclear — dois pais com seus filhos, sem avós e parentes. A família nuclear é uma unidade isolada, sem a influência direta dos avós, que normalmente promoveriam as maneiras tradicionais de viver e criar os filhos. Os avós podem ter ideias ultrapassadas, que por certo não são ideais, mas quando um jovem casal decide criar uma nova família, assume uma grande responsabilidade. Tem de fornecer um ambiente que relacione o passado com o presente e olhe para o futuro. A fraqueza da família nuclear é seu isolamento, não só no espaço, como também no tempo. Ela vive apenas em termos da própria existência, que, dada a frequência de divórcios, é relativamente instável.

O atrativo da família nuclear, com sua mobilidade e seus automóveis, é a oportunidade que oferece à expressão da individualidade. Cada cônjuge numa família nuclear acredita que conseguirá fazer diferente e provavelmente melhor que seus pais. Para a mulher, a mudança de casa é um estímulo à criatividade. Pode se transformar na expressão particular de sua individualidade. Para o homem, é a expressão do seu status e posição. Tudo isso pode estar bem, mas o enorme investimento de tempo e energia nos aspectos materiais da vida doméstica deixa pouco para seus aspectos humanos. Com tanto a ser comprado e tanto a ser feito para mobiliar uma casa moderna, ela perde seu caráter de refúgio do mundo e se transforma, ao contrário, em parte do mundo.

O caráter de refúgio se reduz ainda mais pela intrusão do mundo nos lares através dos meios de comunicação. Eles estimulam as funções do ego, forçando o indivíduo a lidar mentalmente com os conflitos e as pressões das notícias. Mais tarde discutirei seu efeito sobre as crianças pequenas. O que quero mostrar aqui é apenas que a casa moderna raramente é um lugar de vida sossegada e contentamento. Está sempre sujeita a mudanças em vista de melhorias que na verdade não melhoram a *qualidade* de vida.

Uma proposição básica da vida moderna é que nos expressemos através do fazer. Pode-se comparar essa visão com um estilo de vida que vê a autoexpressão como uma maneira de ser. Nós nos expressamos sendo afetuosos, compreensivos, compassivos, vitais, vibrantes, alegres ou tristes, com raiva e assim por diante. Também nos expressamos sendo uma mãe dedicada, um crente devoto ou um trabalhador digno de confiança. Essas formas básicas de autoexpressão, que também incluem aquelas associadas com ser homem ou mulher, costumam proporcionar as satisfações mais profundas da vida. Sobrepondo-se a estas estão as satisfações do ego, oriundas do fazer. Mas quando tentamos obter o sentido da vida unicamente da satisfação do ego em fazer, estamos com problemas.

A satisfação de fazer é o molho da carne da satisfação de ser. A carne sem molho pode satisfazer alguém com fome; o molho sem carne não satisfaz. E, por isso, somos tentados a fazer mais, a realizar mais atividades e a ter um envolvimento mais profundo com o mundo. A exigência de nossos tempos é que *precisamos fazer mais*. É uma exigência que ignora a simples verdade de que *apenas sendo plenamente o que somos podemos preencher nossa existência*.

A filosofia do fazer é insidiosa e perniciosa. Insidiosa porque está baseada nos termos racionais de que o indivíduo deve "dar o seu melhor" ou "desenvolver todo o seu potencial". Essas exigências não permitem paz, pois forçam o ser humano a competir consigo mesmo. Perniciosa porque é aplicada às crianças pequenas antes que elas tenham a oportunidade de saborear a alegria de simplesmente ser elas mesmas, seres livres e inocentes que podem brincar à vontade sob a proteção do lar e dos pais.

Não tenhamos ilusões sobre a predisposição à depressão. Não são as aspirações dos jovens que preparam o terreno para o transtorno, e sim as expectativas e exigências dos pais. Esperamos que cresçam rapidamente, tornem-se logo independentes, aprendam depressa, sejam razoáveis, responsáveis e cooperativos como adultos quando ainda são apenas crianças. Exigimos que durmam sozinhas, indiferentes ao seu medo de ficar sós no escuro. Exigimos que reconheçam nossos direitos numa idade em que estão atentas apenas às suas necessidades. Exigimos que se adaptem às situações da vida adulta, muito distantes do seu próprio estado de ser, que é próximo do animal ou das condições primitivas de vida. Pense como deve ser difícil para uma criança se sentir num lar, em uma casa moderna, em comparação com a criança que cresce em uma cabana ou uma oca.

Essas exigências aumentam quando a criança cresce. Espera-se que dê o seu melhor na escola, obtenha reconhecimento e, se possível, se destaque em alguma atividade. Sua mente, ainda muito jovem, é exposta ao mundo e às suas crises. Ela anda de carro com a mãe, assiste televisão, escuta os adultos conversarem e pode até mesmo ser um passageiro de avião experimentado. Esperamos que, com todos esses estímulos, venha a ser um gênio. Frequentemente, ainda pequena, mostra uma compreensão da realidade adulta que nos surpreende, às vezes até mesmo uma maturidade que nos delicia. Mas onde está o bebê ou a criança? E o que aconteceu com a inocência, que era seu dom mais precioso?

Diz o ditado que uma árvore não é mais forte do que suas raízes. Um bom jardineiro retardaria o crescimento da muda para promover o desenvolvimento do seu sistema de raízes. Estamos fazendo exatamente o contrário com nossas crianças. Superestimulamos o seu crescimento e retiramos o apoio e os nutrientes que fortaleceriam suas raízes. Forçamos nossos filhos como forçamos a nós mesmos, sem compreender que, ao forçá-los a crescer e fazer, minamos sua fé e segurança.

O problema causado pela estimulação excessiva de crianças e adultos não tem recebido a atenção necessária. Somos estimulados em excesso quando o número e o tipo de impressões que recebemos do mundo excedem nossa capacidade de responder totalmente a elas. Assim, mantemo-nos num estado de carga ou excitação do qual não conseguimos sair e relaxar facilmente.

Ficamos ansiosos, e nossa capacidade de descarregar a excitação no prazer se reduz. Sentimo-nos frustrados, tornamo-nos irritados e inquietos. Essa combinação nos leva a procurar mais estímulos na tentativa de superar esse estado desagradável e fugir de nós mesmos. Cria-se, assim, uma espiral viciosa, levando-nos cada vez mais para cima, com efeitos deletérios sobre nosso comportamento. Por vezes somos levados a usar drogas — receitadas ou ilegais — ou álcool para amortecer a sensibilidade e diminuir a frustração.

A estimulação excessiva leva o indivíduo para fora do corpo, perturbando seu ritmo interno e harmonia; como quem tem diarreia, seu corpo tem de se manter sempre correndo. Também o seduz para fora do corpo oferecendo-lhe uma falsa excitação, isto é, uma excitação que não fornece nenhuma perspectiva de ser liberada no prazer. A gravidade dessa perturbação pode ser medida por sua incapacidade de sentar-se quieto, não fazer nada, ou ficar só — em outras palavras, ser ele mesmo. Também pode ser aferida pela inquietação que o leva a atividades constantes, a estar continuamente fazendo alguma coisa e sempre arquitetando novos projetos. Isso o submete a uma situação de não ter tempo para si mesmo e, por extensão, não ter tempo para relacionamentos pessoais tranquilos. Os casais não têm tempo um para o outro, os pais não têm tempo para os filhos, os amigos não têm tempo juntos. É vá, vá e faça, faça, e o resultado é que a maioria das pessoas não tem tempo sequer para respirar.

Um dia em Nova York nos dá uma ideia clara do que quero dizer com estimulação excessiva. A quantidade de barulho, o movimento apressado, a multidão de pessoas são quase insuportáveis. Para aguentar é preciso se anestesiar; tapar os ouvidos, fechar os olhos e eliminar os sentimentos. Mas os bairros residenciais serão muito diferentes? O trânsito também é ruim, a movimentação também é apressada. Inexoravelmente, o fenômeno do excesso de estímulos se insinua dentro das casas, também, através do rádio e da televisão, das mudanças e "melhorias" constantes e das coisas em quantidades absurdas — brinquedos, aparelhos, bebidas industrializadas, comidas prontas — que são constantemente introduzidas para variar a rotina. Tenho um preconceito pessoal contra a publicidade, que sinto como parcialmente responsável por esse estado de coisas. Sabe-se que ela visa encorajar ou criar "necessidades" que costumam não ter relação com as verdadeiras necessidades do indivíduo. Mas culpo realmente a economia tecnológica, que iguala a boa vida às coisas materiais.

As crianças são mais facilmente afetadas do que os adultos pelo excesso de estímulos porque sua sensibilidade é mais aguçada e sua capacidade para tolerar a frustração, menor. Então, a criança que é mimada com brinquedos, pedirá incessantemente brinquedos novos. Se se deixa que assista televisão, vai querer assisti-la o tempo todo. Se se permite que fique acordada até mais tarde, será difícil fazê-la ir dormir. Mas uma criança também é estimulada em excesso pela hiperatividade e inquietação dos pais. Seu estado de sobrecarga é transmitido para a criança. Infelizmente, os pais parecem pensar que quanto mais atividades uma criança for encorajada a fazer, mais aprenderá e mais depressa crescerá. A intensidade desse impulso inconsciente "para cima", em direção à cabeça, ao ego e à dominância é alarmante. Ficar "embaixo", quieto, com tempo para sentir e pensar, é um modo de vida quase desconhecido.

Todo paciente deprimido que tratei era uma pessoa que tinha perdido a infância. Havia abandonado a posição infantil numa tentativa de aliviar seus pais do peso que sentiam ao cuidar dele. Cresceu muito rapidamente num esforço por atender a expectativas que estavam associadas com aprovação e aceitação. Havia se tornado ou tentado se tornar um realizador, para por fim descobrir que suas realizações não tinham sentido, uma vez que haviam custado o seu próprio ser; então, incapaz de ser e incapaz de fazer, entrou em depressão.

A depressão derruba qualquer um que não tenha fé em *ser* e precise compensar isso *fazendo*. Pouco importa se esse fazer é para realizar uma ambição pessoal ou para corrigir uma injustiça social. Assim, o empresário bem-sucedido é tão vulnerável à depressão quanto o militante que procura derrubar o sistema. Ambos têm vindo ao meu consultório com a mesma queixa. A questão não é aceitar o sistema ou se rebelar contra ele. O que está em jogo é algo mais profundo que o sistema. É uma forma de vida na qual o indivíduo se vê como parte de uma ordem maior e obtém sua individualidade do senso de pertencer e participar dela. Isso contrasta com uma individualidade baseada no ego e em sua imagem, que enfatiza exageradamente o eu à custa das relações da pessoa com as grandes forças da vida que possibilitaram sua existência e continuam a apoiá-la perante a avareza e o egoísmo.

Se tenho enfatizado a importância da amamentação não é porque esse ato, em si mesmo, determinará o bem-estar futuro da criança. Infelizmente isso não acontece, embora tenha vários benefícios. A mãe que amamenta como um simples afazer perverte a relação natural. Seu ego ou seu "eu" interfere no prazer do bebê. Ele é consciente demais da vontade da mãe para ser ele mesmo, livre e plenamente, e seu ser fica perturbado. Não é o ato de amamentar que é tão importante, mas o que ele implica. Se implica que a mãe encontra satisfação e realização na sua função natural como mulher, a criança pode experimentar a mesma satisfação em suas próprias funções. Se significa que a mulher se aceita como uma mãe animal que dá de si e do seu corpo para a criança, esta pode aceitar sua natureza animal básica. Mas se o ego da mãe não lhe permitir reconhecer sua humanidade comum a todas as mulheres, ou sua natureza mamífera comum a todos os mamíferos, ela não será capaz de estar lá inteiramente para seu filho e dividir com ele a alegria que essa relação íntima oferece. Qualquer que seja a satisfação que ela encontre em fazer as coisas de maneira eficaz como uma administradora, não é capaz de compensar a perda da satisfação íntima de ser mulher.

A MORTE DE DEUS

Quando um povo acredita e tem fé em Deus, Sua vontade torna-se a autoridade suprema em sua vida, sobretudo nas situações em que a vontade do ser humano é sentida como fraca ou impotente. Mas à medida que um povo ganha conhecimento e poder, sua confiança na divindade e seu respeito por ela diminuem. Situações que antes pediriam a intervenção divina não mais a requerem. Por exemplo, enquanto o homem primitivo usava magia e sacrifícios para assegurar a fertilidade de seus campos, o homem moderno faz uma análise do solo e utiliza fertilizantes químicos para conseguir o mesmo. Da mesma forma, o uso da magia e da oração para curar os doentes foi substituído por uma medicina baseada em exames objetivos e pesquisas empíricas. Muitos ainda rezam, mas poucos acreditam que Deus intervenha diretamente nos assuntos humanos. A visão sofisticada é que a oração ajuda a pessoa que reza a se sentir melhor, embora tenha pouco ou nenhum impacto no curso dos acontecimentos humanos.

O homem moderno parece não ter necessidade de fé em um deus. Alcançou um grau de poder com que jamais havia sonhado. Em cavalos-vapor, cada indivíduo nos países desenvolvidos tem à sua disposição uma potência que poucos reis possuíram no passado. O motor de um automóvel comum tem uma capacidade de mais de 200 cv. Se a isso adicionarmos a potência utilizada em barcos, aviões, ferramentas, geladeiras, lava-louças, calefação, refrigeração, rádios, televisores e iluminação, a soma da potência disponível para cada indivíduo é enorme. Mas não é apenas a potência total que nos interessa. Os usos a que se destina também aumentaram. Em quase todas as áreas da vida há máquinas que podem transformar a potência em ação. O ser humano ainda não chegou ao ponto de poder levar a vida apertando botões, mas caminha rapidamente para isso.

Conforme o poder do homem cresceu, o de Deus diminuiu. Com a perda de Sua onipotência, desapareceram as bases racionais para se acreditar em Deus. Mas apenas os que precisam de uma base racional para sua fé abandonam Deus assim tão facilmente. Sua morte indica, portanto, que nos tornamos racionais e objetivos demais para acreditar numa divina Providência que poderia nos proteger e confortar. Se precisamos de conselhos, consultamos um profissional ou lemos livros de psicologia para descobrir soluções para nossas dificuldades. Inferimos que, se conseguirmos as respostas certas, poderemos aplicá-las à nossa vida. Depositamos nossa fé no poder racional da mente humana, confiantes de que ela tem a capacidade de resolver todos os problemas. Parecemos acreditar que com conhecimento e poder suficiente, nos tornaremos onipotentes.

O orgulho vem antes da queda, e estamos testemunhando o início desta. Estamos nos conscientizando de que o poder é uma faca de dois gumes, que tem aspectos construtivos e destrutivos. Estamos compreendendo que o ser humano não pode alterar o delicado equilíbrio ecológico da natureza conforme sua vontade sem pagar um preço. Parece que quanto mais potência geramos, mais contaminação criamos. Mas estamos obcecados com potência, pois acreditamos que precisamos ter mais ainda para controlar a poluição. A confiança no poder cria uma espiral descendente que resultará num desastre para a humanidade.

Se quisermos reverter esse processo, precisamos primeiro entender como o ser humano se colocou nesse dilema. Em que ponto ele perdeu a fé? Quando e por que se adjudicou o direito de controlar a vida? Estas são perguntas importantes que, infelizmente, não posso responder aqui. Contudo, gostaria de discutir o papel que a psicanálise teve nesse desenvolvimento. Não pode ser coincidência que a psicanálise tenha surgido e florescido durante o período em que vimos a fé do ser humano em Deus diminuir.

Comecemos afirmando que a psicanálise fez uma das maiores contribuições para a nossa compreensão do ser humano: a demonstração feita por

Freud de como os processos inconscientes influenciam e distorcem o pensamento consciente. Ele também desenvolveu uma técnica para tonar conscientes esses processos inconscientes. Portanto, a psicanálise nos deu meios para ver as forças por trás da fachada da racionalização e do comportamento socialmente aceito. Foi como uma máquina de raios X da mente. Por meio da psicanálise, Freud mostrou que o organismo busca o prazer pela satisfação de seus impulsos instintivos e que, quando esses impulsos entram em conflito com a realidade da situação social, são reprimidos ou sublimados.

A repressão de um impulso leva a um conflito interno que tolhe a personalidade. O impulso é voltado contra o *self*, e sua energia é usada para bloquear sua expressão. Na sublimação, entretanto, essa energia é canalizada em uma forma aceitável de liberação, que não só evita os conflitos internos e externos como se torna uma expressão criativa que promove o processo cultural. Freud estava mais preocupado com o impulso sexual. Ele chamou a energia desse impulso de libido, que inicialmente concebeu como força física e, em seus últimos trabalhos, descreveu como força psíquica.

Freud acreditava firmemente que a cultura seria impossível sem a sublimação. Uma vez que, segundo pensava, a gratificação de todos os impulsos instintivos não deixaria nada para se desejar, não haveria motivação para o crescimento cultural. A necessidade, dizemos, é a mãe das invenções. Se todas as necessidades fossem eliminadas, não haveria razão para inventar. Esse argumento é válido, mas não leva em conta o fato de que a necessidade é inerente à ordem natural. O mundo nunca esteve livre de doenças, fome ou ameaça de fome, catástrofes naturais e morte. A gratificação pulsional das necessidades orais e sexuais não eliminaria essas ameaças à nossa segurança. O desenvolvimento cultural, portanto, não deve ser visto como resultado da frustração e da sublimação. Para Freud, "o progresso humano necessariamente leva à repressão e à neurose. O ser humano não pode ter as duas coisas: felicidade e progresso"[40].

Freud aceitava a inevitabilidade desse conflito entre gratificação instintual e cultura por dois motivos. Primeiro, ele estava preso às bases ideológicas de sua sociedade. Ele foi, como Fromm assinala, "um crítico da sociedade [...] Mas também tinha profundas raízes nos preconceitos e na filosofia de sua classe e período histórico". Concordo com Fromm quando diz que Freud "foi impedido por uma crença inquestionável de que sua sociedade, embora não fosse nem um pouco satisfatória, era a expressão máxima do progresso humano e não poderia ser melhorada em nenhum ponto essencial"[41].

Essa atitude de Freud indica que ele era um homem de fé. Um homem de fé não questiona as raízes de sua fé. É significativo que Freud nunca tenha analisado seriamente sua relação com a mãe. Como diz Fromm, ele "não podia conceber que a mulher fosse a causa principal do medo. Mas as observações clínicas demonstram amplamente que os medos mais intensos e patológicos estão de fato ligados à mãe; em comparação, o temor ao pai é insignificante"[42]. De todo modo, a fé de Freud em si mesmo e em sua missão eram a fonte de sua força.

O outro motivo básico para a posição de Freud era seu comprometimento com a razão e a racionalidade. Tal comprometimento, porém, não o cegou para os aspectos irracionais do comportamento humano. A psicanálise afirmava ser a ciência do irracional ou do inconsciente, uma vez que reconhecia claramente que o inconsciente exerce uma influência forte e determinante sobre a consciência e o comportamento. Mas Freud aceitava a tese de que há um conflito irreconciliável entre essas duas forças, racionalidade e irracionalidade, ou entre os aspectos conscientes e inconscientes da condição humana. Também acreditava que uma solução para esse conflito era possível através da técnica analítica, que visava tornar consciente o inconsciente. Se isso pudesse ser feito, o ser humano, através do poder da razão e da força de seu ego maduro, seria capaz de "libertar-se do domínio dos impulsos inconscientes; em vez de reprimi-los, ele pode negá-los, isto é, pode diminuir sua força e controlá-los com sua vontade"[43].

Nessa visão de ser humano, o irracional é considerado apenas em seus aspectos negativos. Os impulsos inconscientes dos quais devemos nos libertar são vistos como imaturos, egoístas, destrutivos e hostis. Meu professor, Wilhelm Reich, assinalou que para Freud o id era uma caixa de Pandora de sentimentos negativos. Todo terapeuta, ao trabalhar com seus pacientes de forma analítica, confirmará que o inconsciente é de fato repleto de impulsos negativos e hostis. Se não pudéssemos ir além dessa camada negativa, teríamos de concordar com Freud que a única solução é torná-los conscientes e submetê-los ao controle voluntário. A falha da técnica psicanalítica é que ela nunca se aprofundou o bastante. Trabalhou apenas com a mente, ignorando o coração e o corpo. Começando com a premissa de que o id não é confiável, concluiu: "Onde o id estava, o ego estará". Tendo em vista seu preconceito contra o irracional, a psicanálise não poderia chegar a outra conclusão a não ser que a criança é uma criatura amoral, pecadora e pervertida que precisa ser treinada para se tornar um ser civilizado.

Se a racionalidade tem um caráter positivo, à irracionalidade deve-se atribuir um valor negativo. Se o raciocínio e a lógica são modos de funcionamento superiores, as reações emocionais são modos inferiores. Se o funcionamento mental é o modo mais elevado do ser, o funcionamento corporal é o mais baixo. Esses juízos não são exclusivos da psicanálise, estão em toda a cultura ocidental. Um exemplo simples ilustra isso: uma criança diz à mãe: "Não quero comer verduras". Algumas mães talvez insistam, mas muitas responderão: "Por que você não quer comer?" Se a criança responde "Não estou com vontade", pode se deparar com a exigência "Me dê uma razão". Parece que precisamos de razões para justificar o comportamento. Os sentimentos não são razões e, portanto, são justificativas insuficientes para as ações humanas. Mas uma vez que o sentimento é a motivação para a ação, somos constantemente obrigados a justificar nossos sentimentos, o que na verdade significa justificar nosso direito a ser. A razão tem primazia sobre o sentimento.

O preconceito de Freud contra o irracional (deixem-me chamá-lo de não racional para retirar seu valor negativo) aparece com força em sua análise da religião. Em *O futuro de uma ilusão,* Freud atacou o mérito das crenças religiosas. Mas ele era um racionalista lógico, e não lhe foi difícil demonstrar que os dogmas específicos da religião careciam de uma base objetiva. Freud observou que "um sem-número de pessoas se torturaram com as mesmas dúvidas"[44], que, segundo acreditava, não ousavam expressar por medo ou suprimiam em nome do dever. Mas ele não considerou o fato da fé, que é um estado de sentimento. Quem tem fé não questiona suas raízes, pois sabe que se as submeter a um exame crítico do intelecto, acabará sem fé. O mesmo se pode dizer de qualquer sentimento. Pode-se analisar exaustivamente um sentimento, mas, ao fazer isso, acaba-se ficando sem o sentimento e com uma vida sem sentido.

Embora devamos reconhecer as contribuições importantíssimas que a psicanálise trouxe para a nossa compreensão da condição humana, é preciso entender que ela também teve efeitos negativos. Aumentou a cisão entre o ego e o corpo ou entre a cultura e a natureza ao enfatizar o antagonismo entre esses aspectos polarizados da vida e ignorar sua unidade subjacente.

Também, ao focar quase exclusivamente nos processos psíquicos, tende a denegrir o papel dos fatores somáticos nos transtornos emocionais. Assim, a psicanálise acaba por alimentar a ilusão de que a mente é o aspecto mais importante da existência humana. Na prática, isso leva o indivíduo a se concentrar e ficar absorto em palavras e imagens mentais e a negligenciar a expressão não verbal. Assim, acaba sendo um sistema de intelectualizações que perdeu sua conexão essencial com a natureza animal do ser humano.

Não é meu propósito atacar a psicanálise. Todo conceito válido pode ser usado indevidamente, e Freud não teria aprovado o mau uso de seu método descrito aqui. Mas quero salientar que a psicanálise tem um forte preconceito contra o sentimento, contra o corpo e contra o conceito de fé. O preconceito de Freud contra a fé é compreensível tendo em vista o mau uso que as religiões organizadas fazem dela. Assim como ele se opôs às afirmações da religião apelando à razão, também as religiões organizadas se opuseram às descobertas da psicanálise apelando à fé. O conceito de fé pode facilmente degenerar num misticismo vago que destruiria seu verdadeiro caráter e valor. Uma vez que as pessoas precisam desesperadamente de fé, é fácil induzi-las a abandonar sua individualidade oferecendo-lhes um conjunto de crenças em nome da fé.

Finalmente, Freud depositou sua confiança na ciência. Ele escreveu: "Acreditamos ser possível que o trabalho científico descubra algo sobre a realidade do mundo que nos permita aumentar nosso poder e regular nossa vida"[45]. Então Freud se perguntou se essa crença poderia ser uma ilusão, e logo respondeu que os sucessos da ciência mostravam que não. Concordo que não seja uma ilusão. A ciência *realmente* nos dá poder e fornece dados que nos ajudam a regular nossa vida. Minha pergunta é: os conceitos e o poder que a ciência oferece necessariamente promovem a felicidade e o bem-estar do ser humano? Eu relutaria em responder que sim.

Não é preciso tomar posição entre os argumentos da religião e os da ciência. Nem as crenças religiosas nem as científicas confrontam a questão básica da depressão. Nem a crença em Deus nem a crença na ciência evita que alguém fique deprimido quando a carga energética do corpo colapsa em virtude da perda de sentimento. E, quando isso acontece, as ideias ou crenças perdem sua capacidade de nos sustentar, uma vez que a força de uma ideia deriva da quantidade de afeto (sentimento) ou catexia (mudança) investido nela. O próprio Freud descobriu esse princípio.

Há também em Freud outro preconceito que deve ser exposto: uma falsa visão da natureza. Sobre a natureza, escreveu: "Ela tem seu modo peculiarmente eficaz de nos restringir: ela nos destrói de forma fria, cruel e insensível [...] e possivelmente o faz justamente através daquilo que nos causou satisfação". E mais adiante: "Na verdade, a principal tarefa da cultura, sua própria *raison d'être,* é nos defender da natureza"[46].

Essas declarações são extremamente negativas, e em alguns casos podem até ser verdade, mas não estão acompanhadas de nenhuma observação sobre o lado positivo da natureza. Ela também não nos alimenta, nos apoia e torna nossa vida possível? Se ela é indiferente ao destino do indivíduo, por que chamar isso de crueldade? Freud sabia disso. De fato, ele se deleitava com a natureza. Um dos seus grandes prazeres era caminhar nas montanhas. Podemos explicar essa contradição na personalidade de Freud interpretando-a com base em sua relação com a mãe. Seus sentimentos a respeito dela também eram ambivalentes, mas nesse caso ele suprimiu o aspecto negativo, que então projetou na mãe universal — a natureza.

O efeito desse preconceito foi impedir que Freud enxergasse os aspectos da vida humana que tratam da relação de uma criança com a mãe ou do ser humano com a natureza, a grande mãe. Também o impediu de enxergar as importantes contribuições de Carl Jung, e o levou a ignorar a importante descoberta de Johann Bachofen e Louis Henry Morgen de que, em todos os lugares, o matriarcado e as culturas matriarcais precederam o estabelecimento da sociedade patriarcal. Nessas culturas, a frustração, a repressão e a neurose eram desconhecidas. Mas essas culturas muito antigas contavam com religião e divindades. Os deuses que veneravam eram deusas, figuras maternas ou representações da Terra.

Erich Fromm faz uma interessante comparação entre o princípio patriarcal e o matriarcal:

O princípio matriarcal é o de amor incondicional, igualdade natural, ênfase nos laços de sangue e terra, compaixão e misericórdia; o princípio patriarcal é de amor condicional, estrutura hierárquica, pensamento abstrato, leis feitas pelo homem, Estado e justiça. Em última análise, misericórdia e justiça representam os dois princípios, respectivamente.[47]

Esses dois princípios também podem ser equiparados, respectivamente, ao ego e ao corpo, ou à razão e ao sentimento. Se os estendermos, o princípio patriarcal representa o ego, a razão, as crenças e a cultura, ao passo que o princípio matriarcal representa o corpo, o sentimento, a fé e a natureza. É verdade que hoje o princípio patriarcal está em crise. Foi tão ampliado pela ciência e pela tecnologia que pode estar à beira do colapso. Mas até que isso aconteça, e até que o princípio matriarcal seja restaurado ao seu lugar de direito, como um valor igual e polarizado, podemos prever que a depressão se tornará endêmica entre nós.

9. Realidade

ENTRANDO EM CONTATO COM A REALIDADE

Usei diversas frases para descrever o paciente deprimido: 1) persegue objetivos irreais ou está preso a uma ilusão; 2) não tem os pés no chão; e 3) perdeu a fé. Em diferentes momentos, enfatizei um ou outro desses aspectos do problema. São, contudo, apenas aspectos, o que significa que estivemos estudando uma mesma situação de três pontos de vista. Aquele que não tem os pés no chão não tem fé e persegue objetivos irreais. Por outro lado, aquele que tem os pés no chão tem fé e está em contato com a realidade. Talvez a melhor maneira de dizer isso seja que aquele que está em contato com a realidade tem fé e os pés no chão.

"Realidade" é uma palavra que pode ter significados diferentes para pessoas diferentes. Alguns a veem como a necessidade de ganhar a vida; outros a igualam à lei da selva — o forte sobrevive e o fraco é extinto; e outros ainda a associam a uma vida livre das pressões de uma sociedade competitiva. Embora haja certa verdade em cada uma dessas visões de mundo, o que nos interessa aqui é a realidade do *self,* ou mundo interno. Quando dizemos que a pessoa não está em contato com a realidade, queremos dizer que ela não está em contato com a realidade do seu ser. O melhor exemplo é o portador de esquizofrenia que vive num mundo de fantasia e não percebe as condições físicas da sua existência.

Para todo indivíduo, a realidade básica do seu ser é seu corpo. É através do corpo que vivencia o mundo e através do corpo que reage a ele. Se alguém está sem contato com seu corpo, está sem contato com a realidade do mundo. Desenvolvi essa tese em O *corpo traído*[48]. Cito uma passagem desse livro: "Se o corpo está relativamente sem vida, as impressões e respostas da pessoa são diminuídas. Quanto mais vivo está o corpo, mais vividamente ela percebe a realidade e mais ativamente reage a ela. Todos vivenciamos o fato de que, quando nos sentimos particularmente bem e vivos, percebemos o mundo com mais nitidez. Em estados de depressão, o mundo parece sem cor".

O primeiro passo no tratamento da depressão é ajudar o paciente a entrar em contato com a realidade do seu corpo. O nível de sua depressão é uma medida de quanto ele deixou de se perceber como alguém com um corpo. Nesse sentido, é como o indivíduo esquizoide; este, porém, nega a realidade do seu corpo, enquanto o deprimido apenas a ignora. A inescapável realidade da vida é que a pessoa é o corpo, e o corpo é a pessoa. Quando o corpo morre, morremos. Quando o corpo fica "amortecido" — isto é, quando não há sentimento —, deixamos de existir como pessoas que têm uma personalidade definida. Outro trecho de *O corpo traído* torna isso claro:

> É o corpo que derrete de amor, congela de frio, treme de raiva e procura contato e afeto. Separadas do corpo, essas palavras são imagens poéticas. Vivenciadas no corpo, têm uma realidade que dá significado à existência. Baseada na realidade do sentimento corporal, a identidade tem substância e estrutura. Abstraída dessa realidade, ela se torna um artefato social, um esqueleto sem carne.[49]

O problema da terapia é que o paciente que perdeu o contato com seu corpo não sabe do que estamos falando. Pode até mesmo dizer: "Qual é a relação entre meu corpo e o modo como me sinto?" Essa frase é absurda, porque o que sentimos é o nosso corpo. Fora do corpo não há sentimento. Como alguém pode dizer uma coisa dessas a menos que tenha sido condicionado a acreditar que o corpo é apenas um mecanismo que mantém a vida, mas de maneira alguma a determina? Mas esse condicionamento é parte da cultura ocidental e está arraigado na ética judaico-cristã, que encara o corpo como pecador, inferior e a prisão do espírito. A mente do ser humano, essa faculdade gloriosa que o distingue de todos os outros animais, é considerada a verdadeira marca da natureza humana, o critério de sua humanidade. Enquanto o homem primitivo cultuava o corpo e suas funções vitais como manifestações de uma força divina, nós dissociamos essa força do corpo e a investimos num espírito desencarnado que consideramos divino.

Essa difamação do corpo na religião ocidental foi uma tentativa de espiritualizar o ser humano, de colocá-lo acima da existência puramente animal.

E, enquanto o ser humano tinha um corpo vivo e se mantinha em contato com ele através das necessidades físicas da vida cotidiana, esse esforço fazia sentido. Não faz sentido nas condições atuais. A ênfase exagerada na mente e no espírito resultou em espíritos desprovidos de corpo e em corpos desprovidos de espírito, ou desencantados. O resultado é que a religião perdeu sua eficácia como baluarte da fé ao corroer as raízes do ser humano em seu corpo e em sua natureza animal.

Esse processo foi incitado por uma posição científica que ignorou a validade da experiência subjetiva em favor de uma atitude objetiva, sem emoção, em relação à vida. Ao tratar todas as funções vitais como mecanismos puramente físico-químicos, reduziu o corpo a um objeto — um dos muitos que a ciência tentou controlar e manipular. Aqui, mais uma vez, o objetivo fazia sentido no início, pois aumentava o poder e o domínio do ser humano, ampliando sobremaneira sua segurança externa. Mas esse valor se perdeu quando todo o processo da vida passou a correr o risco de ser transformado em uma operação mecânica.

Há muito tempo considero a psicanálise o grande esforço final para subjugar e controlar a natureza animal básica do ser humano. Ela pertence, portanto — como a religião e a ciência —, à tradição ocidental que coloca a mente acima da matéria e o ser humano acima da natureza. Como as outras tentativas nessa direção, no começo fazia sentido. O ser humano tinha de conhecer seus processos mentais inconscientes se quisesse compreender seu comportamento. Mas como poderia desenvolver a compreensão necessária se a realidade básica do seu ser, isto é, o funcionamento do seu corpo, era ignorada? Contudo, foi através da psicanálise que essa falha da conduta humana em relação à natureza foi reconhecida. Pois foi Wilhelm Reich, o psicanalista, que descobriu o fato óbvio de que o caráter psicológico de um indivíduo é expresso em sua atitude corporal.

A maneira como a pessoa se mantém erguida, se movimenta, fala e irradia sentimentos nos mostra quem é ela. Todos sabemos disso instintivamente; sabemos desde crianças. Como nos tornamos tão cegos a ponto de não reconhecer essa verdade? Essa cegueira diante do óbvio só podia vir de um longo condicionamento que nos ensinou a acreditar que nos identificamos com a nossa mente, e não com o nosso corpo. Fomos condicionados a não confiar em nossos olhos ou nossos sentidos, uma vez que eles apenas transmitem informações subjetivas para a mente. Mas aquele que não confia em seus sentidos não pode ter fé em suas percepções ou em suas reações. E, claro, não pode ter certeza quanto à realidade.

A resistência a ver o corpo como o indivíduo está profundamente estruturada na maioria das pessoas, e não é fácil de superar, pois poucas estão preparadas para abandonar a ilusão de que a mente do ser humano, com informação suficiente, é onipotente. O caso seguinte é mais um exemplo da irrealidade que está presente no estado depressivo. Algum tempo atrás, atendi um homem de cerca de 40 anos que se queixava de uma reação depressiva que começara um ano antes, mais ou menos seis meses depois de ele ter vendido seu negócio para uma empresa maior por uma soma de dinheiro considerável. A venda foi feita com a condição de que ele administraria o negócio durante cinco anos, pois se destacava em sua área. O que poderia ter sido uma típica história de sucesso logo se transformou em amargura para o paciente, que se tornou inquieto e começou a se irritar com a ideia de trabalhar para alguém. Tornou-se impaciente com os funcionários e começou a gritar com eles e a ter crises de raiva. Essas explosões eram curtas, e sua natureza boa logo recuperava a situação. Mas sua depressão só piorava. Então, ele revelou esta história:

Dez anos atrás, pouco antes de terminar seu casamento, ele enfrentara crises de tontura e certa dificuldade para andar. Descreveu a situação como um estado de agorafobia, o medo de espaços abertos. Essas crises o levaram a procurar ajuda psiquiátrica e, por cinco anos, ele esteve sob tratamento psicanalítico com quatro ou cinco sessões semanais. Em consequência, foi capaz de lidar de alguma forma com suas ansiedades e fobias. Através do tratamento analítico, também adquiriu a agressividade que lhe permitiu se tornar um empresário bem-sucedido. Descobriu algumas coisas significativas sobre si mesmo, mas muitos problemas ficaram sem solução. Ele sabia que um dos maiores era a necessidade de estar no controle — de si mesmo e de outros. O tratamento analítico, contudo, lhe ofereceu pouca ajuda para aprender a se libertar dessa necessidade de controle. Isso era evidente no seu funcionamento sexual. Ele precisava de uma grande familiaridade com a parceira antes de se tornar efetivamente potente. Também não conseguia ejacular sem o uso de fantasias. Não podia ceder ou entregar seu ego a uma mulher ou à própria sexualidade.

Em vista de tudo isso, fiquei surpreso quando ele disse: "Apesar de todos os meus problemas, gosto da minha vida. Estou feliz a maior parte do tempo". Quando apontei o absurdo dessa afirmação, ele esclareceu: "Faço jogos, e o maior deles é o de driblar minha neurose. Também faço o jogo de ser feliz e bem-sucedido e ter amigos, apesar da neurose". Isso era uma admissão de que ele tratava de se convencer de que era feliz quando na verdade estava totalmente infeliz. Também disse que sempre se sentia forçado a fazer coisas que não queria. Por exemplo, queria ser escritor, mas em vez disso obtivera um doutorado em engenharia.

Dadas as frustrações emocionais da vida desse paciente, não seria natural que estivesse deprimido? A resposta é não. A reação natural à frustração é raiva; a reação natural à perda é tristeza e dor. Uma reação depressiva indica que a pessoa tem vivido sob uma ilusão. Certamente é um autoengano acreditar que se pode driblar uma neurose. Uma atitude como essa divide a personalidade em uma parte racional, a mente consciente, e uma parte irracional, o comportamento neurótico. Essa divisão leva à ilusão de que a mente consciente pode e deve estar no controle da personalidade. Toda vez que esse controle é interrompido o indivíduo entra em pânico e fica deprimido, o que fomenta a aparente necessidade de mais controle. O indivíduo, então, é preso num círculo vicioso do qual não há escapatória.

Para rompê-lo, o paciente deve ser levado a entrar em contato com a realidade — a realidade da sua situação na vida, dos seus sentimentos e do seu corpo. Essas três realidades não podem ser separadas umas das outras. Aquele que está em contato com seus sentimentos também está em contato com seu corpo e com sua situação de vida. Pela mesma lógica, aquele que está em contato com seu corpo está em contato com todos os aspectos da sua realidade. Estar em contato, portanto, é o primeiro passo para que o paciente se livre da depressão e passe a ter fé. A forma mais rápida de alcançar esse objetivo é ajudá-lo a entrar em contato com seu corpo.

Meu paciente percebia vagamente que tinha algumas tensões físicas, mas não estava em contato com a gravidade e o grau em que elas imobilizavam seus movimentos e sentimentos. Quando conversamos, observei que ele afundava na cadeira, com a cabeça enterrada entre os ombros. Ele se sentava "sobre si mesmo", o que significa que estava preso ali e não podia se abrir e deixar seus sentimentos saírem. Quando o coloquei no banquinho para respirar, notei que sua respiração era rasa; ele vivenciou a experiência como uma grande tensão, o que o assustou. Para aliviar sua ansiedade, também fui para o banquinho e lhe mostrei que, com um pouco de relaxamento, a respiração torna-se mais profunda, sendo possível suportar a tensão por algum tempo sem dificuldade. Minha demonstração aliviou sua ansiedade e ele foi capaz de se soltar um pouco mais. Na verdade, ele se surpreendeu com o fato de que eu, um homem mais velho, conseguisse fazer esse exercício com muito mais facilidade, pois ele se considerava de certa forma atlético, visto que era esquiador.

Quando se deitou no divã, pedi que chutasse e dissesse "Não". A expressão dessa atitude foi fraca e pouco convincente. Mas ele me disse: "No escritório eu me irrito facilmente e grito o tempo todo". Contudo, não conseguia fazer isso no consultório, onde essas ações seriam apropriadas e serviriam para liberar seus sentimentos suprimidos. Muitas pessoas têm a ideia errônea de que explosões histéricas são formas válidas de autoexpressão. São, na verdade, exatamente o oposto, pois indicam a falta de domínio de si e a incapacidade para liberar sentimentos a não ser quando há provocação. Depois dessa explicação, o paciente fez um esforço maior para conseguir algum sentimento com seus chutes, socos e gritos.

Na sessão seguinte, ele mostrou uma pequena melhora. Suas ansiedades haviam diminuído e sua depressão se aliviara perceptivelmente. Ele atribuía essa melhora à liberação da raiva, pois acreditava que a supressão desse sentimento era responsável por sua reação depressiva. Isso é apenas parte da verdade. A supressão de qualquer sentimento está associada à supressão de todos os sentimentos — tristeza, medo, amor etc. Embora o paciente estivesse mais consciente da contenção da raiva, na verdade ele continha todos os seus sentimentos. O termo "conter" significa que o mecanismo da supressão é o fechamento de todas as saídas, genital, anal e oral. Nesses indivíduos, as principais áreas de tensão estão nos músculos do pescoço e da garganta e nos da pelve e das nádegas. Meu paciente tinha um pescoço curto e grosso. Os músculos da sua nuca eram superdesenvolvidos e estavam gravemente contraídos. Problema similar podia ser percebido nos músculos na região das aberturas inferiores.

A atitude de "conter" pode ser comparada com a de "retrair". No último caso, as principais tensões estão nos músculos longos do corpo, sobretudo naqueles ao longo da coluna vertebral. Esses padrões de tensão produzem uma rigidez no corpo geralmente associada a uma personalidade mais compulsiva e agressiva. "Conter" é mais típico de estruturas de caráter masoquista[50].

Após várias semanas de melhoras contínuas, a terapia foi interrompida por duas semanas em que me ausentei da cidade. Quando voltei a atender o paciente, ele estava deprimido e ansioso. Eu o havia alertado sobre a inevitabilidade de uma recaída. Durante essa sessão, enquanto trabalhávamos com a respiração e os movimentos, ele ficou enjoado de repente. No início resistiu à ideia de vomitar. Quando lhe mostrei que essa era a forma do seu corpo de não conter e liberar, ele concordou em tentar. Bebeu um pouco de água e, usando o dedo, vomitou com facilidade. A experiência o chocou, mas ele ficou agradavelmente surpreso ao descobrir que aquilo imediatamente acalmou suas ansiedades. Menciono esse incidente para apresentar a ideia de que o corpo, se permitimos que ganhe vida, encontra uma maneira própria de liberar suas tensões[51].

Essa sessão foi a última vez que o encontrei. Por que motivo ele não continuou a terapia, eu não sei. Posso apenas imaginar que a ideia de liberar sentimentos o assustava. Ele não estava preparado para aceitar a dor e o trabalho físico envolvidos na liberação de suas tensões musculares. Suspeito que esperava que eu o ajudasse a adquirir mais controle sobre seu corpo para que superasse a depressão através de um esforço de vontade. No entanto, essa não é a maneira de lidar com o problema depressivo, pois aumenta a irrealidade do paciente, dissociando-o ainda mais de seu corpo.

Este breve relato serve para ilustrar dois pontos básicos. Primeiro: todas as pessoas deprimidas estão sem contato com a realidade de sua vida. Penso que essa afirmação pode ser ampliada para incluir, em menor grau, a maioria de nós. Segundo: elas estão sem contato com seu corpo. Não sentem as tensões musculares que as bloqueiam e as aprisionam. Se estão tensas, como acontece com muitos indivíduos, atribuem isso à situação imediata, a qual se sentem impotentes para mudar. Procuram então uma pílula ou uma droga. Não compreendem quanta tensão se estruturou em seu corpo ou como essas tensões contribuem para suas ansiedades e sua sensação de impotência.

Certa vez atendi uma mulher com depressão cuja principal queixa era a de que seu marido lhe era indiferente. Embora houvesse certa verdade nessa queixa, ela não percebia como seus problemas contribuíram para essa situação. Durante uma sessão, pedi que ela estendesse os braços e dissesse: "Eu quero você". Ela não conseguiu, não com algum sentimento. Queria fazer isso, pelo menos conscientemente, mas sua garganta estava muito estreita e seus ombros muito enrijecidos para deixar que o sentimento fluísse. Descobriu, então, que não conseguia procurar o marido e que os problemas do seu casamento não eram apenas culpa dele.

Descrevo outro caso: um jovem que, com determinação e vontade, foi capaz de obter a maioria das coisas que queria. Para fazer isso, teve de eliminar a maioria dos seus sentimentos. Através da terapia recuperou parte de sua capacidade de se expressar; conseguia chorar e mobilizar sua raiva. Ele tinha um problema, porém, que se tornou bem claro quando estendeu as mãos e disse: "Me dá". Fez a exigência com força e, em resposta, eu lhe dei minha mão, ligeiramente fechada. Ele a pegou, segurou, e depois ficou quieto. Não sabia o que fazer com ela. Muitos pacientes nessa mesma situação levam minha mão ao peito, ao rosto ou à boca. Nós repetimos a manobra com uma toalha enrolada. Ele a agarrou firmemente e a segurou, mas foi incapaz de ir adiante. Então falou: "Eu posso conseguir o que quiser. Posso até reter para que não levem embora. Mas não consigo possuir. Não consigo torná-la parte de mim. Não consigo me abrir e abraçar".

Para ajudar os pacientes a compreenderem o que significa se abrir, costumo descrever o comportamento de filhotes de pássaros já emplumados quando sua mãe aparece com comida. O bico dos filhotes se abre completamente, mais largo até do que o próprio corpo. É uma visão deliciosa, e eu fiz um desenho disso.

Tenho certeza de que todos nós já vimos e ficamos impressionados com o tanto que o filhote de pássaro abre a boca e o corpo para receber o que a mãe lhe trouxe.

FIGURA 2 – Filhotes no ninho à espera de comida

Ao ser amamentado, o bebê também se abre e se estende da mesma maneira para receber o seio. Não é só a boca que se abre, mas a garganta e o corpo; não são só os lábios e as mãos que se estendem, mas todo o ser da criança. Abrir e se estender começa como uma onda de excitação no centro do corpo, que flui para cima através do peito e para fora através dos braços, da garganta, da boca e dos olhos. O sentimento subjacente pode ser descrito como uma busca que parte do coração ou uma abertura que vai até o coração e o inclui. O bebê se abre e se estende com amor e assim pode levar para dentro do seu corpo o amor que lhe é oferecido.

Abrir a personalidade significa abrir o coração para ser capaz de expressar e receber amor. Não se trata de metáfora, mas da realidade física. O coração está aberto quando a sensação ou excitação no coração flui livremente para os braços ou, através da garganta, para a boca e os lábios, ou ainda para os olhos. Assim como os impulsos fluem para fora por esses canais, as impressões fluem para dentro pelos mesmos caminhos. Uma pessoa aberta sente no coração o afeto que os outros têm por ela. Os sentimentos fluem do coração para cima e para baixo, em direção à cabeça e também aos genitais e às pernas. Uma pessoa aberta está aberta em ambas as extremidades do seu corpo. Sua sexualidade está imbuída de amor por seu parceiro e cada passo que ela dá é um contato amoroso com a Terra.

Quando dizemos que alguém tem o coração fechado, significa que não é possível alcançar seu coração. Se o coração um dia realmente se fechasse, a pessoa morreria. Mas é possível limitar ou restringir as aproximações ao coração tanto por cima como por baixo. E a caixa torácica pode ser transformada em uma prisão através de tensões musculares que a deixam rígida e imobilizam o peito. O peito estufado e rígido diz, na linguagem do corpo, "Não vou deixar que você se aproxime do meu coração". Essa atitude corporal surge em consequência de uma grande decepção numa antiga relação amorosa, especificamente, no relacionamento da criança com a mãe. Reich descreveu essa tensão como um processo de couraça concebido para proteger a pessoa de ser machucada outra vez. Também serve para anestesiar a dor da ferida inicial, sendo, portanto, uma defesa contra os sentimentos.

A capacidade de se abrir plena e livremente está bloqueada nos meus pacientes. Na maioria deles, descubro que o peito é duro e rígido como um cofre para proteger e guardar o coração. Há também um anel de contração muscular perto da base do pescoço que estreita a abertura junto à cavidade

197

torácica. Em alguns, o pescoço é curto e grosso, com músculos fortes que efetivamente sufocam qualquer impulso para o exterior. Em outros, o pescoço é longo e fino, com músculos tensos que restringem qualquer impulso. A mandíbula fica travada para controlar o acesso ao interior ou a saída para o exterior. As tensões crônicas da mandíbula nunca estão ausentes, e em alguns casos a abertura da boca está drasticamente reduzida. Até mesmo os lábios ficam paralisados e são incapazes de se mover para a frente com liberdade e facilidade. As espasticidades musculares na região dos ombros e da escápula limitam o alcance da pessoa.

Quando coloco meus pacientes em contato com seu corpo, eles conseguem sentir as frustrações e carências que produziram essas tensões. Eles recordam que ansiavam por uma mãe que nunca estava "lá" e se tornam cientes de como suprimiram o sentimento para eliminar a dor. Sentem como sufocaram o choro quando descobriram que ele produzia reações hostis nos pais. Aprenderam as maneiras de uma cultura que acredita na frustração. Aprenderam a não se deixar abalar pelos desapontamentos, a manter a cabeça erguida. Estar sempre alertas se tornou natural para eles, pois há muito perderam a fé nas respostas de seus pais. Trancaram, contiveram ou reprimiram os sentimentos. Deixaram de se abrir, pois com isso sempre acabavam sendo machucados.

E aceitaram o preceito de que o amor deve ser merecido por meio de boas ações. Esse preceito resume uma atitude que encara a criança como tendo a mancha do pecado (a doutrina do pecado original) ou como um ser cujos direitos são concedidos pelos pais sob a condição de que ele se ajuste às exigências parentais. A criança que se submete a essa atitude deve suprimir sua própria raiva e hostilidade. Essa supressão adicional aumenta o estado de estar fechado em si mesma.

Aquele que está sem contato com seu corpo não sabe que está fechado. Fala de amor, pode até mesmo fazer alguns gestos de amor, mas como seu coração não está em suas palavras nem em suas ações, não consegue ser convincente. Sabe da importância do amor e assim tenta, de modo indireto, conseguir o amor que necessita. Tenta ajudar os outros sem perceber que está projetando neles as próprias necessidades. Estando fechado em si mesmo, coloca o seu problema no mundo externo, fora de si. Por essa razão, todo esforço que faz para obter aprovação (ser bom, ficar rico, ter sucesso) mostra-se sem sentido, uma vez que não afeta seu ser interior. Suas realizações ou conquistas só têm valor para seu ego. Continua a se sentir frustrado sem saber por quê. Estando fechado, não é tocado pela reação de outras pessoas para com ele, o que o leva a sentir que elas não estão fazendo o bastante.

Quando um indivíduo entra em contato com o próprio corpo, torna-se consciente das restrições e limitações de seu ser, causadas por tensões musculares crônicas. Percebe as origens dessas tensões e sente os impulsos que as bloqueiam. Com uma ajuda competente, pode liberar esses impulsos e diminuir ou eliminar as tensões. Passo a passo, recupera sua capacidade inata de se abrir e interagir. Essa capacidade o transforma de indivíduo frustrado em um que pode participar emocionalmente do dar e receber da vida. Antes, ele não era capaz nem de dar, nem de receber amor; só era capaz de fazer, em substituição a ser.

Essa capacidade se torna a base de uma nova fé em si mesmo e em seus sentimentos. Entrar em contato com o corpo oferece uma nova maneira de compreender a si mesmo, que aos poucos se transforma em autoaceitação. Essa mudança ocorre à medida que *entrar* em contato dá lugar a *estar* em contato. Defini amor como o desejo de estar próximo de alguém ou de alguma coisa[52]. A sensação de amar, assim como a de tocar, é muito íntima. Para tocar é preciso estar perto, e para estar perto é preciso amar.

ESTAR EM CONTATO

Não podemos esperar que aqueles que estão sem contato com a realidade, inclusive a realidade de seu corpo, sejam adultos responsáveis por sua vida ou suas ações, uma vez que estão sem contato com as forças dinâmicas que determinam seu comportamento e suas reações. Antigamente, essas pessoas podiam se conformar com padrões estabelecidos de conduta, seguras de que se seguissem as regras não haveria o que temer. Mas num mundo que já não reconhece ou aceita padrões formais de relacionamento, a responsabilidade por relações emocionais significativas pesa muito sobre o indivíduo. É uma responsabilidade que só se pode exercer totalmente se se está em contato consigo mesmo.

Estar em contato significa perceber o próprio corpo, suas expressões, seu estado de abertura e seus padrões de tensão. Quando se está em contato com *o self* corporal, não se age apenas com base numa imagem mental que pode ou não corresponder a esse *self*. Estar em contato também significa ter certa compreensão das experiências que moldaram a própria personalidade, sobretudo no nível do corpo. É de extrema importância o fato de que o corpo é a pedra de toque da realidade do indivíduo. Aquele que pensa que se conhece, mas está sem contato com as características e o significado de suas reações físicas está funcionando sob ilusão. Confunde as intenções com as ações. Em seu íntimo, quer se abrir para o mundo, mas esse impulso não pode fluir livremente por causa de sua couraça muscular. Suas ações são hesitantes, indecisas e ambivalentes. Por certo, evocam respostas igualmente indecisas e ambivalentes. Uma situação como essa pode ser muito frustrante e até mesmo levar a ressentimentos, a menos que a pessoa esteja ciente de sua dificuldade. Nesse caso, ela poderia dizer: "Quero me conectar com você, mas fui machucado tantas vezes que estou hesitante e cauteloso". Diante dessa afirmação, respondemos sem hesitar com solidariedade e afeição.

Quando as tensões no corpo são mais graves, a busca de conexão pode se transformar num ato cruel ou sádico. Vi isso acontecer muitas vezes com meus pacientes quando lhes dei minha mão. No início eles a tocavam gentilmente, mas à medida que a sensação aumentava, suas mãos se transformavam em garras e eles agarravam mais forte, como se fossem arrancar meu punho do braço. Na situação terapêutica, isso nos permite explorar os sentimentos mais profundos do paciente; na relação amorosa, é um desastre. É possível compreender esse fenômeno quando percebemos que o impulso amoroso se transforma em raiva quando ativa os sentimentos negativos trancados na couraça muscular. Veja a Figura 3:

FIGURA 3 – Diferenças entre a musculatura normal e a musculatura tensa

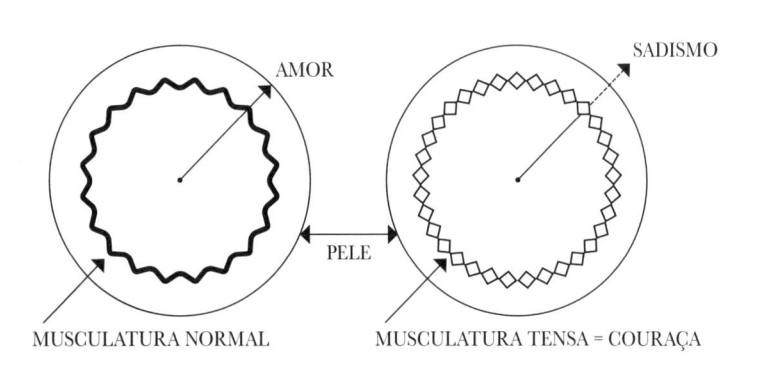

A combinação de amor e raiva ou irritação dirigida à mesma pessoa é sadismo; isto é, há uma necessidade de machucar como expressão de amor. Ao contrário do indivíduo hostil ou com ódio, o sádico machuca a quem ama. Reich acreditava que o impulso amoroso era retalhado na sua passagem pela musculatura contraída e que o esforço por unificá-lo o transformava numa ação dura e cruel. Nessa situação, uma pessoa em contato diria: "Não posso amar, estou muito cheia de hostilidade" em vez de infligir dor à pessoa amada.

Estar em contato não é apenas o pré-requisito para a responsabilidade, mas a essência desta. O adulto, ao contrário da criança, é responsável pelo próprio bem-estar. Não se trata de uma responsabilidade que lhe é imposta de fora, mas é inerente à natureza de um indivíduo adulto, humano ou animal. Contudo, é de conhecimento geral que muitas pessoas, sobretudo as que estão deprimidas, são incapazes de assumir essa responsabilidade. Estão perturbadas por sentimentos de carência que vêm da infância e corroem sua autoconfiança e seu domínio de si. Buscam aprovação e parecem precisar de apoio e segurança. Seu comportamento é descrito como imaturo, e seus relacionamentos, caracterizados pela dependência. São indivíduos alterdirigidos porque estão sem contato com seus sentimentos e seu corpo.

Durante a terapia, os pacientes sempre expressam a necessidade de ser amados, de que alguém tome conta deles. Entendo perfeitamente por que se sentem assim, uma vez que essas necessidades básicas não foram satisfeitas nos seus primeiros anos. Mas o que pode ser feito? Já assinalei que um terapeuta não pode tomar conta de seus pacientes ou amá-los com a devoção que seus pais deveriam ter mostrado. Pode ser compassivo, solidário e compreensivo, mas não pode ser uma mãe ou um pai para seus pacientes. No entanto, há uma realidade na necessidade de amor do paciente. Através do amor, isto é, através do amor da mãe expresso em segurar no colo, cuidar e atender, a criança adquire a sensação de seu corpo e a identificação com ele. Na ausência do amor, o corpo é uma fonte de dor; a necessidade de contato se torna uma espera agoniada e a criança rejeita o próprio corpo como sua mãe o rejeitou. A consequência desastrosa da perda do amor materno é a perda do corpo. Até para um adulto a perda de alguém muito amado tem um efeito anestesiante sobre o corpo; os sentimentos deixam de fazer sem sentido, e o corpo morre.

Todo paciente necessita ser tocado, e isso é especialmente verdade em relação a um paciente deprimido. Ao tocá-lo, evocamos seus sentimentos. Estando em contato com ele, expressamos nosso apoio e compreensão. E por meio de um toque físico com afeição e sentimento, fazemos o amor chegar até ele. Às vezes, quando surge a necessidade, isso pode requerer que o terapeuta segure o paciente nos braços ou o abrace. Esse abraço não é feito com o sentimento de uma mãe por um filho ou com o de um amante pela pessoa amada, mas com a afeição que alguém que não tem medo de tocar e amar tem por outro ser humano. O contato físico entre o terapeuta e o paciente era e continua sendo tabu no procedimento psicanalítico tradicional. Isso foi feito para evitar as implicações de qualquer sentimento sexual entre analista e paciente. Teve o efeito oposto. Aumentou a transferência sexual ao torná-la subjacente e deixou o paciente com medo de se aproximar do analista e de tocá-lo. Uma vez que esse é o problema do paciente e a razão básica para a sua necessidade de terapia, o tabu contra tocar prejudicou a intervenção terapêutica.

Por importante que seja ser tocado, ser capaz de tocar é mais importante. Ao tocar, entramos em contato. Ao me tocar, um paciente entra em contato não só com quem eu sou, mas também com quem ele é. Portanto, sugiro ao paciente que erga os braços e toque meu rosto. A ansiedade que essa perspectiva provoca é surpreendente. Alguns me tocam com a ponta dos dedos, como se estivessem com medo de um contato maior. Outros tateiam meu rosto com os dedos como criancinhas tentando sentir o corpo humano. Outros ainda empurram meu rosto para se proteger de um contato ou toque real entre nós. Essas reações me permitem analisar e decifrar as ansiedades dos pacientes sobre tocar. Se isso não for feito, como esperar que um paciente esteja em contato com a vida?

O mais importante para um paciente, no entanto, é entrar em contato consigo mesmo, não pela intervenção de outra pessoa, o que o tornaria dependente dela, mas pelos próprios meios e de dentro de seu ser. Isso acontece quando o paciente pratica os diversos exercícios de respiração e de expressão descritos anteriormente. Primeiro ele descobrirá quanto está sem contato consigo mesmo, mas esse é um passo na direção do estar em contato. Em seguida, descobrirá que entrar em contato é um procedimento doloroso; evoca sentimentos que foram suprimidos quando se tornaram insuportáveis. Também é fisicamente doloroso, pois o aumento da quantidade de sangue, energia e sensação nos tecidos contraídos muitas vezes dói. Se o tranquilizarmos, o paciente pode aceitar essa dor como um fenômeno positivo. A dor desaparece logo que o tecido relaxa, e ele finalmente descobre que estar em contato é a essência do prazer.

Enquanto a pessoa está sem contato com seu corpo, permanece atada à perda que produziu esse estado. Todos os seus esforços têm a motivação inconsciente de reverter essa perda. Ela cria ilusões para negar a finalidade de sua perda, mas, pela mesma manobra, evita que a perda ocupe seu devido lugar no passado de modo que ela possa agir como um adulto responsável no presente. Uma ilusão a impede de estar em contato com a realidade, especificamente, a realidade do seu corpo atual, e assim perpetua a sensação de perda. Acho que isso explica por que tantas pessoas sofrem o medo do abandono ou a ansiedade de estar sozinhas.

Se o terapeuta não pode dar ao paciente o amor que ele perdeu quando criança, pode ao menos ajudá-lo a recuperar o seu corpo. Isso não diminui a dor; na verdade, ela pode até se tornar mais intensa por um tempo, mas não é mais uma dor que ameaça a integridade do indivíduo. Ele aceita a perda e, fazendo isso, torna-se livre para viver totalmente no presente. Em vez de tentar transformar a dor obtendo amor, dirige os sentimentos para ser amoroso ou dar amor. Essa mudança de atitude não é ditada pela razão (nos falaram da importância de amar desde que éramos crianças — quase sempre em vão), mas pelas necessidades do corpo. O corpo procura prazer e encontra seu maior prazer na autoexpressão. Das várias vias de autoexpressão, o amor é a mais significativa e a mais gratificante. Estar em contato com o corpo é estar em contato com a necessidade de amar.

Uma das pacientes na terapia bioenergética fez uma observação que achei muito interessante. Ela disse: "Você me deu alguma coisa em que acreditar". A fala surgiu quando estava deixando o tratamento, então pedi que ela pensasse sobre isso e me escrevesse. Gostaria de citar algumas de suas observações, que foram feitas em diversas cartas.

Na primeira, ela escreveu: "Em você. Em mim mesma, meu corpo — como um instrumento musical, é a metáfora em que pensei. Minha raiva, lágrimas, dor e outros sentimentos — amor, sexualidade, diversão, prazer — não podem ser "ouvidos" sem a sensação crescente do meu corpo. Mozart no papel, sem uma orquestra, não levaria a lugar nenhum. Então, acredito no corpo físico. Mas tenho medo de estar aqui, na Terra, sem uma mãe que me ame e cuide de mim. Assim, agora encaro o medo acreditando que se eu trabalhar com meu corpo, um dia serei minha própria mãe querida e não sentirei mais medo".

Sua segunda carta continha o seguinte: "Acredito nesse tipo de trabalho em mim mesma com meu corpo porque alivia a dor. Nunca gostei de me dedicar tanto a alguma coisa antes. Leva a um prazer real me dedicar a poemas, a ensinar, a limpar a casa etc. Mudou minha atitude em relação ao trabalho.

"Não procuro mais homens para me assegurar das fronteiras do meu corpo. Eu usava os relacionamentos para descobrir, através do toque de alguém em mim, que estava aqui e viva. Mas os sentimentos anestesiados voltavam quando eu estava só. Agora parece que sinto meu corpo de forma renascida. Acordo de manhã e sinto vontade de brincar como um bebê no berço — apenas estar no mundo. Essa é uma sensação nova para mim. Está sempre presente quando penso nela. Talvez agora seja possível para mim amar um homem com meus sentimentos profundos".

Na sua terceira carta, ela incluiu uma nota significativa: "Sinto que *creio* mais, posso conseguir respostas mais autênticas quando outra pessoa é aberta e honesta. Sinto mais compaixão por outros que estão trabalhando e lutando. Acredito no meu contato com eles; em minha identidade com a humanidade. Isso me dá algo em que acreditar, sobre meu contato — não — meu contexto em um mundo dos outros. Sinto-me menos só, menos isolada. Sou mais humana".

Ouvi muitos pacientes dizerem que ao entrar em contato com seu corpo fariam o trabalho que suas mães não fizeram. Estão desejosos e dispostos a assumir o próprio bem-estar. Não procuram outras pessoas para que elas lhes deem a sensação de estar vivos ou um senso de *self*. Mas o que é ainda mais importante é o fato de que esse novo senso de responsabilidade não se limita ao *self*, mas se estende para o mundo.

Responsabilidade, como Fritz Perls observou, é a capacidade de responder com sentimento. Não equivale ao dever ou à obrigação, pois tem uma qualidade espontânea que é diretamente relacionada com o grau de vitalidade ou abertura do organismo. É uma função do corpo porque requer sentimento; nesse aspecto, difere do dever, que é uma construção mental independente do sentimento e, muitas vezes, pode nos dirigir para uma ação contrária aos nossos sentimentos. Portanto, a responsabilidade é um atributo de uma pessoa como um corpo — como um alguém, e não um ninguém[53]. Ser alguém — estar em contato com quem que se é — automaticamente faz que a pessoa seja responsável.

Nada promove mais o sentimento de uma identidade humana comum do que estar em contato com o próprio corpo. Ver isso acontecer sempre é uma experiência extraordinária, e ocorre regularmente nos *workshops* de treinamento bioenergético que meus colaboradores e eu criamos para profissionais. Em geral, participam trinta ou quarenta pessoas vindas de diferentes partes dos Estados Unidos para aprender nossos conceitos e técnicas. No estágio introdutório, sente-se que são estranhos reunidos, mas na sessão noturna do primeiro dia o sentimento de estranhamento já desapareceu, substituído por uma sensação de parentesco, de pertencimento e de afeição que parece surgir do nada.

Um *workshop* bioenergético não é como um grupo de encontro. Os participantes não estão ali para saber uns dos outros ou encontrar uns aos outros. O objetivo é levá-los a entrar em contato consigo mesmos — isto é, a se encontrar no nível corporal. Há exercícios em grupo, mas se enfatiza que cada indivíduo vivencie o próprio corpo, e o trabalho significativo é feito com base no indivíduo. Contudo, ao entrar em contato consigo mesmo como indivíduos, eles também entram em contato uns com os outros como indivíduos.

O que todos nós temos em comum como seres humanos é o corpo. Nossas experiências passadas podem diferir e nossas ideias podem ser conflitantes, mas somos todos iguais em nosso funcionamento corporal. Quando respeitamos nosso corpo, respeitamos o corpo de outra pessoa. Quando sentimos o que acontece em nosso corpo, também sentimos o que acontece no corpo de outro ser de quem estamos próximos. Quando estamos em contato com os desejos e as necessidades do nosso corpo, conhecemos as necessidades e os desejos de outros. E, ao contrário, quando não estamos em contato com nosso corpo, não estamos em contato com a vida.

Podemos ter uma medida da nossa falta de contato com a vida pela destruição que temos causado ao meio ambiente. Vejamos o caso da poluição atmosférica. Ela vem ocorrendo há muitos anos, e a temos ignorado porque estávamos tão preocupados em produzir que não tínhamos nem tempo para respirar. Aquele que não é consciente da respiração não consegue perceber a poluição do ar — pelo menos não antes de ela se tornar tão ruim que seja impossível respirar. O mesmo se pode dizer da destruição das matas, da eliminação da vida selvagem, do lixo e da sujeira presentes em todo lugar. Estando sem contato com nosso corpo, ficamos sem contato com o hábitat do corpo. A mente pode parecer funcionar bem num escritório ou biblioteca, mas o corpo precisa do ambiente natural para continuar vivo e responsivo.

Sem o corpo, não somos ninguém, e não passamos de números para uma civilização de massa que ignora os valores humanos. Somos parte de um sistema de massa, mas nos sentimos sós e isolados. Não pertencemos à vida, pois pertencemos ao mundo das máquinas; um mundo morto. E nenhuma palavra é capaz de mudar essa situação, nenhuma quantidade de dinheiro pode alterar nossa condição. Só podemos voltar à vida entrando em contato com nosso corpo. Agindo assim, descobrimos que existe fé na vida e que o corpo do ser humano é o corpo de Deus e algo em que acreditar.

10. Fé na vida

ANIMISMO

A única característica positiva da crise ecológica que confronta o ser humano é o aumento de sua percepção da interdependência de todas as formas de vida. A humanidade está começando a compreender que não se pode alterar minimamente o delicado equilíbrio da natureza. Essa compreensão tem tido um efeito moderador naqueles que acreditam no poder e no progresso e não veem limitações na exploração dos recursos da Terra. À medida que a população mundial cresce num ritmo acelerado, fica claro que esses recursos são limitados, e que mais poder e futuros progressos materiais aproximam o ser humano de um possível desastre. Somos obrigados, portanto, a examinar e reformular nossa relação com o mundo em que vivemos. Podemos ser a espécie dominante, mas ainda assim fazemos parte de uma ordem maior da qual depende nossa existência.

A história das relações do homem com o mundo se reflete em suas crenças religiosas. Está além do escopo deste livro examinar isso em detalhe. O que podemos fazer é comparar três atitudes radicalmente diferentes numa tentativa de descobrir a base para a fé. Essas três atitudes podem ser descritas como: 1) animismo; 2) a crença em um ou vários deuses; e 3) a crença no poder da mente racional, isto é, no ser humano como autoridade suprema.

O animismo, segundo o dicionário, é "a crença de que todos os objetos têm uma vida ou vitalidade natural ou estão habitados por almas". A palavra é "usada para designar as formas mais primitivas de religião", isto é, do homem da Idade da Pedra. Prefiro a palavra "espírito" a "alma", pois os povos originários falam de espíritos. Esse espírito ou força, acreditava-se, residia tanto na natureza animada quanto na inanimada, em todas as coisas vivas e também em pedras, ferramentas, rios, montanhas e lugares. Nessa visão, um lugar especial era reservado aos espíritos dos mortos, que eram considerados parte da comunidade viva. Esther Warner, em seu delicioso e sensível relato sobre a vida na África, escreveu: "Na crença africana, é confiada aos mortos a tarefa de aumentar a força vital e o bem-estar dos vivos. Os mortos continuam a participar dos assuntos da tribo. Os mortos, tanto quanto os vivos, formam o corpo do povo"[54].

Falo do animismo aqui porque ele representava uma forma de vida baseada na fé e no respeito à natureza. Uma vez que na Idade da Pedra o ser humano não tinha meios nem poder para controlar as forças naturais, sua sobrevivência dependia da sua adaptação a elas. Isso se dava por meio da identificação com os fenômenos da natureza; os antigos humanos sentiam ser parte das forças naturais tanto quanto estas eram parte do seu ser. Então, não podiam agir destrutivamente contra a natureza, pois isso seria uma forma de autodestruição. Se esperavam que a natureza lhes desse a sobrevivência, tinham de respeitar sua integridade e evitar violar os espíritos que residiam em todos os fenômenos naturais. Por exemplo, não podiam cortar uma árvore sem antes fazer algum gesto para apaziguar o espírito desta. Esther Warner nos descreve essa mentalidade:

> Ele explicou que devíamos levar arroz e vinho de palma para que pudéssemos fazer um sacrifício para a árvore. Íamos tirar a vida da árvore; tínhamos de implorar que ela nos perdoasse e explicar por que precisávamos dela. A força vital da árvore tinha de se juntar à força vital do Mais Antigo no reino dos mortos. E a árvore precisava concordar em se entregar às minhas mãos.[55]

Relatos recentes nos mostram que o homem primitivo conseguiu uma admirável adaptação ao ambiente natural, vivendo em harmonia com as forças às quais estava sujeito. Um desses relatos é o de Laurens van der Post sobre sua visita aos bosquímanos da África, povo que ainda mantém esse estilo de vida. Apesar de suas condições precárias, ele encontrou neles alegria e prazer — são sensíveis, imaginativos e competentes. Ele escreve: "Estão imbuídos de um senso natural de disciplina e proporção, curiosamente adaptado à dura realidade do deserto"[56].

Sua adaptação se mostra no conhecimento íntimo do deserto, na sensibilidade aguçada para captar seus sinais e variações, na identificação com a vida local e numa surpreendente e exuberante vitalidade corporal. Citarei vários trechos desse livro.

Toda vez que eu os acompanhava, a inteligência, diligência e rapidez com que examinavam o chão nunca deixou de me espantar. Uma pequena folha quase imperceptível na grama ou na relva sobre a superfície de areia vermelha, para mim igual a todas as outras, fazia que eles cavassem agilmente com seus cajados de madeira para desenterrar [...] cenoura selvagem, batata, alho-poró, nabo, batata-doce e alcachofra.[57]

E ainda: "São botânicos e químicos por natureza e têm um conhecimento inacreditável das plantas do deserto. Uma planta bulbosa fornece o ácido para remover o pelo da pele [dos animais] sem estragá-la, outra amacia a pele num tempo surpreendentemente curto"[58]. Eles têm a graça física dos animais selvagens. No seu primeiro encontro com os bosquímanos, Van Der Post conta: "Então ele se afastou de nós no cair da tarde, com uma agilidade que só vi igual em javalis, cuja capacidade inesgotável de movimento os fazia avançar sobre a terra como uma onda sobre as águas"[59].

Os bosquímanos são caçadores e coletores de alimentos e, portanto, dependem totalmente da provisão da natureza. Contudo, mesmo sem a segurança proporcionada pela agricultura ou pela pecuária, têm uma serenidade que, tristemente, falta aos ocidentais. Não que eles sejam imunes a uma profunda inquietude ou mal-estar quando ameaçados pela seca. Porém, a possibilidade de um desastre não os leva a sentir pânico ou a agir de maneira autodestrutiva. Como Saint-Exupéry quando estava perdido no deserto, os bosquímanos são sustentados por uma profunda fé na natureza e em si mesmos. O desastre ou a morte são motivos para uma dor profunda, mas a providência e a vida são ocasiões para celebração e alegrias.

Quando finalmente vinha a chuva depois de uma longa seca, os bosquímanos dançavam com um fervor que poderíamos chamar de religioso, porque obsessivo; mas era o fervor da vida surgindo como um rio depois do degelo de primavera. Primeiro "dançavam pela vida de sua terra querida e por sua participação mística em sua existência"[60]. Também dançavam a dança do fogo, que continuava noite adentro até que os homens caíssem de exaustão. Assim, em seu corpo, através da música e da dança, renovavam seu espírito e fortaleciam sua fé no destino de seu povo.

De certa maneira, os povos originários são como crianças. Vive de acordo com seu corpo, estão profundamente imersos no presente e são muito sensível a todas as nuances de sentimentos. Seu ego ainda se identifica com o seu corpo e seus sentimentos. A dissociação entre ego e o corpo, que caracteriza a condição do ser humano moderno e o força a ser objetivo em relação a todos os fenômenos naturais, incluindo ele mesmo, ainda não aconteceu. Os povos originários vivem no nível subjetivo, como crianças. A subjetividade leva à crença em espíritos e magia, que o sofisticado indivíduo moderno não aceita nem compreende. Ele considera esses pensamentos irrealistas; acredita que uma atitude objetiva, baseada no distanciamento, empregando o pensamento lógico e apoiando-se na experimentação e no controle, é a única forma válida de perceber a realidade.

Será a objetividade a única conduta verdadeira para se conhecer a realidade? Seremos mais realistas do que o homem primitivo? Um dos aspectos da realidade necessariamente exclui os demais? A realidade era limitada para o homem primitivo porque ele não sabia nada sobre as leis de causa e efeito que governam a interação de objetos materiais. É igualmente limitada para nós quando ignoramos a ação de forças que não obedecem a essas leis. As emoções, por exemplo, são uma dessas forças. Todos sabemos que as emoções e os estados de ânimo são contagiosos. Uma pessoa deprimida deprime o espírito de outras sem precisar fazer nada. Na presença de um indivíduo feliz, nos sentimos alegres. Dizemos que ele irradia bons sentimentos. Não se pode negar que somos influenciados pelo estado de ânimo de outra pessoa. Já assinalei vários exemplos de irrealidade em meus pacientes deprimidos. Mas eles não são os únicos. Muitos partilham da crença de que elevar o padrão de vida é a solução para a infelicidade pessoal que é tão comum. Para a mente antiga, a ênfase em riquezas e bens materiais seria considerada irrealista.

As culturas da Idade da Pedra foram aos poucos substituídas, na maior parte do mundo, por civilizações baseadas no uso do metal em ferramentas e armas. Pouco a pouco, fomos conquistando cada vez mais poder sobre a natureza e sobre outros seres humanos. Esse poder mudou nossa forma de pensar e nos relacionarmos com o mundo. Encarada do ponto de vista do indivíduo, a mudança representou um crescimento: em conhecimento, controle e individualidade. A principal fase desse crescimento aconteceu nos últimos cinco a dez mil anos da história humana. É a história da civilização desde os seus primórdios até a Primeira Guerra Mundial. É também a história da ascensão das grandes religiões do mundo.

O aspecto mais significativo dessa mudança foi a passagem gradual do pensamento subjetivo para o objetivo. Para tornar-se objetivo, o ser humano teve de se distanciar da ordem natural; precisou se elevar acima da participação mística em todos os acontecimentos naturais e tornar-se um observador deles. Dessa posição superior, desenvolveu o conceito e a função da vontade. Tal conceito é alheio ao pensamento animista, segundo o qual a influência humana nos fenômenos naturais só pode ser exercida indiretamente através do ritual e da magia. A necessidade de magia diminuiu e desapareceu à medida que os processos naturais foram reduzidos a determinadas leis de causa e efeito. Mas nesse período o ser humano ainda não havia chegado a uma posição na qual se sentisse dono da Terra. Sua vontade não era suprema.

Quanto mais os humanos se distanciavam da natureza e se tornavam a espécie dominante na Terra, mais centravam seus sentimentos espirituais em si mesmos. Não negavam a própria espiritualidade, mas negavam qualquer espiritualidade aos outros aspectos da natureza. A transição do animismo para a crença em um Deus único e todo-poderoso ocorreu gradualmente, à medida que se foram desvendando os mistérios daqueles aspectos da natureza que antes os enchiam de assombro porque seu funcionamento lhe era incompreensível. Os primeiros deuses e deusas tomaram a forma e assumiram muitas das funções dos humanos, uma vez que eram projeções de seus próprios sentimentos espirituais. Então, à medida que esses sentimentos foram se tornando mais abstratos e mais associados à sua mente do que ao seu corpo, sua imagem de Deus passou a ter uma característica abstrata.

As grandes religiões do mundo ocidental, que surgiram desse desenvolvimento, apresentam um Deus cuja principal preocupação são os assuntos humanos. Ao contrário do animismo, que imbuía todos os objetos de um espírito ou uma alma, essas religiões consideram que o homem é o único ser a ter alma. Isso corresponde, claro, à posição exclusiva dos humanos no mundo. Supõe-se que o ser humano é a maior criação de Deus, literalmente sua principal criatura. Embora se afirme que Deus se manifesta em todos os outros aspectos da Sua criação, o significado espiritual desses aspectos ou criaturas advém unicamente de sua relação com o ser humano. A ordem dupla que emerge dessa visão é a do espiritual *versus* o material. Tudo aquilo a que se nega espiritualidade torna-se de ordem inferior, uma ordem puramente material, sem qualquer direito. Por exemplo, hoje em dia ninguém faria uma oração antes de cortar uma árvore ou derrubar uma floresta. Se fizesse uma oração, seria a Deus por ter criado a árvore, mas não à árvore cuja vida será tirada.

Contudo, a pessoa religiosa não é indiferente à sua relação com o mundo. Como o mundo é uma criação de Deus, também está sob Sua proteção. O animismo não está morto. Transformou-se no culto ao grande espírito que ainda está presente em todas as coisas. A pessoa religiosa sente uma afinidade com toda a vida, embora tenha perdido sua identificação com ela. Acredita que o espírito que a move move o mundo, mas o faz para seu benefício. Uma vez que Deus é quem provê, a pessoa religiosa tem fé, mas nesse esquema também há espaço para a vontade humana. Isso cria um dilema para o indivíduo: o que fazer quando a própria vontade é conflitante com a de Deus? Essa questão inexistia na Idade da Pedra. Para os seres humanos religiosos, tornou-se uma provação de sua espiritualidade.

As mesmas forças que corroeram o animismo corroem agora a religião e a crença em Deus. Desde a Primeira Guerra Mundial, o poder e o conhecimento do ser humano aumentaram enormemente. Mas, na mesma medida, ele se tornou mais distanciado e apartado da ordem natural. Alcançou alturas jamais sonhadas no seu progresso tecnológico, mas suas raízes na terra encolheram na mesma proporção. Examinou os céus e descobriu que Deus não estava lá. Examinou sua mente através da psicanálise e não encontrou nenhum traço de sua suposta espiritualidade. Nunca lhe ocorreu procurar a espiritualidade em seu corpo, pois este havia muito fora reduzido a um objeto material, assim como todo o resto da ordem natural. O que mais poderíamos concluir senão que Deus está morto? Foi uma conclusão bem-vinda, pois nos libertou do conflito de vontades. Agora nossa vontade poderia ser suprema.

Por um breve período, acreditamos que poderíamos fazer tudo que nossa mente concebesse. Ainda ouvimos afirmações como "Agora temos *poder* para fazer o que quisermos se tivermos vontade". Supostamente, isso significa que o ser humano pode eliminar todo sofrimento, mas, infelizmente, o poder não distingue entre bem e mal, e a vontade vê apenas o *self*. Se o julgamento de certo e errado ou bem e mal está dentro do homem, então para todos os fins práticos nos tornamos sujeitos ao julgamento dos homens que têm poder, uma vez que é o julgamento deles que conta. O homem nunca havia ousado assumir totalmente a responsabilidade por esse julgamento antes. É uma responsabilidade que somente os egos mais arrogantes estariam dispostos a assumir. E, hoje, com o desenvolvimento da bomba de hidrogênio, com sua capacidade de destruir toda a vida, a responsabilidade pelo exercício desse poder é maior do que a mente humana consegue suportar.

Ao depositar nossa confiança no conhecimento e no poder, traímos nossa fé. Estamos começando a descobrir que não temos uma fé que nos sustente. Podemos falar de amor, mas esse sentimento pertence à esfera do corpo. E, em nossa busca de poder e controle, perdemos o contato com nosso corpo.

LIBIDO E ENERGIA

A psicanálise se tornou um sistema de conceitos metafísicos. Mas no início não foi assim. Freud era médico e havia se especializado em neurologia. Então, suas primeiras tentativas de compreender o funcionamento do neurótico foram feitas do ponto de vista das ciências físicas. Quando, depois de muitos anos, ele por fim abandonou essas tentativas, o fez com certa relutância, compreendendo que algum dia a psicanálise precisaria ter um embasamento biológico. Isso foi finalmente realizado através do trabalho de Reich, que tomou as hipóteses iniciais de Freud como ponto de partida para suas investigações.

Freud compreendeu desde o início que os distúrbios sexuais estavam na origem de muitos problemas que ele via como médico, por exemplo a neurastenia, as neuroses de ansiedade e as reações histéricas. Em certo momento de sua carreira, ele foi bastante específico sobre o papel desses distúrbios sexuais. Em 1892, escreveu: "Não existe nenhuma neurastenia ou neurose análoga sem perturbação da função sexual"[61]. As perturbações que Freud mencionou eram o alívio inadequado através da masturbação (por exemplo, inibindo a ejaculação), do coito interrompido e da abstinência em situações de paixão. Obviamente, Freud acreditava que a incapacidade ou impossibilidade de descarregar a excitação sexual se transformava em ansiedade.

A questão de como isso ocorria nunca foi respondida na mente de Freud. Ele concebia a excitação sexual como uma reação fisiológica ou química do corpo que, de alguma forma, era transformada numa reação libidinal no aparato psíquico. Freud estava confuso quanto à relação entre mente e corpo. Via as duas esferas de funcionamento como fenômenos separados e distintos. Sua confusão se manifesta na seguinte afirmação: "O mecanismo da neurose de ansiedade deve ser buscado no desvio da excitação sexual somática do campo físico, e no uso anormal dele"[62]. Estudei essa afirmação muitas vezes sem conseguir compreendê-la. Freud finalmente abandonou a ideia de correlacionar atividades somáticas e psíquicas e se dedicou quase exclusivamente ao estudo dos processos psíquicos. Porém, lendo sua biografia escrita por Ernest Jones, da qual as citações acima foram retiradas, fica claro que Freud não havia abandonado a esperança de que um dia isso fosse realizado. Jones nota: "Em uma carta um ano depois, ele [Freud] também observou que a ansiedade, sendo a reação à obstrução da respiração — atividade que não tem elaboração psíquica —, poderia se tornar a expressão de um acúmulo de tensões"[63]. Nem Freud, nem os outros psicanalistas seguiram por esse caminho, e coube a Wilhelm Reich demonstrar a conexão direta entre respiração restrita, inibição sexual e ansiedade.

Freud pertencia ao século 19, e seu pensamento reflete a visão de que o corpo era um objeto material que funcionava de acordo com leis físico-químicas. Por outro lado, ele via a mente como o aspecto espiritual da existência humana. Freud não aceitaria a atribuição de espiritualidade à mente; no entanto, ele atribuía a essa esfera o princípio vital do ser — a libido. A palavra costuma ser definida como desejo sexual ou luxúria. Contudo, sua etimologia está relacionada, segundo o *Webster's International Dictionary,* com uma palavra francesa que significa "isso agrada". "Amor" também tem a mesma derivação. Portanto, em sentido amplo, a libido descreve a força por trás de toda busca de prazer. De acordo com Jung, "é a energia ou força motriz ou busca derivada da necessidade primal ou abarcadora de viver". Em outras palavras, é a força que move o espírito do homem. Será física ou mental?

Freud definiu a libido como "a força pela qual o instinto sexual é representado na mente"[64]. Mas em outro contexto ele também a descreveu como "a força pela qual o instinto sexual se expressa". Assim, de um lado, a libido é vista como uma força puramente mental e, de outro, é considerada uma força física. Porém, Freud era incapaz de aceitar a ideia de uma força física que não pudesse ser medida ou objetificada. Era por demais um cientista objetivo e, assim, foi levado a adotar a posição metafísica de tratar todos os fenômenos vitais, inclusive a sexualidade, em termos abstratos. É interessante notar que Freud rejeitou a equiparação, feita por Jung, da libido com a energia vital em geral.

A questão da ansiedade não foi resolvida quando se situou a libido na mente. Permanecia o problema das "neuroses reais", um conjunto de sintomas de ansiedade que parecem derivar diretamente de uma função sexual perturbada. Eram assim chamadas para distingui-las das psiconeuroses, nas quais os fatores psíquicos exercem papel importante. A histeria pertence a essa última classificação; a neurastenia, à primeira. Em investigações analíticas posteriores, descobriu-se que existiam fatores físicos em todas as neuroses. Essa descoberta justificou que a psicanálise ignorasse o conceito de neuroses reais, apesar de nunca ter descartado abertamente a ideia de duas categorias nosológicas diferentes. Em consequência, a ansiedade, uma manifestação somática, foi vista apenas como efeito de uma perturbação psíquica. A reação corporal foi deixada de lado como um fenômeno secundário.

Wilhelm Reich levantou a questão das neuroses reais no ponto onde Freud as abandonara. Sabendo que a ansiedade era um sintoma somático, Reich compreendeu que ela só poderia ser causada por uma disfunção física, isto é, por alguma perturbação da função sexual no nível corporal. Isso significa que em toda neurose em que a ansiedade está presente, como acontece em toda psiconeurose, deve haver também algum distúrbio sexual. Assim, enquanto Freud e outros analistas enfatizavam apenas os fatores psíquicos nas neuroses, Reich mostrou a importância dos fatores somáticos. Se a excitação sexual não é totalmente descarregada, seja por razões psíquicas ou físicas, há um "acúmulo de tensão" e o indivíduo experimenta ansiedade. Segue-se logicamente que, se houvesse uma descarga completa, não haveria ansiedade. Uma vez que uma neurose sem ansiedade não faz sentido, a própria neurose desapareceria ante uma satisfação sexual completa.

Reich confirmou essa hipótese tanto em seu trabalho com pacientes como observando as pessoas. Os indivíduos que vivenciavam totalmente a satisfação orgástica não mostravam sinais de comportamento neurótico, e os pacientes que adquiriam essa satisfação em decorrência do tratamento analítico perdiam todos os aspectos de sua aflição neurótica. Reich também descobriu que apenas aqueles que conseguiam manter a capacidade de descarga orgástica completa permaneciam livres de seus distúrbios neuróticos. Essa descoberta o levou a formular o princípio de que a função do orgasmo[65] era descarregar o excesso de energia ou excitação do organismo, mantendo assim a saúde mental ao prevenir o acúmulo de tensões.

Com esse princípio, tornou-se possível avançar em uma abordagem corporal. A excitação sexual no nível somático não era diferente da mesma excitação no plano psíquico. Todo conflito psíquico tem seu equivalente num distúrbio físico e o corolário disso é verdadeiro: a mente e o corpo não são entidades separadas, mas dois aspectos da existência do indivíduo. A relação entre eles é expressa no conceito da identidade psicossomática e sua antítese. Ambos eram igualmente carregados pela mesma excitação, mas um podia influenciar o outro. O espaço deste livro não me permite discorrer sobre o pensamento, as observações e as experiências que levaram Reich a esses grandes conceitos. Todas as ideias já expressas neste livro são derivadas dele.

Esses conceitos levam também a uma importante conclusão: a libido ou excitação sexual não é um fenômeno mental, mas uma força ou energia física real. Essa conclusão se baseia em uma série de observações. Primeiro, todos sabemos que há intensidades diferentes de excitação sexual. Essas diferenças não podem ser explicadas fisiologicamente, mas apenas se admitirmos que representam diferentes quantidades de carga libidinal ou catarse do aparato genital. Segundo, a carga ou energia libidinal pode investir contra outros órgãos e aumentar seu nível de excitação — os lábios, os seios e até o ânus. Através dessa excitação, esses órgãos adquirem uma qualidade erótica similar à dos genitais. Terceiro, qualquer diminuição do nível energético do organismo, como ocorre na depressão, reduz a carga libidinal. Quarto, apenas a excitação sexual dá à ideia de sexo seu sentido de tensão ou urgência. Sem estar acompanhada de uma carga genital, a ideia de sexo é impotente.

Vista como uma energia ou força física, a libido não pode ser limitada à sexualidade; deve ser concebida como uma energia vital em geral, como na hipótese de Jung. Está disponível para todas as necessidades do organismo: libidinais ou agressivas, motoras ou sensoriais. Tanto o caminho como a saída da libido determinam a natureza do impulso e da sensação. Quando flui para cima, em direção à cabeça, geralmente leva a ações cuja função é aumentar a carga energética do organismo. Por exemplo, os braços se estendem para alcançar e pegar, a boca se estende para sugar e engolir. Quando o fluxo é para baixo, leva a atividades de descarga, das quais o sexo é o melhor exemplo[66].

O corpo mantém um equilíbrio entre a entrada e a saída de energia. Gastamos energia nos movimentos e a descarregamos no sexo. A quantidade disponível para a descarga sexual é o excesso do que é utilizado para manter os processos vitais. Reich postulou que a função do orgasmo sexual é descarregar esse excesso de energia, que no seu caminho para as saídas genitais é experimentado como excitação sexual[67]. A descarga completa dessa excitação ou energia é percebida como um orgasmo total, plenamente satisfatório e imensamente agradável. Uma descarga parcial, como uma evacuação parcial dos intestinos, não tem essa sensação de satisfação completa. A excitação ou energia que não é descarregada transforma-se numa força perturbadora no corpo. Não tem para onde ir, nem meios para sair. Pode até mesmo excitar o coração, produzindo palpitações, ou o abdome, resultando em sensações de náusea. É conhecida como ansiedade flutuante. Também constitui a base do sentimento de culpa, uma vez que a falta de satisfação faz que o indivíduo se sinta mal, o que é traduzido como uma sensação de estar culpado ou agindo de forma incongruente.

Este resumo dos problemas e pensamentos que levaram Freud e Reich a direções opostas é necessariamente incompleto. Só o apresentei para fundamentar o conceito de que o corpo é um sistema energético. Alguém poderia se perguntar que provas objetivas eu tenho dessa energia. Antes de responder a essa pergunta, deixem-me dizer que a objetividade não é o único critério de realidade. Há uma realidade subjetiva baseada nos nossos sentimentos, e ela não deve ser ignorada ou negada. Não questionamos a realidade do amor, ainda que seja impossível medi-lo objetivamente. Também sabemos que nem a fisiologia nem a bioquímica podem explicar esse sentimento. Da mesma maneira, quando uma pessoa diz "Sinto-me com pouca energia", essa é uma realidade para essa pessoa, por mais subjetiva que seja.

A vida pode ser encarada como um fenômeno de excitação. Não somos pedaços de argila, mas uma substância infundida de espírito ou carregada de energia. Quando nos tornamos mais excitados, nosso nível de energia aumenta. Quando ficamos deprimidos, ele diminui. Se ficamos muito excitados, nós nos iluminamos ou nos tornamos brilhantes e radiantes. Esses fenômenos de excitação, como a excitação sexual, são processos energéticos. E o brilho ou radiância que produz pode ser visto. Muitos outros e eu já o vimos.

Em volta do corpo humano há um campo energético que tem sido descrito como aura ou brilho. Tem sido observado e estudado por muitas pessoas, sobretudo por meu colega, o dr. John C. Pierrakos. Cito algumas de suas observações sobre esse campo energético. Ele escreve: "As energias de dentro do corpo também fluem para fora dele, assim como uma onda de calor sai de um objeto de metal incandescente"[68]. Quando a pessoa está contra um fundo homogêneo, seja um azul bem claro (celeste) ou bem escuro (azul noturno), e com certos arranjos para que a luz seja suave e uniforme, pode-se ver a olho nu — ou, mais claramente, com a ajuda de filtros coloridos (azul-cobalto) — um fenômeno surpreendente.

Da periferia do corpo surge algo como uma nuvem, um envoltório cinza-azulado que se estende por 60 a 120 centímetros e então se funde com a atmosfera do ambiente. Avoluma-se lentamente, durante um ou dois segundos, para fora do corpo, até tomar uma forma oval quase perfeita com contornos em franja. Permanece assim por cerca de um quarto de segundo e então, de maneira abrupta, desaparece por completo. Leva de um quinto a um oitavo de segundo para desaparecer. Há então uma pausa de um a três segundos até que reapareça novamente, repetindo o processo. Esse processo é repetido de 15 a 25 vezes por minuto no adulto relaxado.[69]

Essa frequência de pulsação parece ser independente de qualquer outro ritmo corporal conhecido, como a respiração e os batimentos cardíacos. No entanto, varia conforme o grau geral de excitação do corpo. Quando um paciente bate no divã repetidas vezes com um sentimento de raiva, a frequência de pulsação desse campo energético pode aumentar para até 40 por minuto. Chutar o divã ritmicamente também aumentará a frequência

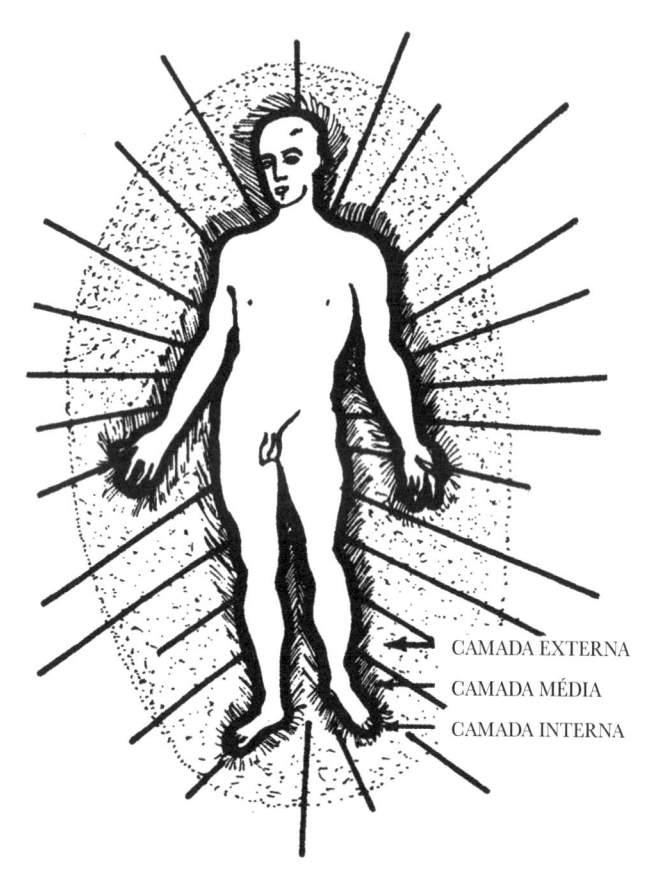

CAMADA EXTERNA

CAMADA MÉDIA

CAMADA INTERNA

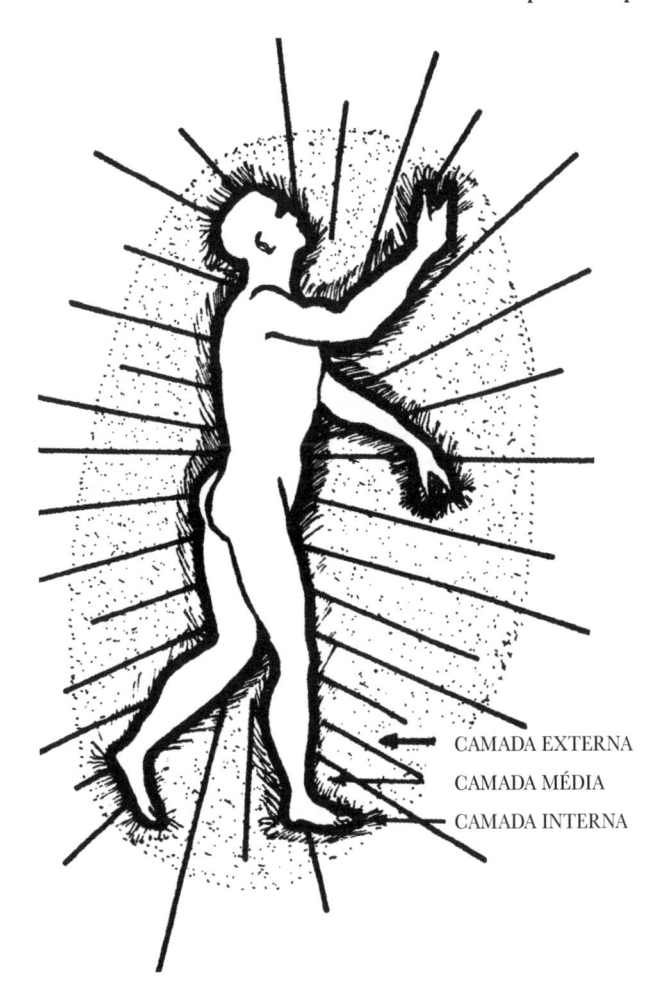

CAMADA EXTERNA
CAMADA MÉDIA
CAMADA INTERNA

se isso for feito como expressão de sentimento. O ato de chutar, como um exercício sem sentimento, não tem nenhum efeito sobre a frequência. Quando o corpo vibra em decorrência da respiração profunda, a frequência aumenta marcadamente, chegando a 45 e até 50 pulsações. Ao mesmo tempo, a extensão do campo se amplia e a cor se torna mais brilhante.

O campo reflete o nível de excitação e a intensidade do sentimento no corpo. Parece ter alguma relação com as reações autônomas ou involuntárias. Observam-se diferentes mudanças de cor na periferia do campo, que correspondem a diferentes emoções. Os sentimentos suaves de amor produzem um rosa suave. A tristeza produz um matiz azul-escuro no campo acima do peito. A raiva ou o rancor criam uma cor vermelho-escuro no campo sobre as costas e os ombros. Um brilho dourado pode ser visto sob a cabeça quando a expressão do sentimento é franca e sincera. Há uma depressão de todo o fenômeno do campo nos estados relacionados com a dor, devido, provavelmente, à ação do sistema simpático adrenal, que retira o sangue da superfície do corpo.[70]

A depressão do campo energético é ainda mais acentuada nas pessoas que estejam sofrendo de uma reação depressiva.

Uma vez que o campo reflete os processos energéticos que estão agindo no organismo, pode ser usado para diagnosticar distúrbios no funcionamento do corpo. No campo energético de um portador de esquizofrenia, por exemplo, há distorções características — como interrupções do campo e mudanças nas cores — que um observador treinado pode reconhecer. Esse aspecto do fenômeno do campo é analisado a fundo nos artigos do dr. Pierrakos. O meu propósito nesta discussão é estabelecer a validade da abordagem bioenergética ao corpo e à vida, que, embora independente do campo energético, é fortemente corroborada pela existência desse fenômeno.

O campo energético não é um fato subjetivo como uma sensação corporal. Tem objetividade na medida em que observadores diferentes relatam os mesmos fenômenos visuais. Um indivíduo em estado de intensa excitação agradável pode sentir que está brilhando; ele não vê o brilho, mas outros o veem. Quando se sente radiante, a radiância de seu corpo pode ser observada. Na verdade, sob certas condições de iluminação, praticamente qualquer um pode ver o fenômeno do campo. Uma das formas mais fáceis de fazer isso é levar as mãos a uns 30 centímetros dos olhos com as palmas voltadas para dentro contra um céu azul-claro. Se as mãos estiverem relaxadas e a ponta dos dedos separada uns 2,5 centímetros uma da outra, o brilho pulsante em volta dos dedos é facilmente visível. Contudo, algumas pessoas levam algum tempo até que seus olhos estejam plenamente relaxados para perceber o fenômeno.

O ser humano não é o único que tem um campo energético. Todos os organismos vivos têm essa propriedade. Há um campo energético visível em volta das árvores[71] que, acredito, é a base para a crença animista de que a árvore tem espírito. No entanto, o mesmo fenômeno pode ser observado em montanhas, oceanos e cristais. Quem está familiarizado com as pinturas de Cézanne pode perceber que elas mostram uma percepção semelhante. A representação pictórica de seus vales e montanhas conta com uma borda azul-escura que pode ser interpretada como a percepção visual de Cézanne do campo energético. A mente nativa desconhece o conceito de campo energético. Entretanto, os povos originários estão em contato com os fenômenos energéticos no próprio corpo e no ambiente. Pode sentir o impulso de excitação em seu corpo que o faz dançar, por exemplo, e sabendo que essa força não é produto de sua mente consciente, ele a vê como um espírito. A palavra "espirituoso" deriva desse sentimento, e nós não hesitamos em aplicá-la a nossos parentes mamíferos. Falamos de um cavalo espirituoso quando ele empina a cabeça e mostra um caráter independente. O espírito de independência também pode significar a independência do espírito. Se é o espírito que faz um homem ou um cavalo levantar a cabeça para o alto, então, ao menos no pensamento ancestral, é um espírito que faz uma árvore crescer reta e para o alto.

Podemos facilmente nos tornar místicos ao lidar com o fenômeno vital. Há nele mistérios que desafiam a ciência. Uma das razões para isso é que o próprio ser humano é parte do grande mistério da vida. Se para observar a vida objetivamente ele precisar se distanciar e limitar sua participação, não compreenderá o que significa fazer parte da grande ordem, dividir seus segredos e sentir que pertence totalmente à vida e à natureza. Mas não precisamos ser místicos em relação à vida ou a seus processos. Existe uma alternativa para a dicotomia entre misticismo e mecanicismo: reconhecer que há processos energéticos na vida e na natureza que, embora não possam ser explicados mecanicamente, não precisam ser vistos como místicos.

Em meus anos de prática psiquiátrica, encontrei pouquíssimos pacientes que não aceitaram a visão bioenergética do corpo. Essa aceitação vinha quando eles se tornavam mais vivos ao respirar mais profundamente e sentir mais plenamente. Eles sentiam o fluxo da vida no próprio corpo. Não há nada de místico nesse fluxo. Todos nós já sentimos uma explosão de raiva, um derretimento de amor e uma onda de prazer. Esses movimentos internos não são mecânicos nem místicos. São a essência da vida, que se manifesta em todos os processos vitais: no fluxo da seiva de uma árvore, na extensão de um pseudópode de ameba e na reação dos braços de um bebê à sua mãe. Refletem a carga de energia contida no organismo vivo.

A carga de energia contida no organismo é responsável pelo seu campo energético. Já mencionei que esses campos se estendem de 60 a 120 cm de distância do corpo. Esse limite não é fixo. Em alguns casos, já foram observados alcançando várias vezes essa distância. Assim, em muitas situações somos expostos aos campos energéticos de outras pessoas e entramos em contato com eles. Quando os campos estão em contato, brilham mais intensamente. As pessoas podem excitar umas às outras, mas também podem deprimir umas às outras. A pessoa vibrante, cujo campo é forte, tem uma influência positiva sobre aqueles ao seu redor. Diz-se que ela irradia bons sentimentos. Por essa mesma razão, as crianças que crescem em um lar carregado de bons sentimentos tornam-se mais energizadas e mais vibrantes em seu corpo. E indivíduos que vivem sob céus cintilantes, numa atmosfera sem poluição, têm uma aparência melhor — e sentem-se melhores — do que aqueles que vivem na atmosfera negativa de um gueto.

Há outro aspecto desse fenômeno energético que é relevante para nós. Já nos disseram como o toque e o contato físico são importantes para crianças e adultos. Contudo, tendemos a pensar no toque como algo mecânico. O toque de uma mão pode ser uma experiência positiva ou negativa. O toque de uma mão quente é diferente do de uma mão fria. O toque de uma mão morta é repulsivo. Nós reagimos positivamente quando a mão que nos toca está viva e carregada de energia e sentimento. Tocar é uma via de mão dupla. A mão que toca também é excitada pelo toque. Sentir é um estado de excitação crescente. Só estamos em contato com o outro quando a energia do nosso organismo está em contato e excita a energia do outro organismo. E só estamos em contato com a vida quando nossa energia ou sentimento se dirige para a vida à nossa volta. Então sentimos o prazer e a alegria que esse contato nos proporciona e conhecemos o sentimento da fé.

A ESPIRITUALIDADE DO CORPO

A análise bioenergética é uma abordagem aos problemas humanos e de personalidade baseada no corpo e em seu funcionamento. Tal abordagem fez-se necessária porque a tendência da cultura ocidental é igualar o corpo à matéria e a mente ao espírito. Em consequência, a mente foi considerada o aspecto superior da existência humana, enquanto o corpo foi relegado a um papel inferior e secundário. Uma das razões para essa atitude pode ter sido a postura ereta do homem, que elevou sua cabeça acima do resto do corpo. Mas há outras boas razões. O cérebro humano é único no mundo animal. Nossa capacidade de raciocinar e pensar de maneira abstrata ainda nos surpreende. Parece lógico, portanto, que tenhamos identificado nossa mente com Deus. Essa ideia está expressa na Bíblia. O homem foi proibido de comer o fruto da árvore do conhecimento para que não se tornasse como Deus, conhecedor do bem e do mal. Como sabemos, ele comeu do fruto proibido.

O conhecimento foi tão importante para o desenvolvimento da civilização que parecia justificado negar ao corpo seu *status* de igualdade com a mente. Estamos começando a descobrir que isso foi um erro grave. Embora o corpo humano conte com a mesma estrutura básica que os outros mamíferos, também é ímpar em importantes aspectos. O ser humano é o único animal que fica perfeitamente equilibrado quando está ereto, graças ao aumento de suas nádegas. Então, as vantagens que resultaram dessa postura são atribuídas, pelo menos em parte, a seu "traseiro". A postura ereta colocou a parte mais vulnerável do corpo humano (a mais mole) cara a cara com o mundo. Expostos dessa maneira, tornamo-nos mais conscientes de nossos sentimentos de ternura e mais capazes de expressar e receber amor. A mão humana também é excepcional, não só por seu polegar opositor. Sua sensibilidade e flexibilidade são surpreendentes. Observando um pianista tocar, quase temos a impressão de que suas mãos têm vida própria. Às mãos, o ser humano deve sua função extremamente desenvolvida de toque, que é tão importante para sua percepção da realidade.

Estamos testemunhando o crescimento de um novo respeito pelo corpo, e aos poucos abandonamos a velha dicotomia que via a mente e o corpo como entidades separadas e distintas. Ambos andam juntos, como sempre soubemos no íntimo de nosso ser. Haverá uma mente que exista fora do corpo ou um corpo que não tenha sua própria mente? A resposta é não. Os gregos tinham uma frase para isso: *Mente sã em corpo são*. De maneira análoga, uma mente embotada é acompanhada de um corpo embotado; e uma mente vivaz, de um corpo vivaz. A espiritualidade de um indivíduo não é apenas uma função de sua mente, mas de todo o seu corpo. O *sentimento* de espiritualidade, como qualquer outro sentimento, é um fenômeno corporal. A *ideia* da espiritualidade é um fenômeno mental. Essa é a mesma distinção que fiz antes entre crença e fé.

Porém, precisamos reconhecer que a ideia e o sentimento nem sempre coincidem; a mente e o corpo nem sempre caminham juntos num nível superficial. É possível engajar a mente consciente em uma atividade que não envolva o corpo. Da mesma maneira, é possível realizar um movimento corporal sem que a mente consciente sequer o perceba. Sabemos que a mente consciente pode agir diretamente no corpo e que o corpo pode influenciar a mente. A reconciliação dessas duas visões da relação entre a mente e o corpo, a dualidade superficial e a unidade subjacente, foi alcançada por Reich através de um conceito dialético que explica tanto a antítese como a unidade de todo fenômeno psicossomático. O diagrama dialético a seguir mostra essa reconciliação:

FIGURA 4 – **Esferas do organismo mente-corpo**

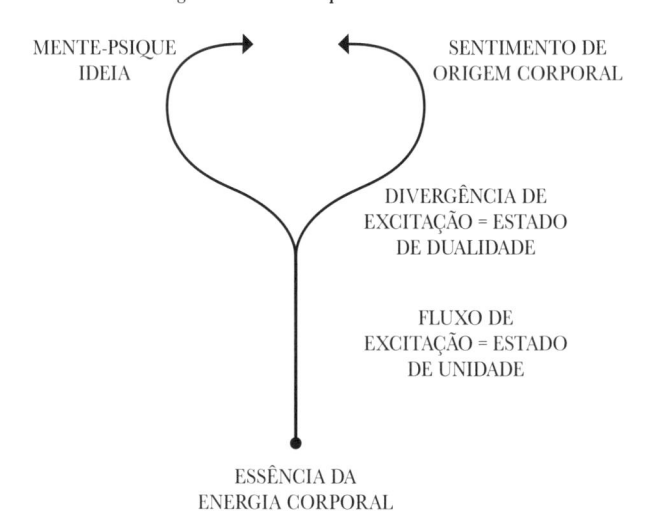

Esse diagrama mostra que, na superfície, a psique e o soma agem um sobre o outro. A psique influencia o soma, e evidentemente o soma pode modificar os fenômenos psíquicos. Num nível mais profundo, no entanto, não há nem psique nem soma, mas apenas um organismo unitário que tem no seu âmago uma fonte de energia biológica. O fluxo dessa energia ou excitação carrega tanto a psique como o soma ao mesmo tempo, cada um de uma forma diferente. O soma responde à excitação com alguma ação ou movimento; a psique responde criando imagens que podem ser conscientes ou inconscientes.

Nesse diagrama, é fácil ver o que aconteceria se um indivíduo estivesse sem contato com o processo energético de seu corpo. Ele estaria impedido de perceber a conexão entre o âmago do seu ser e a superfície. Representarei esse impedimento como um bloqueio no ponto onde o fluxo de excitação diverge.

FIGURA 5 – Interrupção do fluxo energético

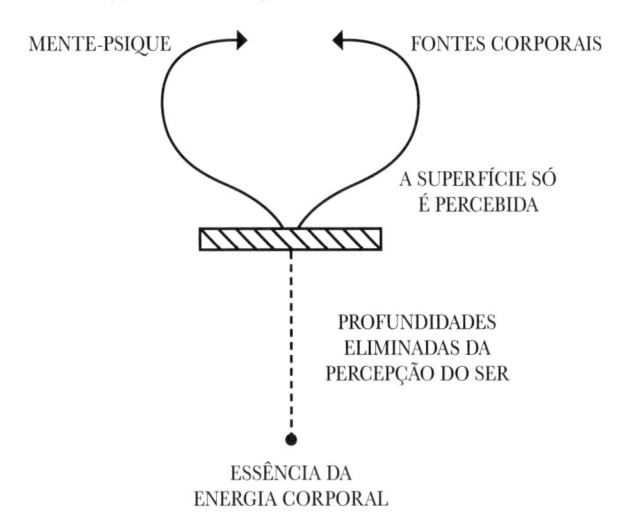

O bloqueio também separa e isola o campo psíquico do campo somático. Nossa consciência nos diz que um age sobre o outro, mas por causa do bloqueio ela não se aprofunda o bastante para que sintamos a unidade subjacente. Na verdade, o bloqueio cria uma cisão na unidade da personalidade. Não só dissocia a psique do soma, como também separa os fenômenos de superfície de suas raízes no âmago do organismo. E, em termos de experiência, isola o indivíduo da criança que um dia ele foi; isto é, coloca uma barreira entre o presente e o passado.

Essa cisão não pode ser superada por um conhecimento dos processos energéticos no corpo. O conhecimento, em si mesmo, é um fenômeno superficial e pertence à esfera do ego. É preciso sentir o fluxo e perceber o caminho da excitação no organismo. Para tanto, contudo, é necessário abandonar o rígido controle do ego, pois só assim as sensações corporais profundas chegarão à superfície. Isso soa mais fácil do que é, pois o controle está estabelecido para evitar que isso aconteça. Nem o neurótico nem o esquizoide estão preparados para deixar a vida tomar conta. Estão amedrontados demais com as consequências — especificamente, o sentimento de desamparo que surge quando se abre mão do poder e do controle.

Para se entregar, é preciso ter fé, mas fé é o elemento que falta nessas pessoas. Na falta de fé, é preciso ter controle. Devemos lembrar que todo adulto passou por uma fase de desamparo nos primeiros anos de vida. Se esse desamparo não tivesse sido explorado e se sua sobrevivência não tivesse sido ameaçada, não teria se instalado o tipo de controle do ego que impede a pessoa de sentir o cerne do seu ser. Mas viver apenas na superfície é relativamente sem sentido, e por isso todos querem romper essa barreira. Se não encontram uma maneira, usam álcool ou drogas para conseguir algum contato, ainda que momentâneo, com seu ser interior.

Além do medo do desamparo, outros temores fortificam a barreira. As pessoas têm medo de sentir a profundidade de sua tristeza, que em muitos casos chega ao desespero. Temem sua raiva suprimida e seu pânico ou terror suprimidos. Essas emoções espreitam como demônios detrás da barreira, e temos medo de confrontá-las. A tarefa da terapia é ajudar o paciente a confrontar esses terrores desconhecidos e perceber que eles não são tão ameaçadores como parecem. Ele ainda os vê com os olhos da criança.

Abandonar o controle do ego significa entregar-se ao corpo em seu aspecto involuntário. Significa deixar o corpo tomar conta. Mas isso é o que o paciente não consegue fazer. *Sente que o corpo o trairá*. Não confia nem tem fé nele. Teme que, se o corpo tomar conta, exporá suas fraquezas, demolirá suas pretensões, revelará sua tristeza e dará vazão à sua fúria. Sim, fará isso. Destruirá as fachadas que as pessoas erguem para esconder seu verdadeiro *self* de si mesmas e do mundo. Mas também abrirá uma nova profundidade na existência e trará à vida uma riqueza que torna insignificantes os bens materiais.

Essa riqueza é uma plenitude do espírito que só o corpo pode oferecer. Trata-se de um pensamento novo, pois estamos acostumados a pensar no espírito como separado do corpo. O corpo é visto como um objeto material, ao passo que o espírito é uma força viva que habita nele e o usa para fins próprios. Aqui também temos a mesma dicotomia que nos importunou quando tentamos compreender a relação entre a mente e o corpo. Que estranha malevolência impele o ser humano a se voltar contra si mesmo e quebrar a unidade de seu ser em aspectos dissociados? Sugeri alguns dos fatores responsáveis em meus livros anteriores. Um deles é o desejo de poder, atributo da personalidade do homem ocidental. Mas esse desejo de poder está inextricavelmente ligado à busca de conhecimento, e poucos de nós estamos preparados para desistir dessa busca. Nossa única esperança é temperar o conhecimento com a compreensão.

Jung nos oferece uma visão da relação entre espírito e corpo que evita a dicotomia. Ele diz:

> Se ainda estivermos apegados à velha ideia de uma antítese entre mente e matéria, o presente estado de coisas significa uma contradição intolerável, pode até mesmo nos dividir contra nós mesmos. Mas se pudermos nos reconciliar com a misteriosa verdade de que o espírito é o corpo vivo visto de dentro, e o corpo a manifestação do espírito vivo — sendo os dois, na verdade, um —, então poderemos compreender por que a tentativa de transcender o presente nível de consciência deve ser feita através do corpo. Veremos também que a crença no corpo não pode tolerar uma atitude que negue o corpo em nome do espírito.[72]

Fica claro, nessa declaração, que o que chamamos de vida espiritual é, na realidade, a vida interna do corpo, em oposição ao mundo material, que é a vida externa do corpo. Sabe-se que as pessoas que desejam viver mais plenamente no nível espiritual retiram-se em grande medida do contato com o mundo exterior. Evitando seus prazeres, tornam-se capazes de se concentrar mais atentamente na vida interna. Por outro lado, os que concentram toda a sua energia e sentimentos no mundo exterior perdem muito de sua espiritualidade verdadeira. Isso não era um grande problema no passado, quando as necessidades espirituais do ser humano eram atendidas adequadamente pelas religiões organizadas. É um problema grave hoje, não só porque a crença nos dogmas religiosos foi corroída, mas também porque, em nossa cultura, as pessoas passaram a ficar mais envolvidas no mundo material.

Para preencher o vazio espiritual da cultura ocidental, as pessoas estão se voltando cada vez mais para as filosofias do Oriente. Escrevendo em 1932, quando esse movimento de massa ainda não estava em evidência, Jung disse:

> Mas esqueço que ainda não compreendemos que, enquanto estamos virando de cabeça para baixo o mundo material do Ocidente com nossa eficiência técnica, o Oriente, com sua eficiência psíquica, está levando o nosso mundo espiritual a uma grande confusão. Ainda não descobrimos

que, enquanto estamos oprimindo o Oriente externamente, ele pode estar fechando um cerco sobre nós internamente.

Se essa ideia era novidade quando Jung a expressou, hoje dificilmente seria. A influência do pensamento oriental sobre os nossos jovens é disseminada, mas também são disseminados os efeitos destrutivos que esse pensamento produziu, isto é, o uso indiscriminado de drogas.

No que se refere a mundo interno e externo, Oriente e Ocidente representam duas condutas diferentes perante a vida. Por razões que não podem ser completamente elucidadas devido à natureza complexa da situação, mas que provavelmente têm que ver com a superpopulação e os rígidos sistemas de classe e castas que não permitiam nenhuma mobilidade externa, o Oriente voltou-se para dentro para explorar a vida espiritual do indivíduo. A grande mobilidade no início da cultura ocidental, devido, em grande parte, à expansão de suas fronteiras, permitiu que os ocidentais se voltassem para fora e explorassem o espaço e a natureza. Era inevitável que quando essas duas grandes culturas se encontrassem se produzisse uma troca fecunda de ideias. Estamos testemunhando esse encontro, mas até agora só temos um amálgama, e não uma síntese.

O Oriente está faminto da eficiência tecnológica do Ocidente. Está absorvendo esse *know-how* a uma velocidade que ultrapassa a imaginação. Hoje, o Japão é o país mais avançado industrialmente. A velocidade com que os chineses conseguiram dominar a fissão e a fusão nucleares e construir mísseis balísticos intercontinentais surpreendeu os cientistas ocidentais. Mas no Japão, onde podemos observar os efeitos, vemos que o progresso tecnológico está sendo feito à custa de sua vida interior. Eles estão se americanizando, adotando o estilo e valores dos americanos e abandonando suas formas tradicionais. O automóvel é um bem desejado, a música pop e as atitudes *hippies* fascinam a juventude e o dinheiro ou o poder econômico se transformaram num critério de *status*. Mas os americanos somos diferentes? Virou moda fazer ioga, mostrar familiaridade com conceitos zen ou seguir um guru. Por mais valiosas que sejam essas práticas, o que vemos é uma *mistura,* e não uma *integração* de ideias e valores.

Virar as costas para o mundo exterior não é o verdadeiro caminho da espiritualidade para os ocidentais, bem como abandonar sua espiritualidade não é o caminho da realização para os orientais. Enquanto persistir a dicotomia entre o interno e o externo, entre a mente e o corpo, o ser humano estará privado da plena realização de seu potencial como ser sensível. A afirmação de Jung de que a reconciliação entre o espírito e o corpo não pode ser conseguida pela negação do corpo em nome do espírito também significa que é prejudicial negar o espírito em nome do corpo. Na verdade, fazemos ambas as coisas. Em nossas competições esportivas, prestamos homenagem ao corpo sem espírito; nas salas de aula e nos escritórios, reverenciamos a mente sem corpo.

Nos *workshops* de treinamento bioenergéticos oferecidos na costa oeste dos Estados Unidos, tive oportunidade de trabalhar com diversos orientais. Observei que eles tinham uma dificuldade considerável de mostrar ou expressar sentimentos, embora estes estivessem relativamente mais próximos da superfície do que os da maioria dos americanos. Eles me disseram que não era costume mostrar os sentimentos e que, quando crianças, eram constrangidos quando o faziam. Minhas observações se limitaram a poucas pessoas, mas a impassibilidade da contenção oriental é conhecida há muito tempo. Embora a expressão aberta de sentimentos seja desencorajada em casa, não havia falta de afeto, carinho e compreensão entre os membros da família. Em vista do excesso de pessoas e da vida comunitária nos países orientais, a inibição das expressões talvez seja uma adaptação cultural necessária para preservar a privacidade.

O oriental é atraído pelas coisas ocidentais não só por sua admiração à nossa eficiência tecnológica, mas ainda mais, acredito eu, por seu desejo de conquistar o senso de individualidade e liberdade de autoexpressão que a cultura ocidental oferece. Quando estão nós, eles sentem seu bloqueio na expressão de sentimentos como um obstáculo. Sentem-se limitados. Individualidade significa autoexpressão, que é a expressão aberta dos sentimentos. Por outro lado, a liberdade de autoexpressão é uma promessa relativamente sem sentido se os sentimentos foram suprimidos e não estão disponíveis para ser expressos. Uma individualidade que não está imbuída de sentimentos profundos é apenas uma fachada, uma imagem do ego. Nós, americanos, somos ótimos em embalagens, e se o Oriente comprar nossos produtos (individualidade de massa), fará um mau negócio, deixando-se enganar pelas aparências. Em sua busca de individualidade, o oriental deve ser cauteloso para não sacrificar seus sentimentos por uma imagem do ego.

O sentimento é a vida interior, a expressão é a vida exterior. Trocando em miúdos, é fácil ver que uma vida plena exige uma vida interior rica (em sentimentos) e uma vida exterior livre (com liberdade de expressão). Nenhuma delas, por si só, consegue ser totalmente satisfatória. É o caso do amor, por exemplo. O amor é um sentimento rico, mas a expressão do amor em palavras ou ações é alegria.

Há uma grande diferença entre a espiritualidade do indivíduo que volta sua afeição, compreensão e simpatia para as pessoas e a espiritualidade do asceta que vive no deserto ou se confina numa cela. A espiritualidade que está separada do corpo torna-se uma abstração, assim como um corpo que nega sua espiritualidade torna-se um objeto.

Quando falamos de espiritualidade e vida interior, não estamos falando do sentimento de amor que relaciona o ser humano com seus companheiros, com toda a vida, com o universo e com Deus? Mas a maioria das pessoas não vê dessa forma. Consideram o amor a Deus um sentimento espiritual, enquanto o amor a outra pessoa seria um sentimento carnal. No primeiro caso, o sentimento de amor é abstraído de um objeto, ao passo que no segundo está diretamente relacionado ao objeto. Um amor abstrato pode ser puro amor porque não está contaminado por nenhum desejo carnal, mas, como uma ideia pura que não tem carga emocional, não tem relevância para a vida. Quando o amor a Deus não se manifesta também no amor aos semelhantes, incluindo os do sexo oposto, e a todas as criaturas vivas, não é amor verdadeiro. E quando o amor não é expresso em ações ou comportamentos, não é um amor real, mas uma imagem do amor. Uma abstração tem a mesma relação com a realidade que uma imagem refletida no espelho com o objeto à sua frente. Podem parecer iguais, mas certamente não o são.

Essas considerações nos levam a examinar esses assuntos dialeticamente e em termos energéticos. Todo impulso pode ser visto como uma onda de excitação que começa em alguma parte do centro do corpo e flui segundo determinado caminho, que é o seu objetivo, em direção a um objeto no mundo exterior, que é o seu alvo. Mas também é verdade que todo impulso é uma expressão do espírito humano, pois é o espírito que nos move. No entanto, o espírito não nos move somente em uma direção. Os impulsos fluem para cima em direção à cabeça e também para baixo em direção às extremidades inferiores. Quando o fluxo de sentimento é ascendente, sentimos que carrega uma qualidade espiritual. Sentimo-nos animados e entusiasmados. O fluxo descendente tem uma qualidade carnal ou sensual, uma vez que essa direção leva a carga para o ventre e em direção à terra, dando-nos a sensação de estar relaxados, enraizados e aliviados.

A vida humana pulsa entre esses dois polos, um localizado na cabeça, na parte superior do corpo, e outro localizado na parte inferior. É possível equiparar o movimento ascendente com esticar-se em direção ao céu, e o movimento descendente com afundar na terra. Podemos pensar na extremidade superior como os galhos e folhas de uma árvore, e na extremidade inferior como as suas raízes. Como o movimento ascendente vai em direção à luz e o descendente em direção à escuridão, é bastante factível comparar a extremidade superior com a consciência e a extremidade inferior com o inconsciente.

A pulsação e relação entre os dois polos pode ser mostrada esquematicamente em termos do corpo ou dialeticamente. No corpo, essas duas direções de fluxo são encontradas no movimento do sangue, que depois de deixar o coração flui para cima pela aorta ascendente e para baixo pela aorta descendente.[73] Normalmente o fluxo de sangue nessas duas direções é equilibrado, mas em certas situações uma ou outra direção pode predominar. Estamos familiarizados com o fluxo de sangue na cabeça durante um acesso de raiva e com seu forte fluxo descendente durante a excitação genital. Sabemos que se o sangue não chega à cabeça há uma tendência à perda da consciência. As Figuras 6 e 7 mostram algumas dessas relações.

FIGURA 6 – **Diagrama dialético**

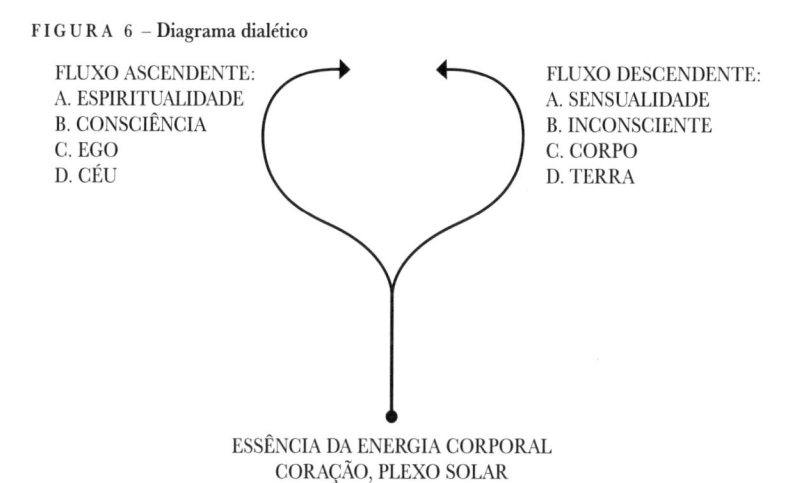

FLUXO ASCENDENTE:
A. ESPIRITUALIDADE
B. CONSCIÊNCIA
C. EGO
D. CÉU

FLUXO DESCENDENTE:
A. SENSUALIDADE
B. INCONSCIENTE
C. CORPO
D. TERRA

ESSÊNCIA DA ENERGIA CORPORAL
CORAÇÃO, PLEXO SOLAR

FIGURA 7 – Diagrama corporal

DIREÇÃO ASCENDENTE → CABEÇA
A. ESPIRITUALIDADE
B. CONSCIÊNCIA
C. FUNÇÃO DE CARGA

PULSAÇÃO DA ENERGIA E DO SENTIMENTO
ATRAVÉS DA CORRENTE SANGUÍNEA

DIREÇÃO DESCENDENTE → PÉS
A. SENSUALIDADE-SEXUALIDADE
B. INCONSCIENTE
C. FUNÇÃO DE DESCARGA

Se concebermos o corpo como sendo dividido em sua seção central por um anel de tensão na área do diafragma, os dois polos tornam-se campos opostos em vez de extremidades opostas de uma mesma pulsação que se move em ambas as direções, simultaneamente, ou como pontos finais de um balanço de pêndulo que se move entre eles. Agora, é verdade que a maioria das pessoas apresenta algum grau de tensão diafragmática. Já assinalei isso antes com relação à perda de sensação no ventre, *hara*, devido à restrição da respiração abdominal profunda. Também é verdade que a maioria dos ocidentais tem algum grau de "cisão".[74] O efeito dessa cisão ou dissociação das duas metades do corpo é a perda da percepção de unidade. As duas direções opostas do fluxo tornam-se duas forças antagônicas. A sexualidade será vivenciada como um perigo para a espiritualidade, assim como a espiritualidade será vista como uma negação do prazer sexual. Por esse mesmo motivo, todos os outros pares de funções antitéticas parecerão estar em conflito, e não em harmonia. A lógica dessa análise fica clara quando observamos os dois diagramas novamente, aos quais acrescento um bloqueio para mostrar onde a interrupção do fluxo da excitação acontece. As Figuras 8 e 9 mostram essas relações.

Durante alguns anos, mantive no meu consultório um cartaz que ilustrava o fluxo dos sentimentos no corpo. Um lado mostrava os tipos de sentimento que se tem nos diferentes segmentos do corpo quando o fluxo da excitação do coração é pleno e livre. O diagrama é esquemático, mas foi o mais próximo que consegui chegar para localizar esses sentimentos. Quando

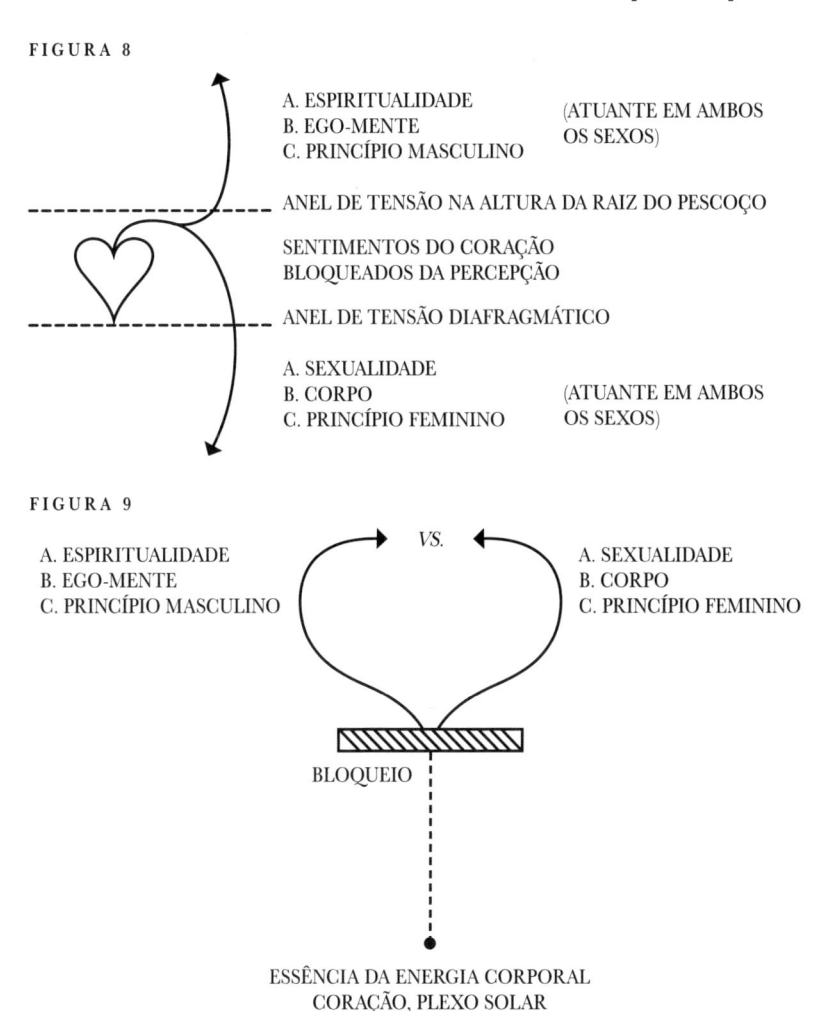

FIGURA 8

A. ESPIRITUALIDADE
B. EGO-MENTE
C. PRINCÍPIO MASCULINO

(ATUANTE EM AMBOS OS SEXOS)

ANEL DE TENSÃO NA ALTURA DA RAIZ DO PESCOÇO

SENTIMENTOS DO CORAÇÃO
BLOQUEADOS DA PERCEPÇÃO

ANEL DE TENSÃO DIAFRAGMÁTICO

A. SEXUALIDADE
B. CORPO
C. PRINCÍPIO FEMININO

(ATUANTE EM AMBOS OS SEXOS)

FIGURA 9

A. ESPIRITUALIDADE
B. EGO-MENTE
C. PRINCÍPIO MASCULINO

VS.

A. SEXUALIDADE
B. CORPO
C. PRINCÍPIO FEMININO

BLOQUEIO

ESSÊNCIA DA ENERGIA CORPORAL
CORAÇÃO, PLEXO SOLAR

não há bloqueios para interromper o fluxo, os sentimentos têm sinais ou características positivas. O outro lado do cartaz mostrava os sentimentos que surgem quando o fluxo é bloqueado por tensões musculares crônicas. Não só o fluxo é interrompido, como dentro de cada segmento ocorre uma estagnação da excitação que produz sentimentos ruins, os quais têm sinal negativo. Aqui, por conveniência e clareza, mostro essas diferenças em duas figuras separadas. As linhas espiraladas indicam padrões de paralisação e estagnação. Veja as Figuras 10 e 11.

FIGURA 10 – O fluxo e os sentimentos da fé

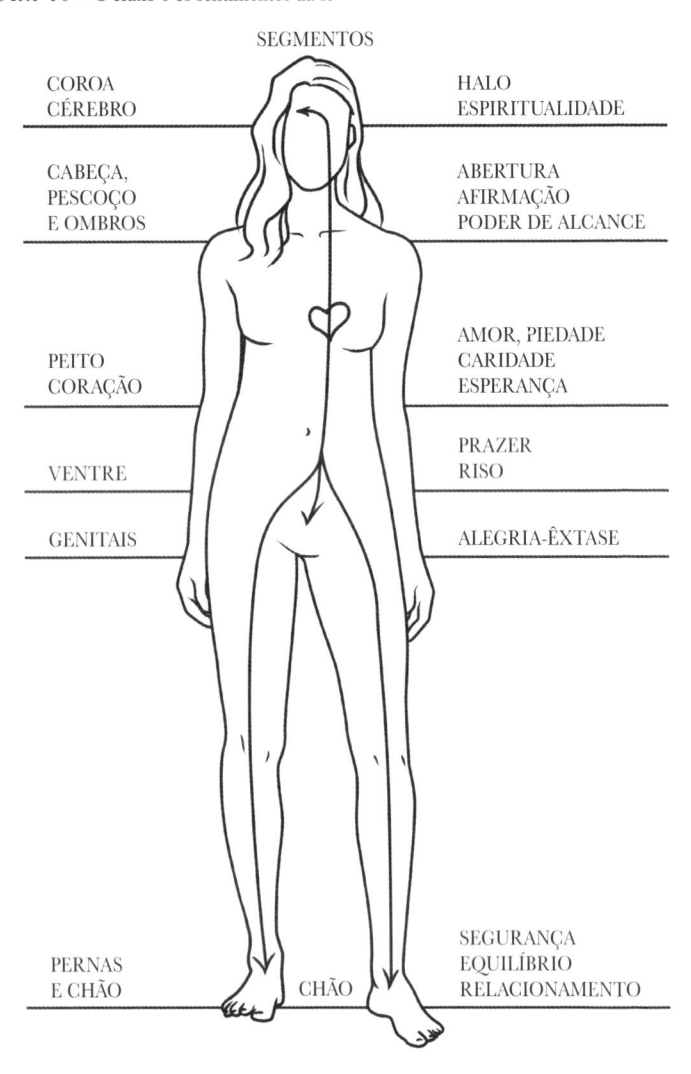

SEGMENTOS

COROA
CÉREBRO

HALO
ESPIRITUALIDADE

CABEÇA,
PESCOÇO
E OMBROS

ABERTURA
AFIRMAÇÃO
PODER DE ALCANCE

PEITO
CORAÇÃO

AMOR, PIEDADE
CARIDADE
ESPERANÇA

VENTRE

PRAZER
RISO

GENITAIS

ALEGRIA-ÊXTASE

PERNAS
E CHÃO

CHÃO

SEGURANÇA
EQUILÍBRIO
RELACIONAMENTO

O sentimento de fé é o sentimento da vida fluindo no corpo de uma extremidade a outra, do centro para a periferia e de volta novamente. Quando não há bloqueios nem constrições que perturbem ou distorçam o fluxo, o indivíduo experimenta a si mesmo como uma unidade e uma continuidade. Os diferentes aspectos de sua personalidade estão integrados, não dissociados. Ele não é uma pessoa espiritual em oposição a uma sexual. Não é sexual no sábado à noite e espiritual no domingo de manhã; não tem duas caras. Sua

FIGURA 11 – O bloqueio energético

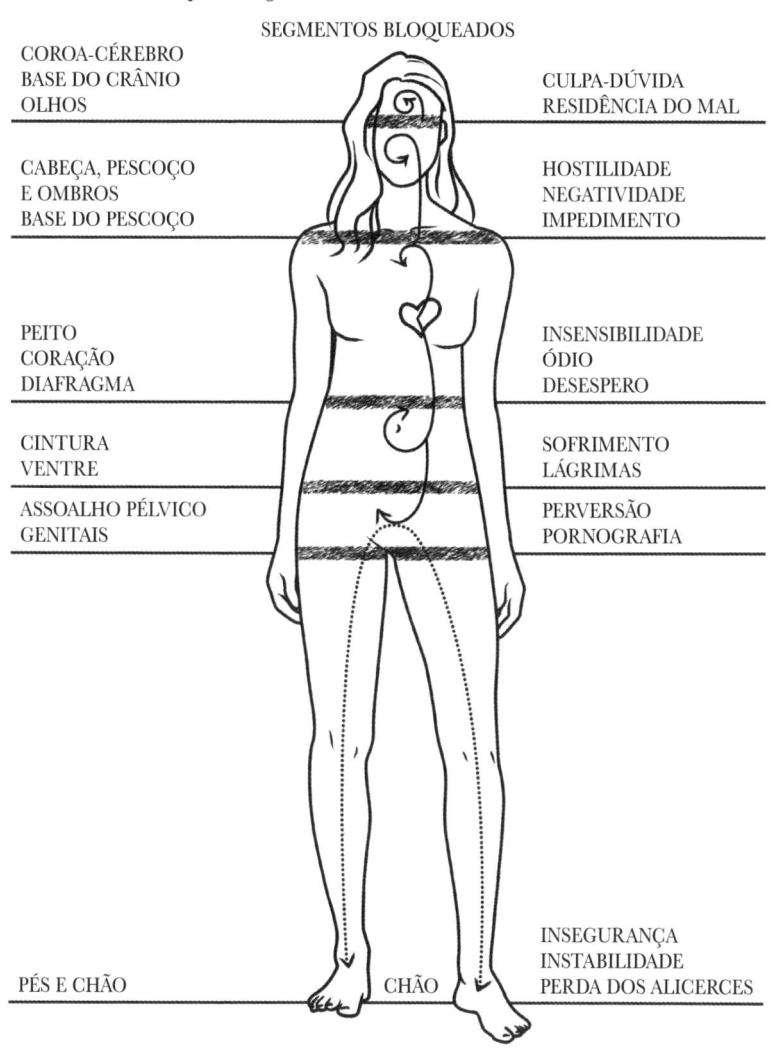

SEGMENTOS BLOQUEADOS

COROA-CÉREBRO
BASE DO CRÂNIO
OLHOS

CULPA-DÚVIDA
RESIDÊNCIA DO MAL

CABEÇA, PESCOÇO
E OMBROS
BASE DO PESCOÇO

HOSTILIDADE
NEGATIVIDADE
IMPEDIMENTO

PEITO
CORAÇÃO
DIAFRAGMA

INSENSIBILIDADE
ÓDIO
DESESPERO

CINTURA
VENTRE

SOFRIMENTO
LÁGRIMAS

ASSOALHO PÉLVICO
GENITAIS

PERVERSÃO
PORNOGRAFIA

INSEGURANÇA
INSTABILIDADE

PÉS E CHÃO   CHÃO   PERDA DOS ALICERCES

sexualidade é uma expressão da sua espiritualidade porque é um ato de amor. Sua espiritualidade tem um sabor mundano; é o espírito da vida que ele respeita tal como se manifesta em todas as criaturas da Terra. Não se trata de alguém cuja mente domina o corpo, nem de um corpo sem mente, mas de alguém cuja mente está no corpo.

Mas de igual importância é o seu senso de continuidade. Ele vem do passado, existe no presente, mas pertence ao futuro. Este último pensamento pode parecer estranho para aqueles que seguem a moda atual de pensar que é apenas o aqui e agora que conta. Mas eu me baseio na ideia de que a vida é um processo constante, um desenrolar contínuo de possibilidades e potencialidades que estão escondidas no presente. Se não houvesse esperança e compromisso com o futuro, a vida ficaria estagnada, como acontece com as pessoas deprimidas. Biologicamente, todo organismo está comprometido com o futuro através das células germinativas que carrega em seu corpo.

O senso de continuidade também é horizontal. Estamos conectados energética e metabolicamente a todas as coisas vivas da Terra, das minhocas que enriquecem o solo aos animais que fornecem nosso alimento diário. Vivenciar essa sensação de estar conectada e agir de acordo com isso é a marca da pessoa de fé, daquela que tem "fé na vida". A fé de um indivíduo é tão forte quanto a sua vida, porque constitui uma expressão da força vital que ele tem dentro de si.

Aqueles que têm uma fé verdadeira se distinguem por uma qualidade que todos nós reconhecemos. Essa qualidade é a graça. O indivíduo com fé tem movimentos graciosos, porque sua força vital flui fácil e livremente por seu corpo. Ele tem maneiras graciosas porque não está preso a seu ego ou a seu intelecto, a sua posição ou a seu poder. Ele é um todo com seu corpo e, através do seu corpo, com toda a vida e com o universo. Seu espírito é luminoso e brilha com a chama da vida que há dentro dele. Reserva em seu coração um lugar para todas as crianças, pois cada criança é seu futuro. E respeita "os mais velhos", porque eles são a origem do seu ser e o fundamento da sua sabedoria.

Notas

CAPÍTULO 1

1. CAMMER, Leonard. *Up from depression.* Nova York: Simon & Schuster, 1969, p. 9. [Ed. bras.: *Saindo da depressão.* Rio de Janeiro: Difel, 1978.]
2. LOWEN, Alexander. *O corpo em terapia.* São Paulo: Summus, 1977.
3. LOWEN, Alexander. *Prazer – Uma abordagem criativa da vida.* São Paulo: Summus, 2020.

CAPÍTULO 2

4. É interessante notar que a primeira edição desta obra foi lançada nos Estados Unidos em 1972. Lowen parece ter profetizado a epidemia de depressão e suicídios que a humanidade vem enfrentando nos últimos anos. [N. E.]
5. FENICHEL, Otto. *The psychoanalytic theory of neurosis.* Nova York: W. W. Norton & Co., 1945, p. 408. [Ed. bras.: *Teoria psicanalítica das neuroses.* Rio de Janeiro: Atheneu, 2000.]
6. FENICHEL, Otto, *op. cit.,* p. 410.
7. LOWEN, Alexander, *O corpo em terapia, op. cit.*
8. DÜRCKHEIM, Karlfried. *Hara, the vital centre of man.* Londres: George Allen & Unwin Ltd., 1962, p. 27. [Ed. bras.: *Hara – O centro vital do homem.* São Paulo: Pensamento, 2018.]
9. *Ibidem,* p. 26.
10. *Ibidem,* p. 152.

CAPÍTULO 3

11. LOWEN, Alexander. *O corpo traído.* São Paulo: Summus, 2018.
12. FREUD, Sigmund. "Mourning and melancholia". In: *Collected papers.* Londres: Hogarth Press, 1953. v. IV, p. 162. [Ed. bras.: "Luto e melancolia". In: *Introdução ao narcisismo, ensaios de metapsicologia e outros textos (1914-1916).* São Paulo: Companhia das Letras, 2010. Obras Completas, v. 12.]

CAPÍTULO 4

13. Alguns dos exercícios específicos usados na terapia bioenergética, assim como uma descrição do banquinho, estão no meu livro *Prazer — uma abordagem criativa da vida (op. cit.).*
14. LOWEN, *O corpo traído, op. cit.*

CAPÍTULO 5

15. FREUD, *op. cit.,* p. 153.
16. KLEIN, Melanie. "Mourning and its relations to manic-depressive states". *The International Journal of Psychoanalysis,* v. 21, parte 2, abr. 1946.
17. McKINNEY JR., William F.; SISUOMI, S. J.; HARLOW, H. J. "Studies in depression". *Psychology Today,* maio 1971, p. 62.
18. LOWEN, *Prazer – Uma abordagem criativa da vida, op. cit.*

19. Bowlby, John. "Childhood mourning and its implications for psychiatry". *The American Journal of Psychology*, v. 128, n. 6, dez. 1961.
20. Lorand, Sándor. *The technique of psychoanalytic therapy*. Nova York: International University Press, 1946.
21. Rheingold, Joseph C. *The fear of being a woman*. Nova York: Grune & Stratlon, 1964, p. 141.
22. Canetti, Elias. *Crowds and power*. Nova York: Viking Press, 1963, pp. 103-7. [Ed. bras.: *Massa e poder*. São Paulo: Companhia das Letras, 2019.]
23. Warner, Esther. *Seven days to Lomaland*. Nova York: Pyramid Publications, 1967, p. 156--158.

CAPÍTULO 6

24. Neumann, Erich. *The origins and history of consciousness*. Nova York: The Bollingen Foundation, 1954. [Ed. bras.: *História da origem da consciência*. 5. ed. São Paulo: Cultrix, 1990.]
25. Uma discussão mais profunda dos movimentos sexuais naturais pode ser encontrada em meu livro *Amor e orgasmo* (São Paulo: Summus, 4. ed., 1988).
26. Alusão ao conhecido romance *O complexo de Portnoy,* de Phillip Roth (São Paulo: Companhia das Letras, 2004). [N. E.]

CAPÍTULO 7

27. Saint-Exupéry, Antoine de. *Wind, sand and stars*. Nova York: Reynal & Hitchcock, 1939. [Ed. bras.: *Terra dos homens*. São Paulo: Via Leitura, 2015.]
28. Comparei o indivíduo de massa com o verdadeiro indivíduo no livro *Prazer – Uma abordagem criativa à vida* (*op. cit.*, p. 76 e seguintes).
29. Warner, Esther. *The crossing fee*. Boston: Houghton Mifflin Co., 1968, p. 215.
30. *Touching – The human significance of skin,* publicado originalmente em 1971, apenas dois anos antes da primeira edição de *Depression and the body*. [N. E.]
31. Montagu, Ashley. *Tocar – O significado humano da pele*. 10. ed. São Paulo: Summus, 1988, p. 127.

CAPÍTULO 8

32. Montagu, *op. cit.*, p. 367.
33. Erikson, Erik H. *Childhood and society*. Nova York: W. W. Norton, 1950, p. 71. [Ed. bras.: *Infância e sociedade*. Rio de Janeiro: Zahar, 1971.]
34. *Ibidem*, p. 72.
35. *Ibidem*, p. 139.
36. Newton, Niles. "Interrelationship between various aspects of the female reproductive role: a review". Palestra para a American Psychopathological Association, 5. fev. 1971.
37. Erikson, *op. cit.*, p. 138.
38. Schwab, John J. "A rising incidence of depression", *Attitude*, v. 1, n. 2. jan.-fev. 1970. p. 2.
39. *Ibidem*, p. 6.
40. Fromm, Erich. *The crisis of psychoanalysis*. Nova York: Holt, Rinehart & Winston, 1970, p. 45. [Ed. brasileira: *A crise da psicanálise*. Rio de Janeiro: Zahar, 1977.]
41. *Ibidem*, p. 6.
42. *Ibidem*, p. 73.
43. *Ibidem*, p. 36.
44. Freud, Sigmund. *The future of an illusion*. Nova York: Liveright, 1953, p. 4. [Ed. bras.: "O futuro de uma ilusão". In: *Inibição, sintoma e angústia, o futuro de uma ilusão e outros textos (1926-1929)*. São Paulo: Companhia das Letras, 2014. Obras Completas, v. 17.]
45. *Ibidem*, p. 95.

46. *Ibidem*, p. 38.

47. FROMM, *op. cit.*, p. 83.

CAPÍTULO 9

48. LOWEN, *O corpo traído, op. cit.*, p. 11.

49. *Ibidem*.

50. LOWEN, *O corpo em terapia, op. cit.*

51. Sobre o significado da náusea espontânea e o papel desempenhado por ela na terapia, sugiro a leitura de *Prazer – Uma abordagem criativa da vida* (*op. cit.*).

52. A esse respeito, veja meu livro *Amor e orgasmo* (*op. cit.*).

53. No original em inglês, o autor usa as palavras *somebody* (alguém) e *nobody* (ninguém). A formação dessas palavras nos remete à ideia de presença e ausência de um corpo físico: *some* (um, algum) + *body* (corpo) e *no* (não, sem) + *body* (corpo). [N. R. T.]

CAPÍTULO 10

54. WARNER, *The crossing fee, op. cit.*, p. 19.

55. *Ibidem*, p. 29.

56. VAN DER POST, Laurens. *The lost world of the Kalahari.* Nova York: Piramid Publications, 1968, p. 231.

57. *Ibidem*, p. 232.

58. *Ibidem*, p. 233.

59. *Ibidem*, p. 221.

60. *Ibidem*, p. 231.

61. Citado em JONES, Ernest. *The life and work of Sigmund Freud, v. I.* Nova York: Basic Books, 1953, p. 256. [Ed. bras.: *A vida e a obra de Sigmund Freud, v. I.* São Paulo: Imago, 1999.]

62. *Ibidem*, p. 258.

63. *Ibidem*, p. 259.

64. *Ibidem*, p. 282.

65. REICH, Wilhelm. *The function of the orgasm.* Nova York: Orgone Institute Press, 1944. [Ed. bras.: *A função do orgasmo.* São Paulo: Brasiliense, 2004.]

66. Uma descrição completa dessa trajetória está em meu primeiro livro, *O corpo em terapia* (*op. cit.*).

67. REICH, *op. cit.* Veja também LOWEN, *Amor e orgasmo, op. cit.*

68. PIERRAKOS, John C. "The energy field of man". *Energy and Character, The Journal of Bioenergetic Research,* v. I, n. 2. maio 1970, Abbotsbury, Inglaterra, p. 60.

69. *Ibidem*, p. 66.

70. PIERRAKOS, John C. *The rhythm of life.* Monografia. Nova York: The Institute for Bioenergetic Analysis, 1966, p. 32.

71. PIERRAKOS, John C. "The energy field of plants and crystals". *Energy and Character,* v. I, n. 2. Também, *The energy field in man and nature.* Monografia. Nova York: The Institute for Bioenergetic Analysis, 1971.

72. JUNG, Carl. *Modern man in search of a soul.* Nova York: Harcourt, Brace, 1933, p. 253.

73. Em meu primeiro livro, *O corpo em terapia* (*op. cit.*), apresentei a tese de que era o sangue que levava Eros, o sentimento de amor. O coração é a fonte do amor.

74. Veja meu livro *O corpo traído, op. cit.*

www.gruposummus.com.br